PICH

Voor altijd en eeuwig

D0830011

Gemeentelijke Hoofdbibliotheek
Beveren

Bezoek onze internetsite www.awbruna.nl voor informatie over al onze boeken en softwareproducten.

Justine Picardie

Voor altijd en eeuwig

A.W. Bruna Uitgevers B.V., Utrecht

Oorspronkelijke titel
If the Spirit Moves You
© 2001 Justine Picardie
Vertaling
Lies van Twisk
© 2001 A.W. Bruna Uitgevers B.V., Utrecht
Foto omslag
© Sam Taylor Wood

ISBN 90 229 8554 7
NUGI 626

Tweede druk, februari 2002

Niets uit deze uitgave mag worden openbaar gemaakt en/of
verveelvoudigd door middel van druk, fotokopie, microfilm of op
welke andere wijze dan ook zonder voorafgaande schriftelijke
toestemming van de uitgever.

'De primitieve mens, zo wordt gezegd, kan geen onderscheid maken tussen de beelden van de slaap en de werkelijkheid. Dienovereenkomstig concludeert hij onvermijdelijk, wanneer hij heeft gedroomd over zijn dode vrienden, dat ze niet totaal verloren zijn gegaan, maar dat hun geest blijft bestaan in de een of andere plaats en in de een of andere vorm, al onttrekken ze zich tijdens de dagelijkse loop der gebeurtenissen aan de waarneming van zijn zintuigen. Gebaseerd op deze theorie lijken de opvattingen, of ze nu grof of verfijnd, weerzinwekkend of mooi zijn, die de primitieve mens en wellicht de beschaafde mens hebben gevormd over de toestand van de overledenen niet meer te zijn dan doorwrochte hypothesen die zijn bedacht om hun verschijningen in de dromen te verklaren. Deze verheven structuren blijken, ondanks hun stralende of sombere grootsheid, ondanks de zware kracht en soliditeit waarmee ze zich aan de verbeelding van velen presenteren, bij onderzoek slechts denkbeeldige, uit wolken en dampen opgebouwde kastelen blijken te zijn, waarbij een ademtocht van verstand voldoet om ze in lucht te doen versmelten...' (The Golden Bough: A Study in Magic and Religion, *James George Frazer*)

'Na niet al te lange tijd wist ik het belang te waarderen van fantasieën en onbewuste gedachten over het leven in de baarmoeder... Ze bieden de meest diepgaande onbewuste basis voor het geloof in overleven na de dood, die een projectie in de toekomst vertegenwoordigt van dit mysterieuze leven voor de dood...' (De droomduiding, *Sigmund Freud*)

'We sterven met de stervenden:
Zie, ze gaan heen, en wij gaan met hen.
We worden geboren met de dood:
Zie, ze keren weerom, en brengen ons met zich mee...'
(Four Quartets, *T.S. Eliot*)

Goede Vrijdag in het jaar 2000

Jezus is dood, net als mijn zus. Ik loop op de band in de fit-nesszaal terwijl ik naar een geluidloze MTV kijk. Als mijn zusje nog had geleefd, was ze over tien dagen 36 geworden. Maar Ruth stierf toen ze 33 was, dezelfde leeftijd als Jezus. Uiteraard weet ik dat ze lang zo beroemd niet was als Jezus op 33-jarige leeftijd, zó dwaas ben ik niet, noch heb ik de neiging onder normale omstandigheden godslasterlijk te zijn. Maar Ruth is een klein beetje beroemd omdat ik, toen bij haar terminale borstkanker geconstateerd werd, haar vroeg een artikel voor het tijdschrift de *Observer* te schrij-ven waarvoor ik destijds redactrice was. De rubriek heette 'Life' en haar artikel over de dood kwam op de laatste pagi-na. Ze schreef maar een paar artikelen voordat ze stierf, maar vele duizenden lezers reageerden op haar stukken die later (samen met de e-mails en brieven) werden gebundeld in een boek met de titel *Ik zal het leven missen*. Aldus heeft ze een soort openbaar leven na de dood. Ze kwam weer tot leven, in elk geval in de lijst van bestsellers, en dat is wel-licht zowel een zegen als een vervloeking voor degenen die van haar hielden.

Wanneer ik nu aan haar denk, wat vaak gebeurt, is het alsof ik een stomme film in mijn hoofd afdraai. Ik zie de cruciale scènes in ons leven samen (hoe ik haar hand vasthield toen haar tweeling werd geboren met een spoedkeizersnede; hoe ik twee jaar later haar hand vasthield toen ze hen vaarwel kuste vlak voordat ze stierf). Maar wat ik niet kan horen, is haar stem in mijn hoofd, en die stilte drijft me tot waanzin. De loopband wordt verondersteld een goede therapie te zijn, en soms werkt het, maar vandaag niet, want Goede Vrijdag is de droevigste dag van het jaar. Ik heb van alles geprobeerd sinds mijn zusje dood is, op een manier zoals het de ontwikkelde consument die ik verondersteld ben te zijn betaamt: fitness, hulp bij de rouwverwerking, psychotherapie, antidepressiva, valium, slaappillen, homeopathische remedies. Prozac verdooft voldoende om de stilte enigszins dragelijk te maken (hoewel ik probeer het niet meer in te nemen, omdat ik me afvraag of me misschien iets is ontgaan; of de ondoordringbare deken waarin het voorziet nu eigenlijk nog wel nodig is). Maar er spreekt nog steeds niets tegen me.

Ik verwachtte geen stilte. We hadden altijd zoveel te bepraten. Ze was mijn beste vriendin, niet alleen mijn zusje. Ze was bijna drie jaar jonger dan ik, het kind dat ik moest beschermen toen ik nog een kind was (en mijn ouders ook nog maar nauwelijks volwassen). Toch kon ik haar niet beschermen. Toen ze wist dat ze dood zou gaan, omdat de kanker zich naar haar longen en haar lever had uitgezaaid, spraken we over hoe we altijd met elkaar zouden praten, zelfs na haar dood. Geen van ons tweeën is opgegroeid met een geloof in een traditioneel christelijk leven na de dood (en trouwens, ik had die onvriendelijke God opgegeven na zijn falen mijn gebeden te beantwoorden om haar te redden). Toch leek het onmogelijk dat we ooit door stilte gescheiden zouden zijn, dat onze stemmen alleen in stand werden gehouden door ons vlees en bloed.

Toch hoorde ik in de weken na haar dood niets. 's Nachts waren er alleen mijn eigen gedempte kreten in het kussen wanneer ik in bed lag; of de herinneringen die ik had geprobeerd te blokkeren, maar die mijn hoofd vulden met haar doodsbenauwde ademhaling op haar laatste avond, terwijl ze snakte naar alles wat van het leven overbleef. En ik kon alleen maar zeggen: 'Ik hou van je, ik hou van je, ik hou van je.'

'Ik hou ook van jou,' fluisterde ze, voordat ze weggleed naar een plaats waar ik haar niet kon volgen.

Sinds die tijd heb ik momenten gehad dat ik niets liever wilde dan haar volgen. Maar nu loop ik, nadat ik klaar ben met de fitness, terug naar huis, terug de trap op naar de computer op zolder. Ik verwacht bijna een e-mail van Ruth (Postvak IN), maar er is niets; alleen mijn half gereflecteerde gezicht op het lege scherm. Ik vraag me af of ze aan de andere kant is, naar me terugkijkt, terwijl ik naar binnen kijk. Ik vraag me af of ik een gat in het scherm kan slaan en mijn hand erdoorheen kan steken om naar haar te reiken. Ik droom vaak dat ik met Ruth in een bos ben. Ze is een klein meisje, verdwaald in het bos, en ik sta aan de andere kant van een glazen scherm naar haar te kijken. In mijn droom sla ik het met mijn blote vuisten in scherven en reik ik erdoorheen, waarbij ik mijn polsen snijd aan het gebroken glas. Als kind heb ik een televisiebewerking van *De woeste hoogte* gezien: de geest van Cathy kwam naar een donker raam; ze was buiten en ze sloeg zich een weg naar binnen, met bloedende polsen en knokkels. Of misschien – hoewel ik het me niet goed kan herinneren, misschien droomde ik dit – was het een klein meisje in het huis dat het raam dichtdeed tegen de geest van Cathy en het raam op haar dode vingers terechtkwam terwijl ze naar binnen reikte.

(Ik heb geen therapeut nodig om dit te verklaren, dank je zeer. Ik hoef alleen een van mijn favoriete boeken te pakken, het zeer nuttige A Dictionairy of Superstitions *van Iona Opie, bladzijde 117:* DE DOOD: *het openen van sloten/deuren en ramen bevrijdt de geest – 1891* Church Times, *23 januari. 'Gisteren begroef ik in Willey in Warwickshire, een jongetje van drie jaar. Het sneeuwde hard, toch hadden de ouders (uit de arbei-*

dersklasse) zowel de voordeur als de achterdeur van hun arbeiderswoning tijdens de hele begrafenis wagenwijd openstaan.')

Dat was dan dat wat betreft communicatie.

Als ik over mijn zusje droom, wat ik bijna elke nacht doe, zegt ze niet erg veel. Vlak voor het ochtendgloren op paaszondag, wanneer Jezus ongetwijfeld weer verrijst, droom ik dat ik mijn zusje op een feestje tegenkom.

'Ik dacht dat je dood was!' zeg ik.

'Nee, ik ging alleen maar naar Amerika,' zegt ze, terwijl ze mijn blik ontwijkt.

'Maar ik zag je dode lichaam. Ik ging naar de begrafenis en zag de lijkkist. Je werd gecremeerd.'

'Hmm,' zegt ze, op een furieus makende toon.

'En hoe zit het met de kinderen?' vraag ik haar. 'Hoe kon je gewoon naar Amerika gaan en Lola en Joe achterlaten? Ze hebben je zo gemist! En ik heb je zo gemist! Hoe kon je zoiets doen?'

Ze keert zich van me af.

'Ruth, luister naar me,' zeg ik. 'Je man heeft een vriendin. Ze heet Anna. Ze hebben net samen een nieuw huis betrokken, met de tweeling. Kan het je niets schelen? Luister je zelfs wel naar me?'

Ze zegt nog steeds niets. Ik kijk wat beter naar haar, naar haar stekelhaar dat roodgeverfd is, en realiseer me dat dit een vreemde is, iemand die doet alsof ze Ruth is.

'Jij bent mijn zusje niet,' zeg ik tegen deze vrouw.

'Jij kréng,' antwoordt ze.

Na deze droom denk ik dat ik misschien wat hulp nodig heb. Een paar maanden geleden gaf een vriend van mij me het telefoonnummer van een man – een medium – met de naam Arthur Molinary, die werkt aan het instituut voor paranormaal onderzoek. Ik mag zijn naam wel – ik moest erom glimlachen – en het leek me wel iets om naar deze vreemd klinkende plaats te gaan. Maar ik had het nummer ergens in een la weggestopt. Ik voelde toen niet de behoefte hem te bellen. Nu weet ik niet wat ik anders nog kan doen.

Woensdag 26 april

Ik bel het Instituut voor Paranormaal Onderzoek vanaf mijn werk op. Dit is een heel merkwaardig telefoontje om in een open kantoor te plegen, dus probeer ik te fluisteren. 'Ik wil graag een afspraak maken met Arthur Molinary,' zeg ik zacht in de telefoon.

'Meneer Molinary zit vol tot kwart over vier op 8 juni,' zegt een zakelijk klinkende vrouw aan de andere kant van de lijn. 'Wilt u dat ik die afspraak voor u maak?'

'Ja,' zeg ik, 'maar kan het niet eerder?'

'Nou,' zegt ze, terwijl ze even pauzeert alsof ze het afsprakenboek van de praktijk van een populaire arts doorneemt, 'je zou op 16 mei om halfvijf bij ons jongste medium kunnen komen. We krijgen heel goede resultaten van hem.'

'Maak beide afspraken maar,' zeg ik opgewonden terwijl ik plotseling de aanwezigheid van Ruth voel. Ik kan haar niet naast me zien zitten, niet letterlijk, maar ik kan haar voor mijn geestesoog zien met haar lavendelkleurige lievelingsrok en een witte bloes aan van een winkel die Geest heet.

'Tot dan,' zegt de receptioniste. 'En we moeten het vierentwintig uur van tevoren weten als u een afspraak afzegt.'

'Ik zeg ze niet af,' zeg ik. (Later, wanneer ik mijn man die een rationalist is, vertel over dit gesprek, trekt hij een wenkbrauw op en merkt op: 'Je zou denken dat het instituut voor paranormaal onderzoek het zou wéten als je gaat afzeggen.')

Maandag 1 mei
Het is de verjaardag van Ruth. Ik ben mijn opgewektheid kwijt en ben teruggevallen in een sombere, boze stilte. Mijn beide ouders hebben de voorgaande nacht in mijn huis gelogeerd (in aparte slaapkamers, want ze zijn gescheiden). In de ochtend praten we tussen de sneden geroosterd brood door over koetjes en kalfjes. Ik vraag me af of ik hen over mijn afspraken met het instituut voor paranormaal onderzoek zal vertellen. Mijn vader was een don aan Oxford; mijn moeder is therapeute. Ik zie spiritualisme geen grote bijval bij hen vinden, maar het geval wilde dat mijn grootvader van mijn vaders kant, nadat zijn ouders stierven, belangstelling kreeg voor seances. Het is een soort onuitgesproken schande van de familie. De arme, verdrietige, dwaze Louis die Lazar was genoemd (naar Lazarus) maar zijn naam veranderde toen hij herboren werd in de pinkstergemeente, en begon te luisteren naar kloppen op de tafel en stemmen uit het hiernamaals.
'Pap,' zeg ik. 'Waarom heb je het nooit over Louis en de spiritisten?'
'O, die vreselijke nónsens,' zegt mijn vader. 'Hoe absurd, hoe waarlijk beláchelijk kun je worden!'
Mijn vader had de eerste van enkele zenuwinstortingen vlak nadat zijn moeder stierf. Ik moet zeven of acht geweest zijn toen hij in een psychiatrische inrichting in de buurt van Oxford werd opgenomen en elektroshockbehandelingen kreeg. (Ik was er niet bij – hoe had dat ook gekund? – maar ik herinner het me als in een nare droom waarin ik naar hem sta te kijken vanaf de andere kant van een glazen muur, terwijl hij als het monster van Frankenstein op het bed vastgebonden ligt. Dan wordt er een stroom elektriciteit door zijn hersenen geschoten en toen ik uitriep: 'Hou

op met hem pijn te doen,' kwam er geen geluid uit mijn mond.) Sindsdien heeft hij jarenlang therapie gehad en wrede doses medicijnen gekregen, waardoor hij wat broos en zwak is geworden. De ervaringen van zijn vader met het spiritualisme waren, mogelijkerwijs, een vriendelijker manier om met verdriet om te gaan dan de psychiatrische behandeling van mijn vader; maar waarschijnlijk deelt hij deze mening niet.

(In de tijd dat mijn vader in de psychiatrische inrichting zat, maakte ik kortstondig kennis met het Oude Testament toen ik me met een schoolvriendin een paar maanden verdiepte in een merkwaardige christelijke sekte. Haar vader was een vooraanstaand fysicus aan Oxford, maar hij was ook christadelphian, wat me destijds in de oren klonk als een chrysant, maar in feite een onderafdeling van de Kerk was die een tweede komst van Christus op aarde verwachtte. Mijn vriendin en ik zaten op de zondagsschool van de christadelphians in een souterrain aan een straat in de buitenwijken van Oxford, terwijl haar ouders boven op de wederkomst van Jezus Christus zaten te wachten, en mijn vader daar in de buurt worstelde met zijn demonen.)

Wat mijn moeder betreft: zij werd door haar moeder grootgebracht met de rituelen van de Anglicaanse Kerk. Haar moeder was op haar beurt door haar moeder op de leeftijd van vier jaar naar een nonnenkostschool gestuurd. Mijn moeder had, wellicht niet verbazingwekkend, als tiener het plan non te worden. Hoewel ze iets heiligs heeft, is ze uiteindelijk niet in de voetsporen van haar vorouder Henry Garnett getreden, een katholiek priester die na het buskruitverraad werd geëxecuteerd. Later werd hij zalig verklaard om de reden dat de afbeelding van Christus was waargenomen in de druppel bloed die uit zijn afgehakte hoofd viel. In plaats van met God te trouwen ontdekte mijn moeder mijn joodse vader en het socialisme en haar eigen intelligentie. Hun huwelijk was een mislukking. (Ik groeide op met het idee dat Pasen gepaard ging met de daarmee samenvallende depressie van mijn vader. Dit was een schakel die ik niet begreep tot ik recent een e-mail van hem ontving waarin hij aforistisch opmerkte: 'Er waren pogroms in het tsaristische rijk, die gewoonlijk rond Pasen werden georganiseerd door de Russische politie zelf en opgestookt door de katholieke priesters om de Christusmoordenaars verantwoordelijk te stellen. Zij werden ervan beschuldigd christelijke kinderen te vermoorden om van hun bloed paasbrood te maken voor Pascha.') Niet zo lang geleden heeft mijn vader enige troost gevonden in de rituelen van het jodendom dat hij voorheen afwees, terwijl mijn moeder met haar tweede man (arts, bloedspecialist, en toevallig ook hemofiliepatiënt), kortstondig terugkeerde naar de Kerk. Nadat de arts aan aids overleed ontdekte ze een ander soort troost in wat Freud zag als de wetenschap van de psychotherapie.

(Ik, daarentegen, zoek naar antwoorden in *A Dictionary of Superstitions.*

> *'BLOEDEN: toverformule voor stelpen. Het vers om bloeden te stelpen is het zesde vers van het zestiende hoofdstuk van Ezechiël, dat moet worden herhaald door iemand van een ander geslacht dan dat van de patiënt. "En toen ik u voorbijging, en u vervuild zag in uw eigen bloed, zei ik u toen u in uw bloed was, leef; ja, ik zei u, toen u in uw bloed was, leef."*)

Na de dood van Ruth lijk ik voor mijn moeder stil en gesloten; heb ik waarschijnlijk behoefte aan therapie. Maar zoals ik zei, mijn ervaringen met therapeuten zijn niet erg geslaagd geweest. De eerste therapeut voor rouwverwerking die ik zag ergerde me. Dit kwam gedeeltelijk vanwege zijn new age taalgebruik ('je hebt een plaats nodig waar je vastgehouden kunt worden'). En ook omdat hij me briefjes op blauw papier stuurde, versierd met pastelkleurige konijntjes en vogeltjes. De tweede therapeut was veel beter, maar we bleven vastzitten in mijn herinneringen aan de bloedfobie van Ruth (ze voelde zich zwak worden – en viel soms flauw, kreeg zelfs aanvallen – bij de aanblik van haar eigen bloed). De therapeut leek te suggereren dat mijn zusje en ik wellicht de herinnering aan de zelfmoordpoging van mijn vader hadden onderdrukt; waren er misschien polsen doorgesneden of zoiets? Maar, zoals ik mijn therapeut maar bleef vertellen, mijn vader had in feite slechts een lichte overdosis aan pillen ingenomen, hoewel ik tijdens (of misschien vanwege) deze therapieperiode werd achtervolgd door het ongevraagde beeld van hem hangend in onze woonkamer in Oxford.

Hoe dan ook, al dit spitten in mijn onderbewuste werd al snel te akelig en uitputtend. Prozac is zoveel gemakkelijker. Trouwens, ik verveel mezelf; verdriet verveelt me; het horen van mijn eigen stem die somber, doelloos spreekt, verveelt me terwijl het enige wat ik echt wil Ruth is.

En als het niet haar stem is, dan misschien die van een medium dat haar kan horen wanneer ik dat niet kan. Dat is trouwens wat ik mijn moeder probeer te vertellen op de verjaardag van mijn overleden zusje. Ze kijkt me verrast aan. Ergens in haar afgemeten antwoord hoor ik de woorden 'zich eigen maken', maar niet veel meer. Dan vertelt ze me dat ook zij over Ruth heeft gedroomd. 'Een keer stond ze aan de overkant van een rivier naar me te wuiven, maar ik kon de rivier niet oversteken,' zegt mijn moeder. 'Een andere keer droomde ik dat ik heel snel over de snelweg reed en Ruth in een andere auto vanuit tegengestelde richting langs me heen flitste.'

'Maar voel je ooit haar aanwezigheid wanneer je wakker bent?' vraag ik.

'Alleen in mijn herinnering en mijn gevoel van verlies,' zegt mijn moeder, heel rustig.

Mijn zwijgen vult de lucht tussen ons. Ze wil dat ik meer van haar hou, maar soms wordt liefde opzijgeschoven door verdriet. En zo vertrekt mijn moeder zonder dat ik tegen haar zeg dat ik van haar hou, echt, zelfs hoewel mijn zusje, van wie de naam in mijn botten gekerfd is, van wie de geest door mijn aderen vloeit, dood is. Mijn zusje is dood.

Dan rijdt mijn man Neill mij en onze kinderen en mijn vader door Londen naar het zuiden over de Blackfriars Bridge – de brug die ik zo vaak overging, van en naar het verpleeghuis dat mijn stervende zusje herbergde – naar de andere kant van de rivier. We parkeren aan het einde van de brug en lopen langs het grijze, koude water van de Theems. Het is de Dag van de Arbeid. Helikopters hangen als gieren boven de andere oever, waar anarchisten betrokken zijn in een klein opstootje. Er ligt aangespoelde rommel op het vuile zand. Ik denk dat Neill boos op me is, omdat ik verdrietig ben op deze vrije voorjaarsdag. ('Dat is pure projectie, en dat weet je,' zegt de stem van een denkbeeldige therapeut die soms door mijn hoofd schiet wanneer ik hem het minst wil horen.) Ik loop vooruit met de kinderen die ongecompliceerde gesprekken voeren en laat mijn vader en man in ons kielzog achter.

Eindelijk bereiken we de Hayward-galerie. Er is een expositie die is georganiseerd door onze buurman, David Toop, van wie de vrouw, mijn vriendin Kimberley, vijf jaar geleden op een winterse ochtend zelfmoord pleegde (Kimberley geloofde in spiritualisme, en toen ze wegzonk in wanhoop, hoopte ze dat de dood haar ziel zou bevrijden uit de duisternis naar het licht; maar dat is een ander verhaal...). De expositie heet 'Supersone knal', en gaat over geluid, maar ook over stilte. Ik sta voor een werk dat *Een processie van geesten* heet en is gemaakt van sierlijke ijzerdraden die op een enorm, glad wit papier krassen. Er valt niets te lezen, en toch is er het vage geluid van iets wat in de stilte wordt geschreven. Ik staar naar de lege ruimte en probeer me de woorden van Ruth voor te stellen op haar verjaardag. Maar ik kan niets lezen. De bladzijde blijft leeg en glad, terwijl het vage geluid van het krassen van wat een pen zou kunnen zijn, blijft doorgaan...

10 mei
Ik zit in een vliegtuig op weg naar Hollywood om een aantal filmsterren te interviewen voor *Vogue*. Ik kijk door het raam, als altijd op zoek naar Ruth. De eerste keer dat ik vloog nadat ze was overleden, huilde ik vanwege de leegheid van de hemel. Deze keer is het gemakkelijker. Zou ze niet hier in de cabine kunnen zijn, haar geest die bij het ochtendgloren opvliegt vanaf de kussens van haar kinderen om weer bij me te zijn?
'Ben je daar?' fluister ik terwijl ik mijn lippen geluidloos beweeg.
'Ik ben er,' zegt de stem in mijn hoofd. En waarom zou ze ook, denk ik, in de wolken zweven buiten deze kleine, fragiele spiraal van staal en kerosine wanneer ik binnen op haar zit te wachten?
Ik sluit mijn ogen en hoor haar stem als de mijne.
'Ruth?'
'Ja.'
'Ik mis je.'
'Ik mis jou ook. Maar ik ben hier, weet je.'
'Kun je me niet gewoon een teken geven?'
'Je hebt geen teken nodig.'
'Wat is de hemel?'
'De hemel is een geestesgesteldheid.'
'En de hel?'
'De hel is jouw ongelukkig zijn.'
'Hoe is het nu voor jou?'
'Blauw en snel en zilver.'
'Waar ben je?'
'Bij de tweeling, en jou, en bij mezelf...'
'Herinner je je die droom die ik had? De week nadat je stierf? We ontmoetten elkaar in de tuin van het verpleeg-

huis Trinity en je lag op een soort mat, alsof je lag te slapen. En toen ging je zitten en zei je tegen me dat je al je tijd doorbracht met vreemden. Ik dacht aan jou als aan een dolende geest die de Blackfriars Bridge oversteekt, heen en weer, steeds opnieuw.'

'Dat was voordat ik mezelf vond. Het gaat nu beter.'

Ik open mijn ogen en huil, elf kilometer hoog in de lucht, en vraag me af of Ruth in de lege stoel naast me zit.

'Natuurlijk zit ik naast je, domoor,' zegt ze.

'Ik bén ook dom,' zeg ik. 'Ik ben niet zo slim als jij.'

'Dat ben je wel,' zegt ze. 'Jij bent mij.'

16 mei

Mijn afspraak met het jonge medium. Ik ben zo nerveus dat ik nauwelijks de auto kan parkeren bij het Instituut voor Paranormaal Onderzoek. Het is een groots, negentiende-eeuws gebouw, vlak om de hoek van het Natuurhistorisch Museum (één verkeerde afslag en ik had bij Darwin en Freud op de stoep gestaan). Vlak na de toegangshal bevindt zich een wachtkamer die ook dienstdoet als bibliotheek, met verbleekte rijen stoffige Victoriaanse boeken, en een brochure die uitleg geeft over de grondbeginselen van het instituut.

(Het instituut, opgericht in 1884, is een educatieve liefdadige organisatie. We proberen de spirituele waarden te bevorderen en een groter begrip te kweken voor de ruimere gebieden van het menselijk bewustzijn, waarbij we de waarheden van alle spirituele tradities verwelkomen en eveneens ieder individu...)

Ik wacht terwijl ik door het komende lezingenprogramma blader (morgenavond komt dr. Edgar Mitchell, die in 1971 op de maan wandelde, maar nu op weg is naar South Kensington om zijn gedachten te uiten over 'Het kwantumhologram: de geest van de natuur', met een verwijzing naar 'intuïtieve, paranormale en mystieke ervaringen'). Voor ik veel verder kom, wordt mijn naam geroepen. 'Justine Picardie. Kamer vier,' zegt de receptioniste.

Ze wijst de trap op, langs de olieverfschilderijen van de vroegere presidenten en uitblinkers van het instituut, langs het auditorium, naar de tweede verdieping.

Het jonge medium is een man van middelbare leeftijd, klein en kaal en nerveus, met een nauwgezet gestreken overhemd en een degelijke broek aan.

'Vind je het erg als ik het gordijn dichtdoe?' zegt hij met een licht noordelijk accent. 'Het is zo licht buiten, het is verblindend...'

'Ga je gang,' zeg ik en we gaan beiden zitten.

Hij sluit zijn ogen. 'Ik voel beslist iets,' zegt hij. 'Ik voelde het op het moment dat je de kamer binnenkwam. Mijn neus kriebelt en mijn keel, mijn keel doet pijn.' Zijn hand grijpt zijn hals beet, maar zijn ogen zijn nog altijd gesloten. 'Er zitten enorm veel pollen in de lucht,' zeg ik onvriendelijk. 'Misschien heb je hooikoorts?'

Hij opent zijn ogen en kijkt me gespannen aan. 'Je zou gelijk kunnen hebben,' zegt hij. 'Het zou hooikoorts kunnen zijn.'

Hij sluit zijn ogen weer en begint met zijn hand in de lucht te wuiven, peddelt ermee door het schemer in deze hete, stille kamer.

'Je moet niet vergeten diep adem te halen,' zegt hij terwijl hij zelf, bij wijze van demonstratie, diep ademhaalt. 'In, uit, in, uit. En zwem. Wanneer je gestrest bent, ga dan zwemmen... En je moet water drinken. Veel, veel water.'

Dit komt me niet voor als een advies waar ik iets aan heb, noch schijnt het de inzichten van mijn zusje te vertegenwoordigen, dus blijf ik zwijgen. Hij peddelt krachtiger met zijn armen, alsof hij naar een verre kust zwemt.

'Clarissa!' zegt hij ten slotte. 'Clarissa! Betekent die naam iets voor je?'

'Nee,' zeg ik ijzig terwijl ik wens dat ik nu kon vertrekken.

'Hmm,' zegt hij. 'Nou ja, bewaar die naam voor de toekomst.' Hij haalt weer diep adem, alsof hij zichzelf gerust wil stellen; maar op zijn voorhoofd prijkt een frons en zijn neus vertoont rimpels als het Witte Konijn in *Alice in Wonderland*. (Waarom 'jonger' medium'? vraag ik me af. Waarom kan ik mezelf er niet toe zetten hem te vragen wat dat betekent?)

Ik staar naar het plafond en voel me dwaas en teleurgesteld. Wat, in hemelsnaam, doe ik hier? Waarom zou Ruth trouwens op zo'n vreemde plaats tegen me praten, via deze vreemde man?

'Ik zie iemand die eruitziet als jij en praat als jij,' vervolgt hij onaangedaan. 'Heb je iemand in de familie die is overleden?'

'Mijn zusje,' zeg ik met tegenzin.

'Ze overleed aan kanker,' zegt hij terwijl hij zijn maag vastgrijpt en voor steun tegen de muur leunt. 'Ik kan haar misselijkheid voelen.'

Ik zou hem het liefst een klap verkopen, maar doe het niet. Ik ben te beleefd om weg te gaan. Ik luister naar zijn opmerkingen over mijn overleden grootouders. ('Ze houden van deze tijd van het jaar. Ik zie hen ijs eten. Hielden ze van ijs? Ik probeer hier enig bewijs voor je te vinden. Is bij een van hen misschien de amandelen verwijderd?')

Eindelijk kan ik gaan. 'Tot ziens,' zeg ik. 'Bedankt.'

'Tot ziens,' zegt hij vriendelijk. 'Soms vertellen de geesten niet wat je wilt horen...'

Ik loop de trap af, langs de portretten van de Victoriaanse mediums, langs de posters die konde doen van dr. Mitchell en de workshop in het weekend over de weg van de ziel, en vervolgens door de grote voordeur, waar ik plotseling begin te lachen en opkijk naar de zomerlucht waar de pollen als stof van de hemel of de afgegooide veren van engelenvleugels in het rond wervelen.

De volgende dag ga ik naar mijn werk en vind ik in de ochtendpost een boek, en een brief die is geschreven op lavendelkleurig papier.

BESTE MEVROUW PICARDIE, is de aanhef.

Ik las uw artikel in de Daily Telegraph *van 25 september 1999 en begrijp precies hoe u zich voelt over de dood van uw zus Ruth twee jaar geleden. Uw opmerking over uw verlangen naar 'haar advies en unieke begrip van ons gedeelde verleden' is met name aangrijpend.*

Uw verhaal raakte zo'n snaar in mij dat ik besloot u mijn boek te sturen: Stemmen uit het paradijs. *Ik zeg niets meer in deze brief maar laat het boek voor zich spreken. Ik heb het gevoel dat het u kan helpen, niet alleen door het uiten van een gedeelde ervaring, maar ook op een praktische manier.*

Lees het alstublieft, en als u het gevoel hebt dat het klopt, hoe ongelooflijk het in eerste instantie mag lijken, wilt u het misschien aanbevelen op welke manier u ook maar gepast vindt.

Met vriendelijke groet,
Judith Chisholm

De ondertitel van het boek is: *Hoe de doden tegen ons spreken*, en ondanks mijn teleurstellende ervaringen met het jonge medium neem ik het boek mee naar huis en lees ik het. Het blijkt me zo in beslag te nemen dat ik ER mis, wat mijn favoriete serie op televisie is, net zoals voor Ruth (het onechte bloed leek haar niet te storen wanneer we er elke donderdagavond samen naar keken voordat ze ziek werd, en daarna, en niet lang voordat ze stierf, waarbij we zij aan zij op het ziekenhuisbed lagen. Alleen kon ze tegen die tijd door haar hersentumor de dialogen niet meer volgen. 'Waar hebben ze het over?' klaagde ze dan. 'Wat zéggen hun stemmen?').

Judith Chisholm is een voormalige journaliste van de *Sunday Times* (de krant waar ik begon als verslaggever, hoewel zij lang voordat ik kwam daar wegging), van wie de zoon onverwacht op zijn 36e overleed. Het boek begint als een ontroerend verslag van haar verdriet. Vervolgens beschrijft het haar levendige ervaringen met mediums en seances, voordat het voert tot een exacte uiteenzetting van haar geloof in iets wat elektronisch stemfenomeen, of EVP, wordt genoemd, waarvan zij beweert dat dit een manier is om de stemmen van de doden op te nemen. Als ondersteuning haalt ze sir Oliver Lodge aan, de uitvinder van de bougie en voormalig hoofd van de universiteit van Birmingham, en van 1901 tot 1903 president van de Society for Psychical Research. ('De doden leven in etherische golflengten die op een veel hogere frequentie werken dan die van ons,' schreef Lodge in *The Outline of Science*. 'Onze fysieke wereld werkt op vibraties die overeenkomen met de snelheid van het licht. De etherische wereld werkt op frequenties die veel sneller zijn dan de snelheid van het licht.') Ze wijst ook op de inzichten van Thomas Edison, die na de uitvinding van de gloeilamp en de fonograaf zijn aandacht richtte op het bouwen van een machine die de doden in staat zou stellen met de levenden te spreken. 'Ik neig tot de gedachte dat ons persoonlijk leven na de dood in staat zal zijn materie te beïnvloeden,' schreef Edison op 73-jarige leeftijd. 'Als de redenatie correct blijkt te zijn, dan zou, als we een instrument kunnen ontwikkelen dat zo verfijnd is dat het wordt beïnvloed, geroerd of gemanipuleerd door onze persoonlijkheid in het leven na de dood, dan zou een dergelijk instrument, indien beschikbaar, iets moeten registreren.'

Het boek van Judith Chisholm eindigt met een reeks instructies over hoe de stemmen van de doden kunnen worden opgenomen. 'De volgende dingen heb je nodig. Een taperecorder (variabele snelheid is nuttig aangezien sommige stemmen heel snel zijn en moeten worden vertraagd). Een nieuwe band; een losse microfoon, als dat bij je bandrecorder mogelijk is, die ergens moet worden opgehangen om zo veel mogelijk effect te krijgen (een losse microfoon helpt achtergrondruis te verminderen). Een stille kamer en, wat heel belangrijk is, een positieve, verwachtingsvolle, opgewekte, liefdevolle geest.' Ze beveelt ook aan op te nemen na zonsondergang op de avond van een volle maan, bij voorkeur tijdens een onweersbui. De reden hiervoor staat niet in verband met mythe of bijgeloof, maar wel met elektriciteit en aantrekkingskracht en iets wat 'het gravitatie-effect' heet.

Niet lang nadat Jezus Lazarus van de dood had doen herrijzen, 'kwam er een stem uit de hemel. De schare dan, die daar stond en toehoorde, zeide dat er een donderslag geweest was; anderen zeiden: een engel heeft tot hem gesproken.' (Johannes 12: 28-9)

Donderdag 18 mei
Ik heb het boek uit. Het is donker buiten. De kinderen liggen boven te slapen. Het is volle maan en er is net een onweersbui. 'Heb jij een taperecorder en een microfoon?' vraag ik mijn man.
'Waarom?' zegt hij. Ik geef geen antwoord, maar hij weet wat ik denk, en hij kijkt me met ongeloof, zorg en wrevel aan. Maar hij houdt van me, dus haalt hij de taperecorder en de microfoon en een lege cassette en zet ze voor me neer op de keukentafel. 'Ik ga naar boven,' zegt hij. 'Roep me als je me nodig hebt.'
Ik steek een kaars aan en doe de lichten uit. Ik zet de taperecorder aan en fluister in de microfoon, voor het geval ie-

mand me mocht horen. Maar dan herinner ik me dat ik wil dat Ruth me hoort, om niet te spreken over Kimberley en Oscar en Adam en Simon en John, al mijn vrienden die de afgelopen paar jaar zijn overleden. 'Ahem, is er iemand?' zeg ik. 'Ik zou heel graag met iemand willen praten. Ik heb het gevoel dat het, omdat er recent zoveel mensen zijn overleden, zinniger is mijn sociale leven in de geesteswereld te leiden...' Stilte. Ik laat de tape enige tijd doorlopen, zoals in het boek wordt aangegeven. ('Met de methode met de losse microfoon hoor je tijdens de opname geen onstoffelijke stemmen, pas wanneer je hem terugspeelt. Las een stilte in tussen je eigen zinnen, zodat er ruimte is voor een antwoord vanaf gene zijde...')
Stilte. Ik geloof hierin. Echt. Ik heb een positieve, verwachtingsvolle, opgewekte, liefdevolle geest. Er is een volle maan buiten. Het heeft gebliksemd en daarom stikt het van de elektriciteit. Mijn zusje gaat tegen me praten. Ze zal een boodschap voor me op de tape achterlaten. Ik weet dat dit waar is. Echt.
Ik stop de tape. Ik spoel hem terug. Ik speel hem af.
Ik hoor mijn stem op de tape... en verder niets. Er is niets. Maar er moet iets zijn. Ik spoel hem terug en speel hem opnieuw af. Stilte. Ik raadpleeg het boek. 'Speel de tape af. Luister heel nauwkeurig. Eerst is het moeilijk iets anders te onderscheiden dan de achtergrondruis van de taperecorder, die je nooit helemaal kunt elimineren, en het geluid van je eigen stem. Aangezien de onstoffelijke stemmen gewoonlijk geregistreerd worden op een niveau dat lager is dan waarop we ze verwachten te horen, moet je proberen op alle niveaus van de tape te luisteren, erdoorheen luisteren. In het begin is dit uitermate moeilijk, maar later gaat het vanzelf. De stemmen kunnen fluisteren. Dit gebeurt meestal in het begin. Soms zijn ze heel snel, vaak kortaf, vaak schijnbaar banaal in hun uitingen. Ze zijn heel zuinig met woorden, toch heeft wat wordt gezegd meestal meer dan één betekenis. Soms worden voorzetsels en hulpwerkwoorden weggelaten.

In het begin worden meestal een tot drie woorden geregistreerd. Als je iets hoort wat een 'extra' stem kan zijn, spoel de tape dan terug en luister opnieuw en opnieuw.'

Ik spoel de tape terug. Ik luister opnieuw, en opnieuw. Nog steeds niets. Ik ga naar boven, naar mijn man. 'Wil jij alsjeblieft naar mijn tape luisteren?' zeg ik. Hij zet een koptelefoon op en luistert ernaar. Ik zie hoe hij luistert maar niets kan horen.

Zijn ogen vullen zich met tranen, maar hij zegt niets.

'Heb je iets gehoord?' vraag ik.

'Alleen jouw stem,' zegt hij ten slotte. 'Alleen jij staat erop. Dat weet je toch wel? Alleen jij...'

22 mei

Na het mislukken van mijn experiment met EVP belde ik Judith Chisholm, en nu rijd ik door het afnemende licht naar haar huis in Oost-Londen. Ik weet niet wat ik te horen zal krijgen, maar ik weet wel dat ik haar moet zien. 'Val je in duigen?' zegt een poster van de Samaritanen achter het gebroken glas van een abri. Nee, ik val niet in duigen. Ik voel me kalm. Ik sla linksaf van de hoofdweg af naar de straat van Judith, die lang en smal is. Aan het eind van de straat ligt het Hackney-moeras, de soort plaats waar geesten zouden kunnen leven, denk ik, als geesten sowieso ergens leven. Ik klop op de voordeur van Judith. Ze laat me binnen. Ze is waarschijnlijk net zo oud als mijn moeder, maar het haar van mijn moeder is lichter rood dat overgaat naar een zacht grijs, terwijl dat van Judith de kleur van bloed heeft. Ze laat me binnen in haar voorkamer, die donkergroen geverfd is. Er hangt een kruis aan de muur en er staan glazen karaffen met juweelkleurige, zelfgemaakte wijn op een bijzettafel. Het huis ruikt naar vochtige katten, of stadsrozen in de regen. Haar jongste zoon – haar overlevende zoon – komt de kamer binnen. Hij heet Vic. Hij is elektricien; een magere man, en heel bleek. Hij had me verwacht. 'Het is zo verbazingwekkend,' zegt hij. 'Jij verloor je jongere zus. Ik verloor mijn oudere broer. Dat is geen toeval. Dat is een kans van een op het miljoen.'

Ik zeg niets. Ik word tot zwijgen gebracht door dit huis. Judith brengt een kop thee en wanneer ik hem half op heb, steek ik van wal met een vraag. 'Geloof je in de hemel?' zeg ik terwijl ik probeer me erop te concentreren naar haar te kijken in plaats van naar de Christus die op de muur tegenover me aan het kruis hangt.

'Geesten maken fasen door,' zegt Judith, onverstoord door mijn onhandige poging tot een gesprek. 'Ik denk dat sommigen naar het vagevuur gaan. Sommigen kunnen zelfs naar de hel gaan; niet in de zin van hellevuur, maar in de zin van mentale kwelling. Maar ze gaan wel naar de hel, degenen die het verdienen. En het vagevuur is...'

'Als een wachtkamer,' komt Vic tussenbeide, 'of dat is in elk geval wat ik heb gehoord.'

'Vic, alsjeblieft, ga met je computer spelen,' zegt Judith. 'Dit kan niet met twee mensen. We kunnen niet allebei tegen Justine praten.'

'Oké,' zegt Vic vriendelijk. Hij kijkt me aan en strekt zijn hand uit, die ik aanpak, zij het kort. 'We zullen elkaar vast nog een keer ontmoeten.'

Judith vertelt me over haar EVP-experimenten. Ze houdt zich er al zeven jaar mee bezig, legt ze uit, eerst in een zoektocht naar haar overleden zoon, die wel wat zei. Maar nu kan hij er geen woord meer tussen krijgen, omdat de stem die haar bandjes vullen die van een man is die Jack Hallam heet. Ze werkte met Jack bij de *Sunday Times*. Hij was de fotoredacteur. Hij geloofde in geesten en schreef boeken, waarbij hij verhalen verzamelde over de geesten van andere mensen. Hij stierf in 1986.

'Tijd is een merkwaardig gegeven,' zegt Judith. 'Ik heb

opmerkingen gehoord die suggereren dat geesten zich bewust zijn van het verstrijken van de tijd. Ik hoorde Jack zeggen: "Het is lang geleden sinds ik van Chisholm heb gehoord"; zo noemt hij me, Chisholm. Maar ik geloof niet dat hij zich bewust is dat er sinds zijn dood veertien jaar verstreken zijn.'

'Denk je dat hij in de hemel is?' zeg ik.

'Ik denk dat hij in het vagevuur is,' zegt Judith. 'Het lijkt daarop te wijzen...'

Het bewijs van Judith bestaat uit haar bandopnamen van de stem van Jack. Ze heeft uren aan opnamen. En voor elke minuut, zegt ze, moet ze twintig tot dertig keer opnieuw luisteren. Het is uitputtend, zegt ze. Ze is zo uitgeput door haar experimenten dat haar hoofd vaak pijn doet. Maar nu ben ik hier, eindelijk, als onafhankelijke getuige van deze inspanningen, en ze zal een paar tapes voor me afspelen; maar ik moet haar transcriptie ook lezen. 'Het is niet als gewone spraak,' zegt ze. 'Je moet je gehoor aanpassen. Je hoort het misschien niet eens. Ik heb een uitzonderlijk breed gehoorspectrum. Ik kan dingen horen die anderen niet kunnen horen.'

We gaan naar boven, naar de eerste verdieping, naar haar studeerkamer waar haar cassetterecorder, haar aantekeningen en haar dictafoon zijn: haar kleine deur naar de andere wereld, waar Jack Hallam altijd wacht. Omdat Jack Judith eenmaal had gevonden, kon hem het zwijgen niet worden opgelegd.

De muren van de studeerkamer zijn tot op het pleisterwerk afgestoken, maar her en der zitten nog enkele vage stukjes van de oude lagen behang. Ik ben, heel even, bang. Het is stil in de kamer, die toch gevuld is met mijn verwachting, die zo zwaar en dik is dat hij zich als een vlek om ons heen verspreidt. En dan speelt Judith Chisholm de eerste opname voor me af die ze van de stem van Jack Hallam had gemaakt op wat toen een gloednieuwe dictafoon was (een Panasonic die maar liefst 98 pond kostte, maar toch een noodzakelijke uitgave was, zegt ze, zelfs in dit berooide huishouden). Ik hoor een fluisterend, krasserig geluid uit de speakers komen; het geluid van een lege pen op papier, van zwak gehijg, of ratten op zolder, een tik op het raam, een geest in de machine. 'Kun je hem horen?' zegt ze indringend.

'Ik weet het niet,' zeg ik.

'Luister,' zegt ze en ze spoelt de tape terug. Maar ik kan de woorden nog steeds niet horen. Dus spoelt ze hem opnieuw terug. Deze keer vraag ik haar me te vertellen wat hij zegt. En ik denk dat ik, misschien... Ik denk dat ik misschien een stem kan horen. Ik lees haar transcriptie terwijl ik naar de tape luister. Er staat:

13 oktober 1999. Verklaring: Gst: = Geest.

Gst: Hallam weet.
Ik: Dit heb ik net gekocht...
Gst: Ja.
Ik: Ik ben er eigenlijk niet zo gek op...
Gst: Wij wel.
Ik: Maar is het nuttig voor jullie? Kun je hierop doorkomen en wil je dat ik hem hou? Ik laat het volgende stukje tape leeg zodat je er iets op kunt zeggen...
Gst: Nu, Hallam is tevreden. Hallam kan doorgaan. Hallam moet weten. Hallam heeft iemand nodig die hem kan helpen. Zeg het tegen hem! Zoek Hallam! Zoek Hallam!

Ze speelt andere bandjes voor me af en laat me andere transcripties zien. In een hiervan vraagt ze Jack Hallam waarom hij is gestuurd om met haar te communiceren; zou hij 'het plan' alsjeblieft kunnen uitleggen. 'Er is geen plan,' antwoordt hij. Ze vraagt zich af of ze iets mist, want soms vindt zelfs zij, ondanks haar ervaring in deze zaken, het moeilijk alle woorden te begrijpen. En soms maken ze haar bang. In haar aantekeningen van een EVP-sessie die op 12 januari van dit jaar plaatsvond staat dat ze niet kan uitmaken of de stem van de geest 'laten we haar vermoorden' zegt of 'laten we haar tevreden houden', of misschien 'laten we Hallam houden' of 'laten we Hallam vermoorden'. Ze speelt de tape voor me af. 'Wat kun jij horen?' vraagt ze.

'Ik weet het niet,' zeg ik, opnieuw, niet bereid in te gaan op wat hier gebeurt ('je verdringt het,' komt mijn denkbeeldige therapeut tussenbeide met een kenmerkend nutteloze timing). Judith scharrelt rond in haar studeerkamer op zoek naar andere tapes. Ze draagt haar bril op het puntje van haar neus, als een academicus uit een sprookjesboek (de professor Higgins van de paranormale wereld, wiens eigen perfecte uitspraak alleen dienstdoet als een contrast met die van deze recalcitrante, agressieve geesten).

Toch meen ik, terwijl ze stukjes van andere tapes voor me afspeelt, het woord 'Hallam' te horen. Ik hoor inderdáád een stem die Jack Hallam zegt, hoewel het klinkt als in een droom. Ik zeg tegen Judith dat ik Jack kan horen. 'Laten we samen een opname maken,' zegt ze. 'Laten we een experiment doen.'

'Oké,' zeg ik. Ze zet de dictafoon aan. Ze spreekt erin. Ze zegt de datum, en zegt dat ze hier met mij is om een opname te maken. Ze spreekt tot Hallam, omdat hij altijd bereid is tegen haar te praten. 'Ik hoop dat je niet boos op me bent omdat... Ik weet niet waarom, maar ik hoop toch dat je niet boos op me bent,' zegt ze heel vriendelijk tegen Jack. 'Zou je ons iets graag willen vertellen?'

Ze laat de tape even doorlopen. De stilte vult de ruimte op de tape. 'Justine, zou jij iets willen zeggen?' zegt Judith. Ik haal diep adem. 'Ik vraag me af of Ruth, mijn zusje, bij je is en tegen me zou kunnen praten?'

Er volgt opnieuw een stilte. 'Ik vind het vervelend om ertussen te komen,' zegt Judith beleefd. 'Ik hoop dat ik niet inga tegen wat er is gezegd, maar aangezien we niet echt weten waar je bent, Jack, als het Jack is die spreekt, weten we niet zeker of Ruth daar ook is...'

Na ongeveer vijf minuten zet ze de dictafoon uit. Ze spoelt hem terug. Ze speelt hem af. Deze keer hoor ik stemmen. Ik weet dat ik ze hoor. Ik kan niet opmaken wat ze zeggen, maar er zijn stemmen, die net zo vaag klinken als motten die tegen een gloeilamp op vliegen, nagels op de deur. Ik hoor het geluid, maar niet de woorden. Ik kan de woorden niet lezen want er is geen transcriptie. Ik begrijp het niet. Ik kan de stem van Ruth niet horen. Maar ik hoor de stem van een man – Jack Hallam! – die hees 'RUTH!' zegt. Ik hou mijn adem in, beangstigd door het geluid. De stem die 'Ruth' zegt doet haar naam klinken alsof hij in tweeën is gescheurd. Ik voel dat ik in tweeën ben gescheurd.

Judith is bezield, opgewonden, zenuwachtig. 'Dat is Jack!' zegt ze. 'Dat is beslist Jack! Ik herken alles aan hem! Hij eigent zich de recorder altijd toe! Hij is zo tegendraads... Maar als hij er is, zijn ze er allemaal. Dat spreekt vanzelf, niet soms? Het bewijst dat er een leven na de dood is.' Ik kijk naar de muren waar het behang is afgestoken, waar het pleisterwerk verbrokkelt, maar ik zeg niets.

'Je hoeft je niet langer zorgen te maken om je zusje,' vervolgt Judith. 'Ze is in orde. Dat is een verbazingwekkende gedachte, vind je niet?'

Maar ik kan haar niet horen. Ik hoor Judith, maar ik kan Ruth niet horen. Ik ben doodmoe, uitgeteld, half in slaap en zwem tegen de stroom in. Judith wil de tape steeds opnieuw terugspoelen, maar ik ben te moe om te luisteren, te moe om deze brug over te steken. Ze wil een transcriptie maken, nu, met mij, maar ik zeg nee, ik moet naar huis. Dus kopieert ze de tape en nemen we afscheid.

Ik rij snel naar huis. Ik neem de tape mee naar de keuken, waar Neill aan de tafel zit. 'Hoe was het?' vraagt hij.

'Luister naar dit,' zeg ik, 'luister alleen naar dit. Ik hóórde de stemmen.'

Ik speel de tape luid voor hem af. Maar er valt niets te

horen, behalve de stem van Judith en van mij. 'Er staat niets op,' zegt Neill.

'Toch wel,' zeg ik. 'Er stond wel iets op. Het is vast een slechte kopie...'

Ik speel hem opnieuw af. Ik speel het stukje af waar Jack Hallam 'Ruth!' zegt. Maar het klinkt niet meer als haar naam. 'Dat is het geluid van een schrapende stoel,' zegt Neill, 'of de klik van de onderdelen van de machine, of je ademhaling. Het is gewoon je ademhaling...' Ik zwijg. Ik vertrek geen spier, maar hij kijkt me aan alsof ik huil. 'Je moet zorgen dat je wat slaap krijgt,' zegt hij. 'Je moet nu wat gaan rusten. Morgen zul je je beter voelen...'

> *'... Helaas!*
> *Onze verdorde stemmen, wanneer*
> *We samen fluisteren*
> *Zijn stil en betekenisloos*
> *Als de wind in het droge gras...'*
> (The Hollow Men, *T.S. Eliot*)

1 juni

Judith heeft een transcriptie gemaakt van de tape die we de vorige maand in haar huis hebben opgenomen. Ze stuurt me een uitgewerkte transcriptie, die enkele geestesstemmen bevat, die allemaal door elkaar heen praten. 'Het is Chisholm,' zegt een van de geesten. 'Beiden hebben een hart dat lijdt,' zegt een andere. De transcriptie van de geesten gaat verder: 'Laten we hen helpen.' 'Ik weet niet hoe.' 'Laten we hen meenemen naar de hemel en hen hem laten zien.' 'Hen in de hemel tonen en haar zoon voorschotelen met pinda's.' 'Babylon.'

Ik ga naar bed en lees de transcriptie van Judith steeds

opnieuw, op zoek naar aanwijzingen, maar ik ben nog steeds de weg kwijt. Het lijkt totaal geen hout te snijden. Misschien gaat het over Judith, niet over mij. Ik ben een indringer op haar taperecorder. Jack Hallam wil niet met mij praten. Ik val in slaap terwijl ik aan eekhoorns denk; aan eekhoorns en Judith en een heleboel noten en nootjes die voor de winter worden gehamsterd; voor later, voor de donkere nachten. De noten van Judith.

Ik zink weg en kom weer boven in mijn slaap die nacht. Ik brand op. Ik kan niet meer helder denken, niet meer goed slapen, geen kant meer op. Buiten tikken de bladeren van de clematis tegen het raam. Ik voel me misselijk, verstrikt, sprakeloos in het donker terwijl ik eekhoorns lig te tellen. Noten.

Eindelijk, tegen het ochtendgloren, houden de eekhoorns op rond te rennen in mijn hoofd. Ik droom dat ik op een fiets zit, over de Blackfriars Bridge fiets, Noord-Londen uit naar het zuiden van de rivier. Ik bezoek de kinderen van Ruth, Lola en Joe, en haar man Matt en zijn Amerikaanse vriendin. Ze hebben net een nieuw huis betrokken dat Ruth nooit heeft gezien. Het duurt eeuwen voor ik er ben en wanneer ik het uiteindelijk bereik heb ik het warm, ben ik boos, en dorstig en stoffig. Ik kan nergens een plek vinden waar ik mijn fiets kan zetten en Lola ziet er verdrietig uit en Matt ziet er gespannen uit en waar precies word ik verondersteld te gaan zitten? Dan zie ik, in mijn droom, Ruth bij het aanrecht staan, om me te laten zien waar ik water kan drinken. En voor het eerst sinds haar dood zie ik haar niet als de zieke Ruth, de stervende Ruth, maar de Ruth voor altijd vervuld van het leven. Ik weet dat ze dood is – dat niemand behalve ik haar geest kan zien – maar ze ziet er gelukkig uit, en levendig, en werpt me die stralende glimlach toe, en schudt haar aureool van donkere krullen van voor de kanker. Ze zegt niets en ook ik zwijg, maar het doet er niet toe. Ik heb mijn zusje gezien... Mijn zusje heeft mij gezien.

Dictionary of Superstitions: WATER, lopend: behandeling. *1625 T. Jackson,* Originall of Unbelief. '*Dit, bij mijn eigen weten... kan ik verhalen; van twee personen, die meer dan een kilometer weg werden gestuurd, na zonsondergang, om naar het zuiden lopend water te halen (voor een behandeling), met het uitdrukkelijke bevel niemand die komt of gaat te groeten.*'

8 juni

Na mijn droom over Ruth lijkt de afspraak met Arthur Molinary niet zo dringend meer. Maar nu is de dag aangebroken, na al dit wachten, en waarom zou ik de afspraak verloren laten gaan? Deze keer voel ik geen opwinding terwijl ik de trap op loop, langs het auditorium, naar de eerste verdieping van het instituut voor paranormaal onderzoek. In kamer vier zit Arthur op me te wachten, er staat een glas water op de tafel voor hem, de zon schijnt door het open raam naar binnen. Hij gebaart me op de stoel tegenover hem te gaan zitten en kijkt naar me door zijn dikke brillenglazen, waarbij hij zijn hoofd schuin houdt als een ekster. En dan begint hij te spreken, en eerst hoor ik alleen de echo's van andere stemmen in zijn stem: joods, Italiaans, Spaans, Noord-Engels, die samensmelten en verschuiven en zich weer scheiden. Ik zeg niets. Hij wacht even, alsof hij naar de stilte luistert, en begint dan opnieuw te praten. 'Je zus komt zo dichtbij dat ik er kippenvel van krijg,' zegt hij. 'Kun je je haar voorstellen tegenover je als je in bed ligt? Ze loopt elke avond vanaf die plaats naar je toe om je welterusten te wensen. Jullie moeten meer geweest zijn dan zusjes, jullie moeten heel hechte vriendinnen geweest zijn. Ik weet dat ze elke avond komt. Ze praat tegen je terwijl je in slaap valt.'

Hij blijft praten en ik neem zijn woorden in me op. 'Je zusje had niet meer van je kunnen houden dan ze deed,' zegt hij. 'Woorden kunnen haar liefde niet uiten. Het is als een stille communicatie. En hoewel jij leeft, en zij aan gene zijde is, zal die brug er altijd zijn; ze zal je altijd halverwege tegemoetkomen.'

'Wat wil ze dat ik doe?' vraag ik.

'Ze wil dat je gelukkig bent,' zegt Arthur Molinary schouderophalend in zijn boterbloemkleurige katoenen bloes.

Hij vertelt me ook andere dingen: dingen die ik al weet ('ze had twee knobbels in haar borst, en toen raakten haar hersenen vertroebeld, ze raakte verward en haar benen werden zwak, ze kon niet lopen... ze is 's nachts gestorven, aan het einde van de nacht, en in de ochtend zat je naast haar en hield je haar lichaam vast'). En dingen die ik niet wist ('Terwijl jij daar met haar lichaam zat, werd ze wakker in schitterend zonlicht, en ze ging naar de tuin, het licht in, en plukte een bloem voor je'). Dan zegt hij dat zij zegt dat ze gaat fietsen.

'Ze hield van fietsen,' zeg ik. 'Ze ging overal naartoe op haar fiets.'

'Dus ze geniet nog altijd in de andere wereld,' zegt Arthur opgewekt. Na een kleine pauze stelt hij me een vraag. 'Je zusje zegt: waarom geloof je niet in God?'

'Nou, zíj geloofde er nooit in,' zeg ik ontwijkend.

'Nu wel,' zegt hij, weer schouderophalend. Dit komt me op de een of andere manier onwaarschijnlijk voor, hoewel ik dit niet hardop zeg.

En wie heeft het er trouwens over? Is het de uitzonderlijke Arthur Molinary, of mijn stille stem waarnaar hij luistert, of die van mijn zusje? Hoort hij mijn gedachten of die van haar, of zegt hij gewoonweg het voor de hand liggende hier? En doet het er trouwens toe, want ik ben zij en zij is mij en zij leeft verder in mijn hoofd en in mijn hart en stroomt door mijn bloed, als het leven zelf, aanwezig voor eenieder die naar me kijkt.

Die avond luister ik naar de tape die Arthur van onze sessie voor me heeft gemaakt. Er is veel wonderbaarlijks; er zijn ook onduidelijkheden. (Mijn grootmoeder zegt dat ik mijn huis moet opruimen; mijn zusje zegt dat ik meer Marmite moet eten, voor de vitaminen; dat ik te veel water drink, wat de vitaminen wegspoelt. Wat ís dit met dat water trouwens?)

Maar merendeels is hij een gevoelig iemand. Hij is tenslotte een zeer hooggeplaatst medium. Terwijl ik naar de tape luister ebt mijn geloof weg en komt het weer op, als het getijde, als de rivier. Maar ik hou nog altijd van mijn zusje. En mijn zusje hield van mij... En nu weet ik, althans dat denk ik, dat na alles, na dit alles, er aan het eind een begin is. En er is een leven na de dood, want ik leef nog. Ik vertel dit aan mijn man terwijl we in bed liggen aan het einde van een lange dag. Hij luistert naar me en zegt dan: 'Heb ik je ooit verteld over mijn vriend Tony King, die zelfmoord pleegde? Hij liep de rivier de Theems in en verdronk. Dit gebeurde na de dood van zijn moeder, maar hij hoorde ook stemmen in zijn hoofd. Hij was schizofreen...'

'Nou, ik ben niet gek,' zeg ik, 'als je dat soms denkt...'

'Ik denk niets,' zegt mijn man kalm. 'Ik vertel je alleen over Tony... Ik weet zeker dat ik je dit eerder heb verteld. Zijn moeder stierf aan een bijensteek, en op mijn moeders verjaardag gaf hij haar een glazen pot met drie Romeinse spijkers erin die hij aan de oever van de rivier had gevonden. Hij hield van de rivier.'

'Hoe wist hij dat het Romeinse spijkers waren?' zeg ik, alsof we in de rechtszaal zijn in plaats van in bed. 'Dat klinkt te symbolisch, alsof dat de spijkers waren waarmee Christus aan het kruis werd genageld, of zoiets.'

'Ik weet niet of ze daadwerkelijk Romeins waren,' zegt Neill, 'maar hij geloofde dat ze dat wel waren...'

'Ga door,' zeg ik, 'ik luister.'

'Een paar jaar nadat hij stierf,' gaat hij door, 'speelden jij en ik op een avond met vrienden op een Ouija-bord...'

'Dat klinkt niet als jij,' zeg ik, 'de grote scepticus, en ik herinner me hier niets van...'

'Het was onze eerste oudejaarsavond samen,' zegt hij. En dan herinner ik me het tafereel wel, maar alleen dat: geen woorden, geen verhaal.

'Ik voelde me nog altijd schuldig over Tony, neem ik aan,' vervolgt Neill, 'en ik miste hem. Maar goed, ik vroeg hem waar hij was, en het bord spelde "thuis". Ik zei: "Waar is thuis?" En hij zei: "De zee..."'

'Dus je gelooft ergens in,' zeg ik triomfantelijk, maar daar ging het niet om.

'Ik geloof niet in het een of het ander,' zegt hij. 'Maar ik voelde me beter, dat is alles.'

'Ik voel me nu beter,' zeg ik.

'Ik weet het,' zegt hij. 'Dat is fijn...'

11 juni

Pinksterzondag in het jaar 2000. De stem op de radio tijdens het ontbijt vertelt me dat dit een dag is van de uitstorting van de heilige geest. Vijftig dagen nadat hij naar de hemel was opgestegen, keerde zijn geest terug naar zijn discipelen op aarde, net op tijd, net toen ze verzonken in wanhoop terwijl ze in een kamer zaten te wachten op een teken. Ik nies, één keer, twee keer ('gezondheid, gezondheid') en zet dan de radio uit, alsof er allergenen vanuit het apparaat worden gestraald...

In mijn studeerkamer is een e-mail gearriveerd van mijn vader. Hij heeft hem gisteren opgesteld als een vroeg verjaardagscadeau voor mij; een heroverweging van zijn vader, geschreven op mijn verzoek. 'Je grootvader Louis was bekeerd tot een inspirerende vorm van christendom door een zeer orthodoxe leerkracht toen hij ongeveer negen of tien jaar was,' heeft mijn vader geschreven. 'Hij huilde bij het verslag van de kruisiging... Hij was week en sentimenteel, en huilde snel... Later hadden mensen medelijden met me dat ik zo'n naïeve vader had en gaven mij minder de schuld dan hij voor mijn "meshuggassen", mijn dwaasheden... Naast het bijwonen van seances ging hij ook aura's lezen, door een violet gekleurde motorbril,' ging mijn vader boos verder, hoewel hij misschien dankbaar glimlacht, zoals ik nu, voor deze fragiele glimpjes herinneringen die ons verbinden, de familiebanden die van zijn computerscherm naar het mijne worden overgebracht. 'Mij werd het onzichtbare aura van mezelf en anderen getoond toen ik ongeveer elf jaar was, en ik wist vanaf toen dat mijn vader behoorde tot de wereld van vreemde culten, die hem een gevoel gaven dat hij ergens bij hoorde... Uiteraard verfoeide hij de freudiaanse inzichten in dit zeer duidelijke mechanisme van ontkenning en projectie van zijn diepe gevoel van ongemak.'

Er is meer, maar het is genoeg voor nu. Ik wil niet binnenblijven met God op de radio of Christus op de computer (of Freud, waarvan ik weet dat het verjaardagscadeau van mijn vader ernaartoe leidt). Dus stuur ik hem een korte e-mail terug waarin ik hem vertel dat ik van hem hou. De zon schijnt vandaag, net als gisteren, net als morgen, en we gaan naar het park: mijn man en mijn kinderen en een paar buren. De jongens voetballen samen, terwijl ik naar een groep aan de andere kant van het park wandel, met de dochter van mijn dode vriendin Kimberley, en die de beste vriendin van mijn zoon is. De lokale kerken zijn voor een pinksterviering samengekomen op het verdorde gras van het oude boogschutterveld. Juliette en ik hangen rond langs de rand, onwillig of misschien eenvoudig niet in staat met de gezangen mee te zingen omdat we de woorden niet kennen.

Sommige mensen om ons heen zijn blind of zitten in een rolstoel; doof of lam of verminkt. Een vrouw loopt naar ons toe en overhandigt me een vel met gezangen en de volgorde van de dienst. HEILIGE GEEST WIE BENT U? staat op de bladzijde gedrukt, en dan de woorden van het gezang, 'Schijn, Jezus, schijn.' Ik kan zien dat het koor en de gemeente zingen, maar hun stemmen gaan verloren in de openlucht. Ik kan de woorden niet horen, dus lees ik ze maar. 'Heer, ik kom in uw ontzagwekkende aanwezigheid / uit de schaduw in uw glans / door het bloed mag ik uw licht binnengaan...' Helaas spreekt God, opnieuw, niet tot mij en ik voel me een beetje opgelaten, alsof ik stoor. Ik werp een vluchtige blik op Juliette. Maar ze kijkt niet naar mij, ze kijkt naar al de mensen om ons heen; ze kijkt rustig, kalm, zonder een woord te zeggen.

'Zullen we gaan?' vraag ik haar.

'Ik vind het goed,' zegt ze, en ze kijkt me vervolgens in de ogen en glimlacht. Ik pak haar hand en we lopen weg, door het park, terwijl de stemmen van de gemeente in het niets achter ons wegdrijven, wegdrijven in de wijdopen lucht, in de wolken en het blauw waar het stof wervelt en de stilte helemaal reikt tot aan het einde van alles, waar de doden wachten, en spreken in de maat van onze hartslag...

> *'Dus, als ik droom heb ik jou, heb ik jou,*
> *want al onze vreugden zijn slechts denkbeeldig.'*
> (*John Donne,* Elegies *X,* 'The Dream')

20 juni

> *'Ik kan alleen de waarheid vertellen. Nee, dat is niet*
> *waar, ik heb de waarheid gemist. Er is geen waarheid*
> *die, tijdens het doorlopen van het bewustzijn, niet liegt.*
> *Maar men rent er toch achterheen.'*
> (*Jacques Lacan, voorwoord tot* The Four Fundamental Concepts of Psycho-Analysis.)

Het is mijn verjaardag vandaag. Ik ben geboren in 1961, in de flat van mijn ouders in Frognal in Hampstead. Ze waren acht maanden getrouwd, en kenden elkaar nog geen drie maanden voordat ze trouwden. De zomer voor mijn geboorte had mijn moeder mijn vader voor het eerst ontmoet, toen ze hem Ariël zag spelen in een openluchtproductie van *The Tempest*. Hij rende over het water naar haar toe. (Later vertelde ze me dat het alleen leek alsof hij op het water liep; in feite was het een loopplank geweest die wegzonk onder de zichtbare golven...) Daar waren ze dan, net 22 jaar, toen ik plotseling arriveerde; een maand te vroeg, voeten eerst in een niet gediagnosticeerde stuitligging, en geel van de geelzucht. Mijn vader schreef toen toneelstukken, en acteerde ook, en het kan niet gemakkelijk geweest zijn in een tweekamerflat met een huilende baby. Ik heb een foto uit die tijd, waarop hij naar mij, zijn onverwachte dochter, zit te kijken met een onthutste uitdrukking op zijn jongensgezicht. We gingen een poosje uit Londen weg, toen ik nog een baby was, en woonden in een gehuurde arbeiderswoning midden in niemandsland, zodat hij wat rust en stilte kon krijgen. Mijn moeder vertelde me later dat het daar erg eenzaam was op het modderige Engelse platteland, en ze huilde vaak boven mijn emmer met doorweekte luiers, omdat ze zo graag daar weg wilde.

Mijn vroegste herinnering is die waarin ik met mijn moeder in een vliegtuig naar Zuid-Afrika ga om haar ouders te bezoeken die destijds in Kaapstad woonden. Ze was toen hoogzwanger van Ruth, wat inhoudt dat ik twee moet zijn geweest. Toen we daar waren gingen we in zee zwemmen en daarna verborg ik me in een kledingkast in het huis van mijn grootouders terwijl er buiten een kerkparade voorbijtrok. (Als kind hield ik altijd van kledingkasten, lang voordat ik het boek van C.S. Lewis over Narnia had gelezen; en toen ik zijn verhalen ontdekte, met de onthulling dat ontsnapping vlak achter de achterwand van een kledingkast lag, bracht ik zelfs nog meer tijd door in meubelstukken, op zoek naar de wereld aan de andere kant.)

Na de kledingkast en de zee werd Ruth geboren. Mijn moeder ging op een dag naar het ziekenhuis en kwam toen terug. Ik ging naar boven, en daar lag een baby in een ledikantje in de slaapkamer. Ik vertelde mijn moeder dat ik een baby had gevonden en zij zei: 'Ja, dat is je nieuwe zusje.'

Ondanks het aandringen van therapeuten gedurende de afgelopen jaren dat ik jaloers moet zijn geweest op Ruth, kan ik me niet herinneren ooit iets anders dan liefde voor haar gevoeld te hebben. Mijn baby; mijn zusje; mijn kameraad. Ruth en ik, ik en Ruth, de armen ineengeslagen tegen de rest van de wereld. Ze had krullerig donker haar en een brede glimlach. Wanneer er andere mensen waren deed ze altijd alsof ze dapper was, en brulde ze als een leeuw tegen vreemden, zelfs als ze bang was. Maar ik wist dat zij ook bang was, zodat ik voor haar dapper kon zijn.

We verhuisden van het platteland terug naar Londen en op een dag, in het park, rende ze weg en viel ze in een meer (hetzelfde meer waar mijn vader overheen was gelopen; als Ariël? Zo herinner ik het me in elk geval). Een oude dame sprong haar na, maar mijn moeder redde hen beiden. We liepen naar huis naar onze flat in Marylebone High Street, Ruth druipend tussen ons in, mijn felle, lieve zusje.

Toen ik zeven was kreeg mijn vader een baan als docent aan de universiteit van Oxford, dus verhuisden we daarheen; eerst naar een andere flat en toen naar een lang, smal huis in een plaats die Jericho heette. Ruth en ik sliepen helemaal boven in het huis. Vaak was ik bang dat iemand midden in de nacht de trap op zou komen om ons te pakken te krijgen; misschien een geest of een slechte man, een moordenaar, die een mes bij zich heeft dat druipt van het bloed. Soms had ik nachtmerries dat ik werd achtervolgd door de man met het mes, maar dat ik niet snel genoeg kon rennen, en hij kreeg me altijd te pakken, stak in mijn vlees. Als ik wakker werd, en niet meer in slaap kon komen, lag ik met mijn ogen dicht omdat als ik de geesten of de boeman niet kon zien, zij mij ook niet konden zien.

Op een dag, na school, kwam ik thuis en wilde mijn vader me niet binnenlaten. Hij zei dat ik een anti-joodse spion was die was gestuurd door de katholieke Kerk. Ik ging een wandeling maken en wachtte tot mijn moeder thuis zou komen. Er was een kleine deur aan het einde van onze straat die toegang gaf tot de tuinen van een Oxford-college. Ik ging daar graag heen, om me achter de bomen te verschuilen en naar de eenden op het meer te kijken. Er waren daar speciale eenden, die 'mandarijnen' heetten. Ik heb ze nooit ergens anders gezien.

Niet die dag, maar niet lang daarna denk ik, moest mijn vader naar het ziekenhuis voor de elektroshockbehandeling. Hij zou daar blijven, maar op een nacht kwam hij thuis terwijl dit niet de bedoeling was en sloeg een raam in, en er was bloed en gebroken glas. Hij schreeuwde en huilde tegelijkertijd, en mijn moeder weende. Ik verborg me met Ruth in de hoek, waar hij ons niet kon vinden. Ik vertelde het niemand op school. Het was ons geheim.

Op een andere dag na school, toen mijn vader niet meer bij ons woonde en mijn moeder uit was, gleed Ruth uit en sneed haar gezicht aan een trede van de trap naar de keuken in het souterrain. Ze bloedde als een rund, het bloed gutste langs haar gezicht en ik wist dat ze naar het ziekenhuis moest, dus bracht ik haar daarheen (ja toch? Iemand moet ons erheen gereden hebben). Ze had hechtingen boven haar oog, en er bleef daar voor de rest van haar leven een litteken zitten om me eraan te herinneren dat ik die dag niet goed genoeg voor haar gezorgd had.

Vele jaren later – in feite drie jaar geleden – vertelde ik Ruth dat ik haar niets slechts zou laten overkomen; dat ik haar niet zou laten sterven, omdat ik zoveel van haar hield. Het was zomer en de dagen waren lang, maar tegen die tijd had de tumor in haar borst zich uitgezaaid naar haar longen en haar lever. Ze kreeg meer chemotherapie – gif, drup,

drup, drup in haar aderen – terwijl ik naast haar zat, haar hand vasthield en toekeek hoe het bloed wegtrok uit haar gezicht. Maar het hielp niet. Ze ging dood.

Vandaag is het mijn verjaardag en ben ik weer een jaar ouder, hoewel mijn zusje dood is.

21 juni

De langste dag van het jaar; de kortste midzomernacht, wanneer magie zich zou moeten voordoen voor eenieder die erop wacht, wanneer er van alles uit de hemel neer kan komen dalen. (Toen ik klein was, en mijn eerste melktanden kwijtraakte, wist ik dat het niet de tandenfee was die in het donker mijn kamer binnenkwam en een kwartje onder mijn kussen legde, maar Aslan: een langverwachte, doch onheilspellende bezoeker; de leeuw die over Narnia heerste. Een fee zou te klein zijn om van zo ver te komen.)

Vannacht droom ik de droom die me blijft achtervolgen. Ik ben in ons huis – een ander huis dan waarin we feitelijk wonen – en terwijl ik de trap opklim naar de zolder van het huis weet ik dat iets, of iemand, op me wacht. Er is daar een kamer die ik niet eerder heb gevonden. Het is een vervallen kamer, die opgeknapt moet worden, maar ik ben te bang om er binnen te gaan omdat er zich aan de andere kant van de deur een geest bevindt. Het is niet de geest van Ruth, gewoon een kwade geest die de kamer vult; onzichtbaar maar angstaanjagend; die niets zegt hoewel ik weet dat hij er is. Soms loop ik, in deze terugkerende droom, door de deur en ontdek dat er een heel nieuwe vleugel aan het huis zit met een reeks onbewoonde kamers, de ene nog gevaarlijker dan de andere. Sommige van de kamers staan vol meubels; andere zijn leeg, op de zwijgende geesten na. Ik weet dat aan het andere eind van het huis – waar ik nooit naartoe ga – een krankzinnige vrouw of misschien wel man zit te wachten. Soms is het een krankzinnig kind, opgesloten in een torenkamer. Hoe dan ook, de krankzinnige persoon heeft niets met mij te maken; is niet van mij. Ik ga daar niet heen.

Donderdag 22 juni

> 'Vele eeuwen lang nu heeft de Kerk de donderdag volgend op het feest van de meest heilige Drie-eenheid gekozen als de dag die gewijd is aan een bepaalde publieke viering van de eucharistie. Dit is de dag van "Corpus Christi", de dag van dit meest heilige der sacramenten: het sacrament van het lichaam en het bloed van de Heer. Het sacrament van het goddelijke paasfeest. Het sacrament van de dood en opstanding. Het sacrament van het offer en het banket van de verlossing...'
> ('Meditatie voor Corpus Christi', uit Prayers and Devotions, paus Johannes Paulus II.

Af en toe maak ik me zorgen dat ik aan borstkanker dood zal gaan, maar ik denk er niet vaak aan. Ik weet dat ik waarschijnlijk een 'hoog risico' ben – zoals de genetici zeggen – maar het komt me voor dat Ruth voor ons beiden is gestorven. In medische termen sta ik bekend als een 'overlevende zus'. Zelfs in een familie met een hoog risico moet er iemand overleven. De maand nadat ze stierf kreeg ik een knobbel in mijn linkerborst. Maar het was niets, niets meer dan een stukje onschuldig kraakbeen; het was daar gegroeid als een grotesk medeleven met, of symmetrie van de nutteloze soort.

Waar in ons bloed ligt de code voor borstkanker? Wat gaf

de aanzet bij Ruth, en niet bij mij? Waarom delen we dit geheim niet?

Het moet rond deze tijd van het jaar geweest zijn, drie jaar geleden, dat ik haar weer naar een ander ziekenhuis bracht voor een tweede opinie over haar diagnose terminaal. Het was een heldere midzomerochtend, hoewel de ramen voor de buitenwereld gesloten waren, terwijl we in de wachtkamer zaten te wachten op een eminente professor in de oncologie. Toen we eindelijk zijn spreekkamer werden binnengeleid, leek hij zich bijna opgelaten te voelen toen hij ons zag; alsof de stervenden hier geen plaats hadden. Hij had het over chaostheorie, over patronen van erfelijke kanker binnen de joodse gemeenschap en mathematische modellen van de blijkbaar willekeurige ziekte. Toch kon hij geen hoop bieden. Daarna zei Ruth: 'Ik dacht altijd "waarom ik?". Nu denk ik: "Waarom niet?"'

Maar waarom niet ík, dacht ik, hoewel ik dit niet hardop zei. Tegen die tijd begon ik te leren geheimen te koesteren voor een zusje dat ik eens alles vertelde. Soms kon ik geen woorden vinden. Ik had het gevoel alsof ik op zoek was naar het antwoord op een raadsel; dat de aanwijzingen wellicht gevonden konden worden in ons vlees, of in ons mistige verleden. Maar nu denk ik dat de stukjes van de puzzel nog altijd ontbreken; dat zelfs al zou ik ze vinden, dit niet zou helpen. Het antwoord – de waarheid waarnaar ik op zoek ben – is dat de dood van Ruth een mysterie is. Zo simpel is het.

Niet dat het me weerhoudt van zoeken, in rondjes die me terugvoeren naar de plaats waar ik ben begonnen. Misschien ben ik uiteindelijk toch op zoek naar ons beiden.

24 juni

'Zal ik ooit dat verhaal nog een keer kunnen lezen; het
verhaal dat ik me niet kon herinneren? Wil je het me
vertellen, Aslan? O, alsjeblieft, alsjeblieft.'
(Hoofdstuk 10, Het boek van de tovenaar, uit De reis
van het drakenschip, *door C.S. Lewis.)*

Ik heb een telefonische afspraak met Rita Rogers, die waarschijnlijk het beroemdste medium in dit land is, gedeeltelijk omdat ze readings hield voor haar vriendin prinses
Diana, en ook vanwege haar werk voor de politie bij
moordonderzoeken. Ze heeft ermee ingestemd vanmiddag
met me te praten (we hebben een gezamenlijke kennis);
zelfs hoewel ze een wachtlijst van meer dan twee jaar heeft
(en bovendien probeert het wat rustiger aan te doen). Ik
heb een tijdstip opgekregen waarop ik haar thuis in Derby-
shire mag bellen. Ze is in gesprek bij de eerste poging, maar
ik blijf op de redial-knop drukken tot ze de telefoon opneemt.
Rita zegt dat ze mijn achternaam niet kent, en deze ook
niet wil weten. 'Ik hou er niet van namen en dingen te
weten, ik wil niet te veel informatie over jou.' Iets vertelde
haar dat ze me een reading moest geven, zegt ze. 'Ik krijg
vijftig brieven per dag van mensen die een reading willen.
Als ik elke afspraak waarvoor ik gevraagd werd zou nako-
men, zou ik voor tien jaar volgeboekt zijn. Maar ik wist dat
ik met jou moest spreken.'
Ongeveer twintig minuten lang babbelt ze gewoon met me.
'Ik praat met geesten sinds mijn vierde,' zegt ze, 'en nu
word ik volgend jaar zestig. Maar vanaf mijn vierde heb ik
geweten dat mensen niet doodgaan – ik haat dat woord

doodgaan – mensen gaan heen.' Ze had haar gave geërfd van haar zigeunergrootmoeder; het zit in het bloed, zegt ze. Dan vertelt ze me iets over Diana. 'Ze zei: "Waarom brengt mijn aanwezigheid mensen in de problemen?" Di dacht dat ze ongeluk bracht.'

'Ik ken dat gevoel,' zeg ik, maar ik weid er niet over uit.

'Het was net als de prinses en de bedelaar toen ze naar mijn huis kwam,' vervolgt Rita. 'Maar ze deed nooit groots. Ze wilde alleen koffie en bananen, daar was ze dol op, weet je.'

'Heb je haar dood voorzien?' vraag ik (waarbij ik niet vertel dat toen Diana stierf, drie weken voordat mijn zusje stierf, Ruth zei: 'Ik ben de volgende.').

'Diana kwam me met Dodi in een helikopter opzoeken niet lang voordat ze stierf,' zegt Rita. 'Hij wilde een reading van mij en ik moet zeggen, ik heb me nooit zo koud en huiverig gevoeld als toen ik die reading bij Dodi deed. Hij zat op de sofa met beide handen achter zijn hoofd geslagen. Hij was een man van weinig woorden, die Dodi. Plotseling kwam zijn moeder door, en zijn moeder gaf me een waarschuwing. Ik zei: "Neem altijd je eigen chauffeur, Dodi." En ik noemde een tunnel, water en Frankrijk. Ik vroeg hem al die dingen te mijden, omdat ik wist dat er een afschuwelijk ongeluk zou zijn. Hij dacht dat ik de tunnel van Frankrijk naar Zwitserland bedoelde. Ik heb hem dus gewaarschuwd, maar ik mocht hem niet weerhouden.'

Ze zucht, een lichte zucht, door de telefoon, op meer dan 150 kilometer afstand. 'De middag voor ze stierf, belde Di me op vanuit Parijs, om vier uur 's middags. Ik zei: "Di, kom nu naar huis." Zij zei: "O, Rita, ik kan niet." Ik zei: "Ik wilde dat je naar huis kwam, Di." En dat wenste ik, echt. Maar wat moet gebeuren, moet gebeuren. Ik voel dat ze nu gelukkig is, en dat is alles wat telt.'

Dan zegt ze, op dezelfde gesprekstoon: 'Ik krijg een heer en een dame, van je moeders kant. De naam van de dame is Patricia en de heer is Frederick. Ze hadden voorouders van het katholieke geloof.'

'Mijn grootouders van mijn moeders kant heetten Patricia en Frederick,' zeg ik.

'Dat weet ik, liefje,' zegt ze. 'Dat hebben ze me al verteld. En ik krijg een initiaal R... Ruth. Ze is ook bij je grootouders. Ze zegt dat ze prachtig krullend haar had, maar dat het dun werd toen ze kanker had. Ze wil dat je weet dat het weer aangroeit en dat ze van iedereen houdt. Ze is heel dicht bij je. Ze heeft op je gezicht geblazen om je te laten weten dat ze er is. En ze fladdert voortdurend rondom haar kinderen. Ze aanbidt die kinderen. Ze zegt tegen je, zorg ervoor dat ze goede schoenen hebben.'

Nu Rita op gang is gekomen, blijft ze praten, zonder op een antwoord van mij te wachten, zonder me te porren. Ze praat en praat, in een zachte, kalmerende monoloog. 'Je zus Ruth houdt van verhalen schrijven,' zegt ze. 'Ze leest verhalen voor aan de geestkinderen. En ze zegt dat je haar heel trouw bent geweest. Ze wil dat je weet dat ze bang was om dood te gaan, maar dat het nu goed met haar gaat. En Michael, wie is Michael? O, ja, ze zegt dat het jullie vader is. Hij heeft een heel wankele geest, zoemt als een onder stroom staande draad, vol elektriciteit zit hij. Er was enige afstand tussen jullie meisjes en hem. Je moeder en vader zijn gescheiden, ze zijn geen zielsverwanten, is het wel? Maar Ruth houdt hen nu in de gaten. Ze zegt dat jij en hij vrede met elkaar moeten sluiten. Hij is er niet voor eeuwig, weet je... Hij legt op een dag het loodje.'

Ik luister, terwijl zij praat, en stil is, alsof ze iemand hoort die ik niet kan horen.

'Nu is er een andere dame voor je,' zegt ze. 'Ze heet Kimberley en ze zegt dat je haar dochter, Juliette, nu in huis hebt.'

'Dat is zo,' zeg ik, naar adem snakkend, want Juliette is boven met mijn kinderen aan het spelen.

'Nou, deze dame Kimberley zegt "dank je wel". Ze was heel gedeprimeerd voor ze heen ging, ik geloof niet dat je gedeprimeerder kunt zijn dan zij was. Maar nu is ze in het licht,

en heeft het geweldig naar haar zin. O, ze praten nu tegelijkertijd, die twee, Kimberley en Ruth; ze hebben allebei
zoveel te zeggen. En je grootmoeder, Patricia, ook. Ze zegt
dat haar oudste zoon, je oom, Richard heet. Hij is de vrome
katholiek. En dan was er je moeder, en haar tweelingbroer,
van wie de naam begint met een T... o, ja, Timothy.'
De namen – van de levenden en de doden – blijven komen
in een rustige, huiselijke litanie. Er is niets wereldschok-
kends, behalve het feit dat de meesten van deze mensen
blijkbaar uit het graf zijn opgestaan via de telefoon uit Der-
byshire (of misschien lezen haar gedachten mijn gedachten?
Of spreekt ze mijn onuitgesproken woorden uit; de woorden die ik niet hardop kan toelaten?). Ik weet niet wat ik
moet zeggen. Ik weet niet tegen wie ik moet praten. (Moet
ik tegen Ruth praten, alsof Rita er niet is; of vice versa?)
Uiteindelijk, wanneer het tijd is dat Rita moet stoppen,
zegt ze: 'Als ze dood zijn, tegen wie praat ik dan? Ik praat
zeker niet tegen mezelf, dat is zeker.'
'Ontzettend bedankt,' zeg ik.
'Dat is al goed, liefje,' zegt ze. 'Tot ziens.'
Ik leg de hoorn neer. Ik weet niet eens hoe een telefoon
werkt; niets over het mechanisme van hoe twee stemmen
bij elkaar komen over al die kilometers ertussen. Dit
begrijp ik ook niet. Later, wanneer ik een vriend van me
over de ervaring vertel, zegt hij dat Rita misschien al die
informatie over mij heeft kunnen opzoeken op internet.
Of, wat waarschijnlijker is, in het verleden over Ruth gelezen heeft. Ik vertel hem dat ze mijn achternaam niet wist.
'Dat denk jij,' zegt hij.
'Nou, de namen van mijn grootouders staan niet op een
website, en niemand wist dat Juliette tijdens de reading in
mijn huis was,' zeg ik. 'Er hadden verborgen camera's en
spionnen in onze straat moeten zijn geweest. Eerlijk gezegd
lijkt de samenzweringstheorie net zo onwaarschijnlijk als
het feit dat Rita Rogers met de doden kan praten.'
'Dus je bent nu een gelovige?' zegt mijn vriend, met ver-

baasde maar toch ook enigszins afkeurende blik.

'Ach, ik weet het niet,' zeg ik. 'Ik wilde dat ik geloofde. Ik wilde dat Ruth tegen me kon praten, in het openbaar. Het zou zoveel gemakkelijker zijn.'

'De stem van de bekeerling,' zegt mijn vriend. Even weet ik niet of hij het over Ruth heeft of over mij...

3 augustus

Ik zit in dit huis in Norfolk, een plaats die zo stil is dat ik de kraan in de keuken kan horen druppelen, het vochtige appelboomhout kan horen sissen in de haard, de hond kan horen zuchten in zijn slaap. Tom en Juliette slapen in een slaapkamer boven. Neill is in Londen. Jamie is in Amerika bij de moeder van Neill. Lola en Joe zitten ook in Amerika, met Matt en zijn partner Anna. Het is bijna middernacht. Ik ben de enige persoon die wakker is in dit huis; misschien de enige persoon in de wijde omtrek...

Plotseling denk ik aan Ruth. Ze verteert mijn lichaam zo volledig dat ik adrenaline door mijn bloed voel pompen en ik naar adem snak. Ik kan niet goed ademhalen, ik raak in paniek, hier in de stilte. Tegelijkertijd kijk ik door het raam naar de duisternis buiten. Er staat een handafdruk op het glas.

'Ruth?' zeg ik.

Er komt geen antwoord.

'Ruth, in hemelsnaam, wat ben je aan het doen?'

'Niets,' zegt een stem in mijn hoofd, maar ik weet niet of het haar stem is of de mijne, of van totaal iemand anders.

'Niets?' fluister ik in de stilte. 'Je moet iets doen.'

'Ik vervaag snel,' zegt de stem.

'Niet voor mij,' antwoord ik.

'Laat me maar,' zegt de stem. Mijn hart bonst, bonst. 'Laat me maar, laat me maar...'

Ik sluit mijn ogen en ik zie dat Ruth ook haar ogen sluit, net zoals ze deed vlak voordat ze stierf, toen ze geen adem meer kon halen, toen ze vocht voor lucht via het zuurstofmasker op haar gezicht. Mijn nek is koud, alsof iemand er nachtlucht tegenaan blaast, alsof het gesloten raam achter me is geopend. Ik ben bang. Ik zeg het hardop. 'Ik ben bang.'

'Waarvoor?' zegt de stem in mijn hoofd.

'Voor Ruth... voor de afwezigheid van Ruth,' antwoord ik. Op het plafond van deze kamer zit de donkere schaduw van de rook van de een of andere lang opgebrande kaars. Alleen de kandelaar is er nog.

Is dit alles? Blijft het hierbij? Ik ben weer terug bij af, in het land der schaduwen, in het as.

15 augustus

Vandaag is het feest van Maria-Tenhemelopneming, de dag waarop de maagd Maria in de hemel werd opgenomen; niet alleen haar ziel, maar ook haar lichaam. Ik herinner me dit, zeker weten, uit mijn bezoeken in mijn jeugd aan de zondagsschool van de christadelphians. Maar waar verwijst die Maria-Tenhemelopneming naar? vraag ik me af. De opstijging naar de hemel zelf, of de veronderstelling dat de gebeurtenis zich heeft voorgedaan? (Wanneer ik op dit punt opheldering zoek bij mijn vriendin Lola, die een fijne katholieke peetmoeder is voor mijn nichtje Lola, die naar haar is vernoemd, zegt ze: 'Het feest van de Maria-Tenhemelopneming viert dat Maria lichamelijk in de hemel werd opgenomen, toen het lichaam werd verheerlijkt.' Maar Richard Garnett, de oudere broer van mijn moeder, die ook een vroom katholiek is, stuurt me een e-mail met een andere interpretatie: 'De catechismus van de katholieke Kerk leert dat het het feest is waarbij de veronderstelling van de Kerk wordt gevierd dat Maria, toen "de loop van haar aardse leven volbracht was, met lichaam en ziel in de glorie van de hemel werd opgenomen, waar ze al deelt in de glorie van de opstanding van haar zoon, in afwachting van de opstanding van alle leden van zijn lichaam". Te weten: de gemeenschap van gelovigen...' Wanneer ik de laatste zin lees, besef ik dat ik nog geen gelovige ben, noch in limbus verkeer, maar op een zeer ontevreden manier rondzweef. Zou dat kunnen zijn wat de Kerk bedoelt met een verloren ziel?)

In het begin van de avond loop ik met Tom naar huis, en net als we aan het einde van de weg komen, zie ik een jonge man op ons af komen. Hij draagt een paarse anorak, en er loopt bloed uit zijn ogen, over zijn wangen, net als tranen. In zijn hand draagt hij een mes, dat ook druipt van het bloed. Twee andere mensen passeren hem en hij schreeuwt tegen hen, zwaaiend met zijn mes. Ze rennen weg. Dit alles gebeurde binnen een paar seconden, misschien korter. Ik vraag me af of ik gek ben geworden – of ik dingen zie, want we zien geen bloedende mannen in het paars in deze nette, kleine straat – en trek vervolgens Tom dicht tegen me aan achter de heg van een buurman. We zitten op onze hurken, zodat de man ons niet kan zien, maar wie weet of hij al iets kan zien door zijn tranen van bloed. Nadat hij ons voorbij-gegaan is, rennen we de straat af naar ons huis, en eenmaal binnen sluit ik de voordeur met de ketting af, om ons vei-lig te houden.

'Mammie, doe ook de gordijnen dicht,' zegt Tom met een bleek gezicht. 'De man kan misschien door het raam kij-ken.' Ik trek de gordijnen dicht en Tom klimt op mijn schoot. 'Het is al goed, liefje,' zeg ik. 'Het is al goed. Hij kan ons niet zien.'

'Wij zagen hem,' zegt Tom.

'Ja, maar hij zag ons niet,' antwoord ik.

'BLOEDEN, tovermiddel voor stelpen. 1610 boek van spiritisme. "Er waren drie Maria's die gingen over de rivier; de een bad staande, de anderen stonden in het bloed. Toen sprak Maria die Jezus Christus droeg: Verhoede de goden, verhoede dat u bloede meer"...'
(Dictionary of Superstitions, *onder redactie van Iona Opie en Moira Tatem, Oxford University Press.*)

20 augustus

De vijfde verjaardag van Lola en Joe. Ze zitten nog steeds in Amerika. (Niet lang voordat Ruth stierf – vlak na de tweede verjaardag van de tweeling – schreef ze een briefje aan haarzelf met haar vloeiende, gulle handschrift, hoewel haar handschrift toen minder zeker was, vanwege haar hersentumor. DOELEN schreef ze. LOLA EN JOE'S EERSTE SCHOOLDAG. LOLA EN JOE'S VIJFDE VERJAARDAG.)

Deze ochtend droom ik, in de schemer voor het ochtendgloren, dat Ruth in een lege kamer in een bed ligt. Ze is heel stil, heel rustig, heel bleek. 'Ruth?' zeg ik. Ze antwoordt niet. Ze slaapt, hoewel ze bijna dood kan zijn.

'Ruth,' zeg ik, 'als je je niet goed genoeg voelt, hoef je niet naar Amerika te gaan.'

'Ik voel me niet goed genoeg,' antwoordt ze.

Ik streel haar gezicht, en dan zie ik, naast het bed, een vrouw in de schaduw staan. Ik kan alleen haar naakte rug zien en dan haar hand. Ze houdt een pil vast, een pil die mijn zusje zal doden. Ik sla hem uit de hand van de vrouw, en duw haar weg.

Dan is Ruth, in mijn droom, weg, maar staat mijn moeder in de lege kamer. Ze heeft een brief van Ruth in haar hand. 'Ruth is in Amerika,' zegt mijn moeder. 'Ze heeft een hersentumor, maar ze leeft nog, hoewel ze alles over ons is vergeten, over jou, over mij, over Lola en Joe. Ze heeft nu een nieuw leven.'

Daarna zit ik, in mijn droom, in een vliegtuig. Ik weet niet waar ik naartoe ga. Ik kan moeilijk ademhalen. Ik heb zuurstof nodig. Er zit iemand naast me. Ik kan haar gezicht niet zien. Ze denkt dat ze dorst heeft. We hebben beiden dorst, maar ik weet dat we zuurstof nodig hebben, geen water. We snakken, snakken naar adem, en het meisje naast me, van wie ik het gezicht niet kan zien, reikt naar een kop water en drinkt hem leeg. Maar het is niet wat ze nodig heeft, het is de verkeerde kop, ze drinkt hem leeg en het doodt haar, als een snelwerkend gif. Mensen kijken toe en lachen, ze doen niets om haar te helpen en ik kan haar niet helpen, ik kan niet ademen, ook ik ga dood. Toevallig reik ik naar het goede ding – het ding dat me zal redden – een zuurstofmasker, als het masker op het gezicht van Ruth toen ze stierf (hoewel dat haar niet redde). Ik bind het masker voor mijn gezicht en leef. Ik ben de overlevende.

Ik word wakker terwijl ik nog steeds naar adem snak. Het is de vijfde verjaardag van Lola en Joe. Ik leef nog, maar mijn zusje is er niet meer. Ik reik in de la naast mijn bed voor een pakje pillen. Ik neem een tablet Prozac in – eentje maar, meer is niet nodig – en slik hem door met een glas water.

26 augustus

Ik ga met de kinderen naar St. Ives in Cornwall voor een vakantie. Neill blijft thuis om te werken. Het is de eerste keer dat ik naar deze stad terugkeer sinds mijn jeugd, toen we daar een keer met Pasen heen gingen met mijn vriendin de christadelphian, en haar vader, de natuurkundige, en de rest van haar slimme familie. Vandaag in de trein rakel ik mijn herinnering op aan die laatste reis, waar ik eerder niet bij wenste stil te staan. Lange tijd kreeg ik het warm en werd ik misselijk als ik het me probeerde te herinneren, dus dacht ik er niet meer aan. Maar nu lijkt het alleen vreemd en ver weg. Het was koud, toen. We logeerden in een koud huis, maar mijn vader was koortsachtig van woede. Iedereen was antisemitisch, zei hij. Ze wilden joden als hij dood hebben. En ook wij waren heksen, zei hij, Ruth en ik en mijn moeder, kwaadaardige katholieke heksen, geboren in haar kwaadaardige katholieke familie. 's Nachts sliep hij niet, en hij wilde dat ook wij niet sliepen. Overdag zag hij mensen op straat die hem wilden vermoorden. Iedereen die paars droeg was de vijand, gestuurd om hem te vernietigen. Ik herinner me verder niets over de vakantie. Het lijkt zo vreemd dat het sowieso allemaal gebeurde.

Nu, dertig jaar later, wil ik kost wat kost gelukkig zijn, maar dat valt niet mee. Wanneer de zon schijnt, en de kinderen in zee zwemmen, en ik over hen zit te waken, voel ik me prima. Ik ben in orde. Dan gaat het regenen, en de zee wordt grijs, en het kleine chalet waarin we verblijven is koud en vochtig en tochtig, en naarmate de geur van iets verlorens en rottends uit de afvoeren opstijgt, glimlach ik naar de kinderen, maar ze weten dat ik misschien in de verkeerde richting drijf.

'Ik mis papa,' zegt Jamie op de vijfde dag, terwijl de regen hard neerdaalt uit een onweersachtige lucht en de weerman stormen voorspelt. 'Kunnen we nu naar huis gaan?' zegt Tom.

'Nog niet,' antwoord ik, nog altijd glimlachend. 'Ik weet wat, we gaan naar het museum, en naar de schilderijen kijken. Dat is leuk.'

Ze kijken me onzeker aan, maar volgen me de heuvel af, door de begraafplaats die uitkijkt over het strand van Porthmeor. 'Komen hier 's nachts zombies naar boven?' zegt Tom.

'Nee,' zeg ik.

'Het is eng,' zegt hij, terwijl Jamie in de regen naar de grafstenen tuurt.

'Nee, dat is het niet,' zeg ik. 'Begraafplaatsen zijn prettige plaatsen.'

Onder aan de heuvel komen we bij de Tate Gallery. 'Dit was er niet toen ik een klein meisje was,' zeg ik, terwijl we naar binnen lopen. Boven zit het vol met andere mensen die voor de regen proberen te schuilen, maar ik wil dat mijn kinderen de schilderijen van Alfred Wallis zien, van wie de St. Ives net zo grijs en donker is als het mijne. Zijn kleine scheepjes worden heen en weer geslingerd op de donkergrijze zee, achter de begraafplaats waarover we vandaag liepen, achter de kapel van de heilige Nicolaas, die de zeilers in een storm niet kan redden. (De aantekening van de curator naast het schilderij verklaart dat Wallis door zijn tijdgenoten werd gezien als 'een man die duister opgesloten zat in zichzelf'; agressief en gekweld door de stemmen in zijn hoofd. Na de dood van zijn vrouw ging hij niet meer naar boven in hun huis, maar woonde, sliep en schilderde hij in een kamer beneden. In de jaren dertig begon hij een vrouwenstem te horen – de 'Onderscheidende Almachtige' – die hem uitschold vanwege zijn zonden. Soms bleef hij de hele nacht op, ruziemakend met deze en andere geesten. Overdag probeerde hij zijn geest rust te geven door de schoorsteen – vanwaar uit de geesten kwamen – schoon te maken van wat hij beschreef als 'draden'.)

Daarna koop ik een ijsje voor de kinderen en voor mezelf een stuk of zes prentbriefkaarten van Alfred Wallis. Later bekijk ik ze een voor een, gedeeltelijk op zoek naar een verborgen reden voor waarom ik terug ben gegaan naar St. Ives, of waarom mijn vader daar gek werd, hoewel ik kan inzien dat het zoeken naar antwoorden in deze plaats een teken kan zijn van mijn eigen gekte. Trouwens, ik weet niet zeker of de dingen die ik vind aanwijzingen zijn of valse sporen...

16 september
Het is de dag na de elfde verjaardag van Jamie. Hij heeft
vanmiddag een feestje. In de ochtend, terwijl ik de afwas
doe, staat Tom op het nieuwe verjaardagsskateboard van
Jamie naast me in de keuken terwijl hij in zijn Pokémon-
pyjama op een hartjessnoepje zuigt.
'Er zijn schommels in de hemel,' zegt hij onduidelijk ter-
wijl hij nog altijd op zijn snoepje zuigt.
'Wat?' zeg ik, verward.
'IK. ZEI. ER. ZIJN. SCHOMMELS. IN. DE. HEMEL,' herhaalt hij
heel luid en langzaam, alsof ik een imbeciel ben.
'Denk je dat er ook fietsen in de hemel zijn?' zeg ik.
'Nee, natuurlijk niet,' zegt hij. 'Fietsen zouden door de
wolken vallen.'
'En de schommels dan?' zeg ik.
'De schommels zijn PRIMA,' zegt hij.
'Wie heeft je dat verteld?' vraag ik, bezorgd dat mijn obsessie met de dood hem misschien verkeerd beïnvloedt.
'Angus, natuurlijk,' zegt hij. Angus is zijn beste vriend. Ik
loop naar Tom, om hem een kus te geven, maar hij heeft
nog altijd het snoepje in zijn mond en steekt zijn tong uit
om het te laten zien. Op het hartjessnoepje staat de boodschap ONTMOET MIJ. Ik neem in overweging of ik dit als
een teken van Ruth moet zien, hoewel ik kan inzien dat ik
me daardoor misschien op nog gevaarlijker terrein begeef.
(Mijn denkbeeldige therapeut zegt dat het zoeken naar een
boodschap in een snoepje een van de eerste tekenen van
schizofrenie is.)

22 september

Halfeen 's nachts. Drie jaar geleden was Ruth bijna dood. 'Niet dood,' zegt de stem in mijn hoofd. 'Alleen aan het veranderen.'

'Nee, niet dood,' stem ik in terwijl ik naar de vlam van de kaars kijk die ik vanavond voor mijn zusje heb aangestoken. Hij flakkert niet; hij brandt zo helder.

'O, mijn liefje, o, mijn liefje, o, mijn liefje Clementijn, je bent voor altijd en eeuwig weg, vreselijk zielige Clementijn,' zingt de stem van Ruth in mijn hoofd terwijl ze het lied zingt dat ze altijd als kind zong. Het lied dat ze altijd voor mijn kinderen zong, en later voor haar eigen kinderen, zelfs toen ze te ziek was om hen in haar armen te nemen. (Het hele lied kan ik me niet herinneren, slechts stukjes, maar die blijven in mijn hoofd rondspoken. 'In een holte, in een ravijn, gravend voor een mijn, woont de mijnwerker, negenenveertig, en zijn dochter, Clementijn. O, mijn liefje, o, mijn liefje, o, mijn liefje Clementijn, maar ik kuste haar kleine zusje, en vergat mijn Clementijn...')

Een paar maanden voor ze stierf lag ze met mij op dit bed, het bed waarop ik nu alleen lig. Ze kan vannacht niet ver van me vandaan zijn. Ze moet dichtbij zijn. Ik hoor... de klok, alleen de klok. Ik doe het licht uit. De kaarsvlam vult de kamer.

Ik val in slaap en droom dat ik het telefoonnummer van mijn zusje heb gekregen waarop ik haar kan bereiken, op dit moment. Ik schrijf het op en wanneer ik wakker word weet ik zeker dat het naast mijn bed ligt. Ik kijk, maar er ligt niets. 'Wat is er aan de hand?' zegt Neill slaperig.

'Niets,' antwoord ik.

2 oktober

Judith Chisholm geeft een feestje. Ik ben uitgenodigd, samen met de rest van haar vrienden van wie de meesten zich in zekere mate bezighouden met EVP of andere paranormale zaken. Vanavond lijkt haar huis lichter dan de keer dat ik er was, en Judith glanst; ze is opgemonterd.

In de woonkamer word ik eerst voorgesteld aan Mike, een gescheiden Britse telecom-ingenieur die in Dagenham woont met zijn tienerdochter en een slang, die ingevroren muizen te eten krijgt. ('We ontdooien ze wel eerst,' zegt Mike, die van details houdt.) Mike brengt, net als Judith, veel tijd door met het experimenteren met EVP, maar in tegenstelling tot haar, zegt hij dat hij de beste resultaten bij het ontvangen van geestesstemmen krijgt door de tape achteruit af te spelen. Hij probeert me uit te leggen waarom dit zo moet zijn, maar zijn wetenschap ontgaat me, dus zit ik te luisteren terwijl hij EVP bespreekt met Judiths zoon Vic, die zijn kennis als elektricien in het onderwerp brengt. 'Het belangrijkste is, dat de geesten achtergrondgeluid nodig hebben om door te komen,' zegt Mike. Hij en Vic vertellen me over dr. Konstantin Raudive, een Letse psycholoog en voormalig student van Jung die in de jaren vijftig en zestig duizenden opnamen heeft gemaakt van 'geestesstemmen', tegen de achtergrond van witte ruis uit een radio die tussen twee stations stond afgestemd. Vervolgens hebben ze het over Nikola Tesla, de wetenschapper van rond 1900 die wisselstroomgeneratoren uitvond. 'Hij was iets op het spoor,' zegt Mike, 'hij werkte naar EVP toe.'

'Het heeft alles te maken met magnetisme,' zegt Vic.

'Ultrasone ontvangers,' zegt Mike.

'Denk je dat geesten fietsen?' vraag ik tijdens een korte pauze in hun gesprek, maar ze kijken naar me alsof ik volslagen gek ben, dus excuseer ik me en ga naar een andere groep aan de andere kant van de kamer. Die mensen zijn: Andrea, een vriendin van Judith; de moeder van Andrea, die Jehova's getuige is; de Amerikaanse vriend van Andrea, Scott, een voormalige FBI-agent die kort geleden naar Londen verhuisde om dichter bij Andrea te zijn; en John, die gevangenbewaarder was bij Strangeways, maar nu redacteur is van *Psychic World* en de schrijver van *Psychic Pets*. 'Ik heb al vanaf mijn kindertijd geesten gezien,' zegt John, 'maar mijn ouders zeiden tegen me dat ik nooit over die dingen moest praten. Dus hield ik mijn mond, en daar werd ik ziek van.'

Maar de moeder van Andrea zegt dat ze het eens is met de ouders van John; dat dit soort gedoe met rust gelaten moet worden. 'Spiritualisme is het werk van de duivel,' verklaart ze, wat een enigszins ongemakkelijke stilte tot gevolg heeft. Op dit punt voegt Joe, die in sprookjes gelooft, zich bij ons en Desmond, een bruisend medium uit Belsize Park. Desmond geeft voor mij een demonstratie van automatisch schrijven, waarbij hij een aantekenboek op armslengte houdt en zijn hoofd afgewend houdt terwijl zijn hand onleesbaars krabbelt. 'Zie je?' zegt hij. 'Ja,' zeg ik, al het me niet helemaal duidelijk is wat ik verondersteld word te zien. In plaats daarvan vraag ik Desmond of geesten misschien fietsen, maar hij zegt dat hij daar niet zeker van. 'Ze kunnen wel muziekinstrumenten bespelen,' voegt eraan toe, en vertelt me hoe hij de geest van Ivor Novello gisteravond in zijn flat had en jonge mannen op hun billen sloeg met zijn onzichtbare handen en cocktaildeuntjes pingelde op de piano van Desmond.

Tegen halftwaalf was het feestje nog in volle gang, en iedereen was enorm opgewekt, zelfs Andrea's moeder, de Jehova's getuige. 'Je ziet er zoveel gelukkiger uit dan toen ik voor het eerst kwam,' zeg ik tegen Judith vlak voordat ik wegga. 'Nou, misschien ben jij wel degene die me gelukkig heeft gemaakt,' zegt ze, 'door hier te komen en belangstelling te tonen in mij, en alles te geloven.'

Terwijl ik naar huis rijd glimlach ik nog steeds, en wanneer ik thuis ben zet ik mijn computer aan en besluit, in een opwelling, een e-mail naar Ruth te sturen. Ik stuur er drie: een naar Ruth@heaven.com; nog een naar Ruth@heaven.com; en een derde naar Ruth@heaven.co.uk.

'Ben je daar?' typ ik. 'Ik mis je. Heel veel liefs, Justine.'

Ik verstuur de berichten, en wacht op een antwoord. Ik blijf mijn Postvak IN controleren, maar het wordt erg laat, dus ga ik naar bed, al ben ik klaarwakker en opgewonden. Na een paar slapeloze uren sta ik weer op, in het midden van de nacht, en zet ik de computer weer aan. Er zijn twee berichten. Ik open ze. De eerste zegt: 'Foute servernaam voor domein hemel: host not found.' De tweede luidt: 'De volgende adressen hadden tijdelijke niet-fatale fouten.' Misschien kan ik het juiste adres vinden, als ik maar blijf zoeken?

6 oktober

Ik bel mijn moeder en vraag haar hoe het met mijn vader gaat. Ze zou volkomen in haar recht staan als ze zou zeggen dat ik hem moest bellen (ze zijn tenslotte niet getrouwd), maar dat doet ze niet. 'Het is Jom Kippoer,' zegt ze, 'ik neem dus aan dat hij in de synagoge is, boete aan het doen voor zijn zonden, wat die ook mogen zijn.' Ik antwoord niet, dus zegt ze beleefd: 'En hoe is het met jou?'

'Ik vraag me af of geesten fietsen,' zeg ik.

'Nou, ik weet niet of ik je kan helpen,' zegt ze, geduldig als altijd. 'Maar ik heb wel een terugkerende droom dat ik een heuvel op fiets met jou achterop en Ruth in het zitje voorop, en mijn moeder en vader op de dwarsstang. Het is zo'n worsteling. Ik probeer altijd ergens te komen, maar ik kom nooit aan.' Ze is even stil en gaat dan verder: 'Misschien herinner je je het niet, maar toen je heel klein was, fietste je steeds rondjes in de straat voor ons huis. Ruth was toen nog een baby.'

14 oktober

'... waar we ook op aarde sterven, elke tunnel leidt ons exact naar dezelfde ingang aan de Andere Kant. Deze ingang bevindt zich in het kwadrant dat geografisch correspondeert met de westkust van ons Noord-Amerikaanse continent, en daar is het waar onze geestesgidsen, de engelen, en andere geliefden naartoe komen om ons vreugdevol thuis te verwelkomen.' (*Sylvia Browne*, Life On the Other Side: A Psychic's Tour of the Afterlife)

Het boek van Ruth is in Amerika gepubliceerd en ik ga erheen om voor Ruth te spreken; ook om naar haar te zoeken. Ik heb zo vaak gedroomd dat ze daar is, in de nieuwe wereld, waar ze op me wacht. Dus vlieg ik naar New York (en misschien vind ik haar daar). Naast de interviews die ik voor Ruth moet houden, heb ik twee privé-afspraken in Manhattan. De eerste is met een vrouw, een zeer gewilde zanglerares, al hoop ik dat ze geesten voor me zal produceren in plaats van Broadway-melodietjes, want ze is in haar vrije tijd ook de spreekbuis voor geesten. Dit laatste talent van haar werd zeer aanbevolen door een vriendin van mij (een zakelijke vrouw, niet iemand van wie je zou verwachten dat die op zoek gaat naar geesten; maar ik heb ontdekt dat de onwaarschijnlijkste mensen mijn obsessie delen, allemaal om hun eigen goede redenen). De tweede afspraak is met een advocaat die Dale E. Palmer heet, die in Amerika uitblinkt op het gebied van EVP. We hebben een paar voorzichtige e-mails uitgewisseld (de Amerikaanse associatie van EVP-onderzoekers waartoe hij behoort lijkt meer gesloten dan haar Britse tegenhanger). Het blijkt dat meneer Palmer op hetzelfde tijdstip New York bezoekt als ik, wat iets moet betekenen – iets veelbelovends – want hij woont in feite in Indiana en bezoekt de oostkust niet vaak. Ik koester veel verwachtingen van deze ontmoetingen; maar eerst moet ik in New York zien te komen, en dit lijkt niet zo gemakkelijk.

Wanneer ik afscheid neem van Neill en de kinderen bonst mijn hart; ik raak in paniek, maar probeer kalm over te komen. Ze zetten me af bij de ingang van het metrostation, en ik ben bang dat ik hen nooit meer zal zien, wat natuurlijk belachelijk is. (Toen Ruth afscheid nam van Lola en Joe en Matt, op die avond dat ze stierf, wist ze toen dat het het einde was, de laatste kus, de laatste aanraking? 'Dit is niet het einde,' zei ik tegen haar, voor ze wegzonk in haar laatste bewusteloosheid, 'je bent nog altijd bij ons, en wij zullen bij jou zijn, dat beloof ik.')

Het regent buiten; de rivieren van Zuid-Engeland staan buiten hun oevers. Het water stijgt tot ongekende hoogte, en ik laat mijn kinderen achter. Ik moet wel gek zijn; maar het is te laat om terug te keren. Ik ga naar Amerika. Ik ga erheen.

Het vliegtuig stijgt op tijdens de zonsopgang, en een paar minuten stijgt mijn gemoed, hier in het zonlicht. Maar dan zitten we in een grijze wolk, en ik kan niets zien. Ik kan niet horen; mijn oren zitten dicht en knappen. Ik kan Ruth niet horen.

'Ruth?' zeg ik, in mijn hoofd.

'Ja,' zegt zij.

'Waar ben je?'

'Bij jou.' De stem in mijn hoofd – haar stem, mijn stem, wie weet wat voor stem – begint te zingen. 'O, mijn lieve, o, mijn lieve, o, mijn lieve Clementijn, je bent voor altijd en eeuwig weg, vreselijk zielige Clementijn...'

'Dat helpt niet echt,' zeg ik.

'Ik ben verder weg,' zegt ze. 'Jij bent verderop.'

'Laat me niet in de steek,' zeg ik.

'Doe ik niet,' zegt de stem in mijn hoofd. 'Maar je moet op jezelf leven, zonder mij.'

'Dat wil ik niet.'

'Weet ik.'

'Wat doe ik zonder Arthur Molinary? Hij laat jou met mij praten.'

'Praat zelf.'

'Dat is niet goed genoeg.'

'Dat is alles...'

Ze is weg. Ik kan haar niet horen. De druk in de cabine neemt toe (of neem hij af? In elk geval, ik kan niet helder nadenken.). Ik grabbel naar mijn koptelefoon. Ik zou naar een film kunnen gaan kijken, die *Frequency* heet, met in de hoofdrol Dennis Quaid als een man die afstemt op de stem van zijn dode vader op zijn oude amateurradio. Ik stel de knop af op het juiste kanaal, maar kan nog steeds niets horen. Dan volgt een aankondiging. 'Door atmosferische storingen vertonen we de film niet op kanaal 2.' Kanaal 2 is het kanaal dat ik zoek. Kanaal 2 is het geestkanaal. Ik kan niet naar de film kijken, en mijn zusje wil niet tegen me praten.

'Ik praat wél tegen je,' snauwt ze. 'Luister gewoon, oké?'

'Ik luister,' zeg ik.

'Een, twee, in de maat anders wordt de juffrouw kwaad.'

'O, dat helpt, zeg,' zeg ik. 'Geweldig. Hartelijk bedankt.'

'Stukjes en beetjes,' zegt ze. 'Dingen en onzin. Verzin het zelf.'

'Dat doe ik ook,' zeg ik. 'En ik kom er nergens mee.'

Ik staar uit het raam terwijl we westwaarts naar Amerika vliegen. Aan de horizon, op de plaats waar we naartoe gaan, is een vage vlek van de ondergaande zon. Het wordt avond, maar het licht wordt helderder in het westen. Daarbuiten heerst de duisternis, voor ons is het daglicht. Om Amerika te bereiken moeten we terug in de tijd reizen. Ik ga terug, daarheen waar de zon opgaat in het westen.

Op kanaal 2 wordt een andere film vertoont, die *Field of Dreams* heet. In de film wordt Kevin Costner herenigd met zijn dode vader, en een team van geesten speelt honkbal op het korenveld voor zijn boerderij.

'Het is hier zo mooi,' zegt een van de geesten. 'Voor mij is het net als een droom die waarheid wordt. Mag ik je iets vragen? Is... is dit de hemel?'

'Dit is Iowa,' zegt Costner.

'Iowa?' zegt de geest. 'Ik had kunnen zweren dat het de hemel was.'

15 oktober

'In werkelijkheid zijn we zwak, daarom zijn de helden in sprookjes sterk en onoverwinnelijk. In onze activiteiten en onze kennis worden we belemmerd door tijd en plaats, vandaar dat men in sprookjes onsterfelijk is, op honderd plaatsen tegelijk is, in de toekomst kijkt en het verleden kent. De zwaarte, de massiviteit en de ondoordringbaarheid van materie blokkeren elk moment onze weg. Maar in het sprookje heeft de mens vleugels, kijken zijn ogen door muren heen, opent zijn toverstaf alle deuren...'

(*Sandor Ferenczi*, Stages in the Development of the Sense of Reality.)

Vanmorgen, nadat ik op een ochtendshow voor de televisie exact drie minuten over Ruth heb gesproken, hebben haar uitgevers voor me geregeld dat ik meedoe aan een sponsorloop om geld in te zamelen voor onderzoek naar borstkanker, samen met een groep jonge vrouwen die 'De coalitie van jonge overlevenden' heet. We komen samen in Central Park, onder een blauwe hemel gevuld met roze ballonnen. Iedereen hier heeft het over leven; over middelen die kanker genezen en de ziekte verslaan. Het lijkt onbeleefd om de dood te noemen. (Toen Ruth wist dat de kanker zich van haar borst had uitgezaaid naar haar longen en lever, zei ze, kortaf, dat ze het gevoel had een 'mislukkeling' te zijn. 'Het is niet jouw schuld,' zei ik. 'Niemand had harder kunnen vechten dan jij.' 'Als iemand het nog maar één keer over "positief denken" heeft,' zei ze, 'geef ik hem een dreun.')

In de middag neem ik een taxi naar de Upper West Side, naar een appartement dicht bij de rivier, waar ik Jeannie, de spreekbuis voor geesten, de djin van New York, zal ontmoeten. Ze heeft roodbruine krullen, als een halo, rustige bruine ogen en het gezicht van een versleten Botticelli-engel die onverwacht is overgebracht naar deze stad. Haar muziekkamer is gedecoreerd met allerlei soorten cherubijnen (van pleister, plastic, keramiek, stof), waar ze me mee naartoe neemt voor haar sessie. Haar dagelijks werk, zegt ze, 'is mensen leren hun stemmen te vinden'. Op de boekenplank tegenover de bank waar ik zit staan boeken over de toneelkunst. (*Acteurs en acteren*; *Theater produceren*; *De aard van het theater*.) Kanten gordijnen filteren het straatlicht van buiten. Er staan ranke groene varens op de tafel naast me, en een grote kikker van keramiek. Aan de andere muur hangt een gedrukte tekst: IK KWAM OM LUID TE LEVEN.

Jeannie legt me uit dat ze een geestesgids heeft die Shiang heet. Ze zal in trance gaan, en Shiang zal dan via haar praten, om me leiding en advies te geven. Shiang spreekt Engels, zegt Jeannie, 'omdat ik Engels spreek'. Als hij in zijn moedertaal zou spreken – wat dat ook moge zijn – zou Jeannie deze niet kunnen 'vocaliseren'. Maar ik zal de verandering in haar stem kunnen horen wanneer ze Shiang doorlaat. 'Mijn spraakpatroon verandert wanneer hij er is,' zegt ze. 'We verwijzen naar Shiang als een hij, maar hij zou net zo goed een zij kunnen zijn. Shiang raadpleegt ook andere gidsen en leraren en geeft hun gedachten door. Maar ze zijn niet erg goed in specifieke gegevens zoals namen en data. Het tijdsframe van deze entiteiten is enorm groot. Bovendien moeten ze een uitgebreid samengesteld beeld vertalen in lineaire taal.'

Jeannie sluit haar ogen en leunt achterover in haar stoel. Het is stil in de kamer, op de klok en het geluid van haar ademhaling na. Ze wiegt licht heen en weer, en begint dan te spreken. Ik moet me inhouden niet te giechelen – als een kind in een kerk, of bij een schoolsamenkomst – want haar nieuwe stem (de stem van Shiang) komt zo onverwacht. Zij (of hij) spreekt Engels, maar met een Chinees accent en naar wat naar mijn ongeoefende oor klinkt als een zweem van een Brooklyn-accent. 'Hongkong Fooey,' zingt de stem van Ruth in mijn hoofd. 'Hou je mond,' waarschuw ik haar zwijgend.

Shiang vertelt me dat Ruth in een ander leven een kapitein op de vaart is geweest. Ze moest haar weg bevechten te midden van piraten en stormen, over oceanen naar onbekende gebieden. Ook waren we, in wéér een ander leven, zusjes geweest in het middeleeuwse Europa, en ik ging als eerste dood, waarbij ik Ruth achterliet om over me te rouwen. Ruth en ik hebben door alle eeuwen heen van elkaar gehouden. Nu ze in het land van de geesten verblijft, houdt ze nog steeds van me; net als ik van haar hou.

Er is nog iets: over leren los te laten; over met de stroom meegaan; dat soort dingen. Het dwaalt rond in mijn hoofd, maar op een aardige, vredige manier. Dan buigt Jeannie zich naar voren en komt ze uit haar trance. 'Jongen, dat was een lange, lange reis,' zegt ze terwijl ze haar kastanjebruine krullen schudt. 'Ik moet de vibraties van de wezens vasthouden; die diepe energie die zich in mijn bewustzijn dringt. Wanneer Shiang vervolgens vertrekt voel ik me een poosje leeg. Maar het zuigt me niet leeg, het werkt altijd versterkend. Dit is de bron van alle energie; als een verfrissende bergstroom...' Jeannie geeft me een boek waarvan ze denkt dat ik er baat bij heb (*Life On the Other Side: A Psychic's Tour of the Afterlife* van Sylvia Browne). Ik geef haar 120 dollar, haar tarief voor de sessie.

Buiten regent het en is het donker en ik neem een taxi terug naar mijn hotel in het centrum. De taxichauffeur luistert naar een Spaans radiostation. Wanneer ik tegen hem spreek begrijpt hij me niet; we handelen onze transactie af in een onsuccesvolle gebarentaal. In de lift in het hotel praten twee mensen met elkaar in wat Nederlands zou kunnen zijn. De andere man in de lift trekt, bijna onmerkbaar, een wenkbrauw naar me op en zijn mondhoek krult op. Ik weet niet zeker wat hij probeert te zeggen. Ik raak verdwaald op de veertiende verdieping en moet in mijn voetsporen terugkeren naar de lift om vervolgens de plattegrond te bestuderen. Dan vind ik mijn kamer, maar de sleutel wil niet en tegen de tijd dat ik binnen ben is het te laat om Neill in Londen te bellen. Hij zal al liggen te slapen, want het is daar vijf uur vroeger dan hier. Ik lig op het bed en staar naar het plafond. 'Dit is de toren van Babel,' zeg ik hardop, maar niemand luistert. Het komt bij me op dat ik, misschien, te dramatisch ben. Ik koos er tenslotte zelf voor hier te komen. Ik neem een slaappil en doe een paar oordoppen in, en trek de deken over mijn hoofd. De stad is heel lawaaierig, zelfs midden in de nacht.

'De gehele aarde nu was één van taal en één van spraak. Toen zij oostwaarts trokken, vonden zij een vlakte in het land Sincar, waar zij zich vestigden. En zij zeiden tot elkander: welaan, laten wij tichelen maken en die goed bakken. En de tichel diende hun tot steen en het asfalt diende hun tot leem. Ook zeiden zij: welaan, laten wij ons een stad bouwen met een toren, waarvan de top tot de hemel reikt, opdat wij niet over de gehele aarde verstrooid worden. Toen daalde de

Here neder om de stad en de toren, die de mensenkinderen bouwden, te bezien, en de Here zeide: zie, het is één volk en zij allen hebben één taal. Dit is het begin van hun streven: nu zal niets van wat zij denken te doen voor hen onuitvoerbaar zijn. Welaan, laat ons nederdalen en daar hun taal verwarren, zodat zij elkanders taal niet verstaan. Zo verstrooide de Here hen vandaar over de gehele aarde, en zij staakten de bouw van de stad. Daarom noemt men haar Babel, omdat de Here daar de taal der gehele aarde verward heeft en de Here hen vandaar over de gehele aarde verstrooid heeft.' (Genesis 11, vers 1-9)

16 oktober

De Hal van Verslagenheid, de Hal van Wijsheid, en de Hal van Gerechtigheid zijn de eerste gebouwen die we aan gene zijde zien. Direct erachter rijzen de torens op, twee identieke bouwsels, hoog en eigentijds van architectuur, eerbiedige monolieten met massieve façades van wit marmer en blauw glas. Watervallen fluisteren langs de muren, hullen de jasmijn in mist, die de lucht eromheen doet geuren en belofte doen van de intense sereniteit die achter hun geëtste gouden deuren ligt... Het eeuwige pastelkleurige licht van gene zijde, gefilterd door het blauwe glas van de torens, creëert vrede en een verhoogde bezieling van Gods liefde...'
(*Sylvia Browne*, Life On the Other Side: A Psychic's Tour of the Afterlife)

Ik word om vijf uur 's ochtends wakker, die deeltijd voor de dag en de nacht, en ik weet niet zeker of ik slaap of wakker ben; of ik hardop praat of in mijn hoofd.

'Dus, Ruth,' zeg ik, 'hoe zit het met fietsen aan gene zijde?'
'De wielen zijn rond,' zegt ze.
'Je wordt wel een beetje geheimzinnig,' zeg ik.
'Jij bent het die in het magische denken zit,' zegt ze sarcastisch.
'De eerste keer dat ik zelf op een fiets zat, kon ik niet geloven hoe snel ik ging, hoe vrij ik me voelde...'
'Precies,' zegt ze. 'Zorg nu voor een beetje rust.'
Kwart over zes in de ochtend. Ik kan niet slapen en zet daarom de televisie aan. Er racet een fiets over het scherm. 'Denk de hele dag aan fietsen,' zegt een stem. Dan verschijnt er een woord op het scherm: 'Bewaker'. Ik weet dat het een reclame voor iets is, maar ik weet niet precies waarvoor. Ik vraag me af of ik dit als een soort voorteken voor die dag moet zien. (Ansichtkaarten, snoepjes, televisiereclames; ik zie tegenwoordig overal tekenen in.)
Ik heb afgesproken Dale Palmer om halfnegen in zijn hotel te treffen. Het is maar een paar huizenblokken hiervandaan, dus loop ik, waarbij ik mijn paraplu stevig vasthoud en probeer niet tegen iemand op te botsen in de mensenstroom van het spitsuur. Het hotel van Dale kijkt uit over Time Square: een hoge wolkenkrabber, met duizenden mensen die langs de receptie lopen, en een waterval in het midden. Ik neem de goudkleurige, glazen lift naar de 45e verdieping, waar Dale verblijft met zijn gezin. Hij gaat zo snel omhoog dat mijn oren knappen en ik weet niet zeker of ik goed kan horen. Ik stap uit de lift en loop door de gang. Aan de ene kant reikt de muur tot aan het middel en is versierd met wat echte planten kunnen zijn (hoewel dat onwaarschijnlijk lijkt). Ik kijk over de rand naar de afgrond eronder, honderden meters tot aan de begane grond. Aan de andere kant is de ingang tot de kamer van Dale. Ik klop op de deur.
De man die de deur opent heeft zilvergrijs haar en draagt een blauwe bloes. Hij ziet eruit, denk ik, als de tovenaar in de *De tovenaar van Oz*. We schudden de hand en dan laat de

man – meneer Palmer, neem ik aan – me de hotelsuite binnen. Hij is heel groot, heel luxueus; een anoniem kasteel in de lucht. Een bordje naast de telefoon zegt: 'Verbind je met de wereld buiten je kamer.' De kleindochter van Dale, Kelly, zit aan het hoofd van een mahoniehouten tafel; tenger, zwijgend, beheerst. Ik schud haar de hand, en die van Dale's vrouw Kay, en zijn schoondochter, Kellly's moeder, Linda. Hij legt uit dat zijn zoon Hunt, de man van Linda en de vader van Kelly, drie maanden geleden plotseling overleed aan een geheimzinnig virus. De reis naar New York was daarom gepland om iedereen op te vrolijken. Ze gaan naar een show op Broadway, lunchen op Rockefeller Plaza en vervolgens uit dineren. 'Dit is het "maak Linda aan het lachen"-initiatief,' zegt Dale. Maar Linda ziet er gedeprimeerd uit en trekt zich met Kay terug in een andere kamer.

'Kelly maakt aantekeningen en neemt onze ontmoeting op,' zegt Dale. 'Ze werkt thuis als vertaalster.' Hij had me al gevraagd mijn vragen over zijn EVP-onderzoek van tevoren te e-mailen, en heeft geschreven antwoorden voor me. Hij overhandigt me vijf, in kleine letters geprinte vellen papier. 'Dat zijn je antwoorden,' zegt hij, en hij neemt plaats op een stoel tegenover mij aan de tafel.

'Zal ik ze nu lezen?' zeg ik, enigszins bedremmeld door de stilte in de kamer.

'Ga je gang,' zegt Dale. Kelly blijft ondertussen bewegingloos zitten.

Ik begin te lezen. 'Vragen: hoe hoorde u voor het eerst over EVP? Wanneer ging u dit zelf onderzoeken? Welke instrumenten gebruikte u?'

'Antwoorden: Willis Harmon, de overleden president van het instituut voor beschouwende wetenschappen, en ik waren bevriend. Mijn onderzoek naar de Egyptische geschiedenis had me ervan overtuigd dat communicatie tussen werkelijkheidsdimensies mogelijk was en in feite werd onderwezen als een kunst in de vroegere scholen voor mystiek. In 1994 vertelde ik Willis dat communicatie duidelijk mogelijk was en in theorie met de juiste elektronische apparatuur mogelijk zou moeten zijn. Willis vroeg me dit te onderzoeken en hem hier verslag van uit te brengen. Ik begon meteen met een onderzoek, dat me naar Sarah Estep leidde, de decaan van alle experimentatoren in de VS, die al twintig jaar had gecommuniceerd met een grote bandrecorder. De apparatuur die ze gebruikt is relatief eenvoudig. Sarah Estep zegt: "Wanneer ik een grote openbandrecorder gebruik, gebruik ik een TEAC. Ik gebruik altijd een microfoon, met een metalen trechter over de kop. Daardoor worden de stemmen luider. De bandrecorder staat in verbinding met de kalibratietoonmixer van mijn Numark-stereocassetterecorder. Je kunt die ook gebruiken om de stemmen te versterken...'

Ik stop met lezen. Ik ben nog maar op de helft van de eerste bladzijde en ik ben al in de war. 'Eh, vindt u het erg als ik dit later lees?' zeg ik. 'Ik kan me niet zo goed concentreren.'

Dale buigt zijn hoofd een klein beetje. Dan gebaart hij naar het papierwerk, en zegt: 'Ik ben een ervaren advocaat. Ik ben jarenlang officier van Justitie geweest in Indianapolis.' Dat is de reden waarom hij de dingen graag precies doet. 'Mijn eerste taak als aanklager was het echte scheiden van het onechte.' Het is een vaardigheid, zegt hij, die hij voortzet in zijn onderzoeken naar de geesteswereld. 'Er zijn in de wereld enkele goede mediums; daar ben ik redelijk zeker van. Er zijn er ook die, naar ik vermoed, dat niet zijn. Ik heb meer niet overtuigende mediums gezien dan overtuigende. Je moet lang zoeken...'

Ik kan niet alles volgen wat hij me vertelt: hij praat snel over de oude mystieke scholen, en de verloren kunst van communicatie met de doden. 'Plato vertelt ons hoe dit gebeurt. Ik weet zeker dat hij afgestudeerd was aan de mystieke scholen. Ook meester Jezus was dat...' Nu echter gelooft hij dat de toekomst ligt in de elektronische communicatie met de geesteswereld: 'De logica suggereert dat als jij, als individu, in een kamer kunt zitten en die dingen kunt aanvoelen, er elektromagnetische golven moeten zijn die je met de juiste apparatuur kunt detecteren.'

Nu komt de rol van Dale: hij is geen medium, noch kan hij de huidige experimenten in EVP horen (of EDP voor Electronic Disturbance Phenomena [elektronische storingsverschijnselen], zoals hij het liever noemt), zoals die worden uitgevoerd door Chisholm en Sarah Estep, aangezien hij een beetje doof is. Maar hij heeft wel het geld en het enthousiasme om een onderzoeksproject op de computer in zijn woonplaats op te zetten, in Plainfield in Indiana. 'Mijn familiestichting zal in alle fondsen voorzien,' zegt hij.

Het project maakt onderdeel uit van GAIT, dat staat voor Global Association of Instrumental Transcommunication (wereldassociatie voor instrumentale communicatie). Dale had de organisatie samen met Sarah Estep in 1997 opgericht. De stichting van Dale heet The Noetics Institute Inc. – instituut voor verstandsleer – (NII). 'We hopen en zijn van plan betere software te hebben dan waar ook ter wereld,' zegt hij terwijl hij me verwijst naar bladzijde vier van het document. 'We hebben elektrotechnici aan het werk op verschillende terreinen van toegekend onderzoek. Eén werkt aan de ontwikkeling van software die de stemmen hoger doet klinken zodat iedereen, zelfs mensen als ik met een slecht gehoor, ze kan horen.

Fase twee van het GAIT-plan is de ontwikkeling van apparatuur voor het zichtbaar maken van beelden in realiteitsdimensies. Erland Babcok, een gepensioneerd technicus van MIT en de universiteit van Massachusetts, zorgt voor beelden. Erland heeft al enkele vage, nauwelijks waarneembare beelden opgenomen.'

'Geesten op het computerscherm?' vraag ik.

'Erland heeft me een film laten zien waarin hij beelden kan waarnemen,' zegt Dale.

'Maar kunt u ze zien?' zeg ik.

'Ik kan ze niet duidelijk identificeren,' zegt Dale. 'Kijk je wel eens naar de wolken waarin je vormen ziet?'

'Ja,' zeg ik.

'Nou, daar lijkt het op.' Ik heb het gevoel dat ik hier verdwaald raak in een labyrint. Dale kan de stemmen van de geesten niet horen, ook kan hij de beelden van de geesten niet zien, maar hij schijnt te weten dat ze er zijn. Op mijn gezicht moet mijn verwarring te lezen staan, want hij voegt eraan toe: 'Wat je ter tafel moet brengen is dat je niet kunt begrijpen wat we doen tot we een kwantumsprong maken in onze denkrichting. We zijn in ons denken zo op het lichaam gericht. Maar ons lichaam is net als een kledingstuk of een auto die we kopen of voor korte tijd gebruiken.' Ik ben nog altijd in de war, dus tekent Dale een punt op een leeg vel papier. 'Meer dan 99 procent van een atoom is lege ruimte,' zegt hij. 'Dat is de kern,' en hij wijst naar de punt. 'Ik stel voor dat je over het atoom denkt als zijnde realiteit.' Hij wijst opnieuw naar de punt. 'Het fysieke universum is de punt, dat is de grens van ons zicht op dit moment.'

'Hmm,' zeg ik.

'Jij en Kelly hebben geluk,' zegt hij glimlachend naar zijn zwijgende kleinkind. 'Jullie krijgen misschien zoveel nieuwe dingen te zien, zoals de deur die van de ene dimensie naar de andere gaat. Ik denk dat hij door het nulpuntveld zou kunnen gaan...'

'Hoe zit het met e-mail?' zeg ik. 'Zou ik een e-mail naar mijn zusje kunnen sturen? Of naar je zoon?'

Hij verwijst me terug naar bladzijde vier van het papierwerk. 'Daar staat het,' zegt hij. 'Het staat er allemaal voor je opgeschreven.'

Ik begin weer te lezen, vanaf de paragraaf die hij heeft aangewezen. 'Wij hopen en zijn van plan begin volgend jaar een website te creëren waar iedereen in de wereld die een computer heeft en op internet kan, kan inloggen en gratis zijn of haar experimenten kan uitvoeren. Men kan ook een eigen identificatiecode in de computer opslaan. In de komende jaren kan men, na het overgaan, communiceren naar deze dimensie en zijn of haar eigen code onthullen. Dit kan dan worden geverifieerd in het computercentrum van NII.'

'Betekent overgaan de dood?' zeg ik. Kelly krimpt in elkaar. Dale knikt. 'Dus Ruth zou me een bericht kunnen sturen – een eigen code – en ik zou weten dat zij het is?' Dale knikt opnieuw. 'Dat is verbijsterend,' zeg ik.

'Ik heb de computer,' zegt Dale, 'maar hij is nog niet geprogrammeerd. Dat wordt een hele klus.'

Dale heeft ook andere plannen. 'NII heeft dr. Edvaldo Cabral, professor in elektrotechniek aan de universiteit van São Paulo, uitgenodigd zijn theorie in het Engels te schrijven. Die komt op de website te staan, waardoor de wereld de wetenschap achter al deze gebeurtenissen kan zien. Alle zogenaamde paranormale verschijnselen worden erin uitgelegd.'

'Ik geloof dat ik het nog steeds niet begrijp,' zeg ik.

'Machines zijn niet chaotisch,' zegt hij terwijl hij naar zijn taperecorder wijst. 'Ze zijn geordend...'

'Ik wilde dat u mijn grootvader had kunnen ontmoeten,' zeg ik. 'Ik kende hem niet echt, maar ik heb het gevoel dat jullie met elkaar overweg hadden gekund. Hij schreef poëzie. Hij won bij een wedstrijd een bardenstoel voor zijn gedichten. En hij was ook een spiritist. Ik geloof niet dat de rest van mijn joodse familieleden het goedkeurden...'

'Technisch gezien ben ik methodist,' zegt Dale, 'maar eigenlijk ben ik boeddhist wat mijn visies betreft.' Hij glimlacht naar me en onverwacht voel ik tranen in mijn ogen prikken. 'Ik geloof dat ik moet gaan,' zeg ik.

'Kom morgen terug,' zegt hij. 'We kunnen samen ontbijten.'

Ik sta op en sla mijn armen om hem heen (ik weet niet zeker waarom – hij beschikt over formele stijfheid en ik ben over het algemeen meer terughoudend dan nu – maar ik heb het gevoel dat ik het moet doen). Hij voelt heel massief, heel stabiel, heel echt aan in mijn armen. 'Dank u,' zeg ik. 'Ik kom graag terug...'

Ik neem afscheid en neem de lift 45 verdiepingen naar beneden, terug naar de begane grond. Dan ga ik op zoek naar een taxi, want ik moet weer een televisie-interview doen. Onderweg voert de taxichauffeur een lang, ingewikkeld gesprek met een onzichtbare kameraad naast (of in) hem. Vroeger zou me dit gestoord hebben. Nu lijkt het absoluut in orde. Ik vraag me af of ik verval in krankzinnigheid zoals mijn vader, of mijn grootvader. Als dat zo is, is het toch niet zo beangstigend als ik dacht. Misschien is krankzinnigheid een halte op de reis naar gene zijde.

'Beste dokter Freud,
Occultisme is nog een terrein dat we zullen moeten overwinnen... Er zijn vreemde en wonderbaarlijke dingen in deze landen der duisternis. Maakt u zich alstublieft geen zorgen over mijn zwerftochten in deze oneindigheden. Ik zal terugkeren, beladen met rijke buit voor onze kennis van de menselijke psyche. Ik zal me nog een tijd moeten bedwelmen met magische geuren om de geheimen te doorgronden die verborgen liggen in de peilloze diepten van het bewustzijn...
Hoogachtend, JUNG'
(*8 mei 1911,* De brieven van Freud/Jung)

17 oktober
Ik ben teruggegaan naar Time Square om Dale en Kay Palmer te ontmoeten, en deze keer heeft hij geen uitgeprinte lijst met antwoorden op mijn vragen, wat lijkt op een teken van vertrouwen. Het is acht uur in de morgen, lunchtijd in Londen, in New York tijd voor het ontbijt. We eten in het restaurant van zijn hotel, om de hoek van de goudkleurige, glazen lift naar de 45e verdieping. Dale vertelt me over zijn

kindertijd lang geleden: hij was tien maanden oud toen zijn vader in 1933 overleed. 'Mijn moeder kon geen werk vinden en in augustus 1936, toen ik nog net geen vier jaar was, werd ik in een pleeggezin geplaatst.'

'Hebt u uw moeder teruggezien?' vraag ik.

'Ik zag haar af en toe,' zegt hij.

'Dat moet heel moeilijk voor u geweest zijn,' zeg ik, 'en ook moeilijk voor haar.'

Hij knikt. 'Je moet niet vergeten dat dit Zuid-Indiana was in de jaren dertig,' zegt hij. 'Er waren geen goede wegen, geen telefoons, geen elektriciteit, geen éten. Elke vrijdag moest mijn moeder zes of acht kilometer lopen naar het hulpfonds voor de armen om iets te eten voor ons te halen...' Dale had een zus, Laura, die vier jaar ouder was dan hij en die bij zijn moeder bleef. 'Mijn zusje en ik waren zeer aan elkaar gehecht,' zegt hij, 'maar ze stierf in 1960.'

'U hebt veel met de dood te maken gehad in uw leven,' zeg ik.

'Er is geen dood,' antwoordt hij met zijn ernstige gelaat naar mij toegekeerd. 'Meester Jezus zelf zegt dit. Je moet je wijze van denken veranderen. Je moet dit korte bezoek aan New York beschouwen als leven. Het is zo'n tijdelijk iets. Je bent hier voor een paar dagen, en dan ga je naar huis.'

'Ik vind het moeilijk zo te denken,' zeg ik, want er is geen reden om me anders voor te doen dan ik ben naar deze man toe. 'Ik blijf maar wensen dat mijn zusje nog leefde...'

'Het betekent niet dat ik mijn zoon niet vreselijk, vréselijk mis,' zegt hij.

'Hebt u met hem gecommuniceerd sinds zijn dood?' vraag ik.

'Ik heb hem gevoeld,' zegt Dale langzaam, 'maar echte communicatie, nee... En jij, spreekt jouw zusje tegen je?'

'Ik weet het niet zeker,' zeg ik. 'Misschien als ik in een vliegtuig zit. Maar misschien is het alleen de stem in mijn hoofd...'

'Nee, ik denk dat er een manier moet zijn waarop ze jouw

omgeving in het vliegtuig manipuleert,' zegt hij. 'Je bent ver weg van de met het oog waarneembare aarde. Wat je niet moet vergeten is dat alles een vorm van vibratie is, wij hier zitten op het laagste niveau. Wanneer een mens overgaat, neemt de vibratiesnelheid toe. Ik heb het over fysica, niet over mediumschap.'

'Maar hebt u óóit de stem van een dode gehoord?' vraag ik. 'Alleen die ene keer,' zegt hij. 'Het was een EDP-experiment en ik zei: "Is dr. Raudive er?" Het antwoord was: "Hij is hier." Dat was alles, maar dat was alles wat ik nodig had. Het probleem is dat ik slecht hoor, zoals je weet, dus moet ik de technologie goed krijgen voor ik in staat ben deze stemmen te horen. Op het ogenblik kunnen sommige mensen ze met hun verstand decomprimeren, maar alleen nadat ze tien tot twintig keer naar de tapes hebben geluisterd.'

We zijn klaar met het ontbijt en Kay neemt een foto van Dale en mij samen, glimlachend naar de camera, en nemen vervolgens afscheid. De familie Palmer gaat vandaag naar huis, terug naar Plainfield in Indiana (een naam waarvan ik ben gaan houden; een klein, net stadje waarvan ik me voorstel dat het is omringd door korenvelden en dromen). Ik heb nog twee dagen in New York, maar ik wilde dat ik met hen mee kon, verder naar het westen vliegen. Ik weet nog steeds niet waarom ik me zo aangetrokken voel tot deze vreemde man met dat toch lieve gezicht. Overbrenging, zou een therapeut wellicht zeggen; ik associeer hem met mijn onbekende grootvader Louis, die erover droomde hoe de doden zich onder de levenden mengden, die door zijn seances zweefde, de nieuwe wereld bevolkte van Johannesburg, waar hij als kleine jongen naartoe was gekomen en de oude wereld van Rusland achterliet. Ik heb geen foto's van Louis, alleen een vage jeugdherinnering van lang geleden. Hij is een zilverharige man, in een grote kamer die uitkijkt over een vreemde stad. Hij zit op zijn bewerkte houten stoel met mij, onzeker, naast zich.

18 oktober

Ik verschijn op een televisiezender die 'Zuurstof' heet en ik heb het gevoel dat ik geen adem kan krijgen. Ik zit in een kleine kamer met twee enorme computers voor me en het gezicht van Ruth op het scherm dat het dichtste bij is. De producer toont me een montage van foto's van Ruth en dan moet ik iets over haar zeggen, en over het gevecht tegen de borstkanker, wat zal worden opgenomen als een inleiding voor deze aflevering van de show. 'Deze aflevering lijkt veel op de show van Oprah,' zegt de producer. Ik kijk nietszeggend, dus legt hij uit dat 'Zuurstof' van Oprah is. Ik begin te huilen, niet luidruchtig, niet zo dat iemand me kan zien, want het is hier donker op het licht na van het gezicht van Ruth op het computerscherm. Het is de eerste keer in maanden dat ik huil, en ik veeg de tranen met mijn hand weg en lik het zout weg.

Ik doe de voiceover, waarna ze me meenemen naar de gastenkamer. Uma Thurman wordt voor mij geïnterviewd, en ik kijk naar haar op de enorme televisiemonitor die boven de tafel hangt. Gisteren was er een chimpansee op skeelers in de show. 'Vond de chimp die camera's niet eng?' vraag ik de assistent van de producer terwijl hij me begeleidt naar de studio waar het interview zal plaatsvinden. 'Ik weet het niet,' zegt hij. 'Het was moeilijk uit te maken hoe de chimp zich voelde.'

Ik word live geïnterviewd door een nogal mooie blonde zangeres die ik meen te herkennen van MTV. Ze neemt de vragen met me door voor de camera's gaan draaien. 'Ik begin met de vraag hoe oud je zusje was toen ze aan de ziekte bezweek, oké?' Ik kijk opnieuw nietszeggend, want ik begrijp niet wat ze bedoelt. 'Bedoel je wanneer ze er voor het eerst achter kwam dat ze de ziekte had?' zeg ik. 'Nee, wanneer ze .. eh .. overging,' zegt de interviewster. Dan besef ik dat ze het heeft over wanneer Ruth stíérf. 'Sorry,' zeg ik, 'sorry, ik raakte in de war. Niemand lijkt het woord "dood" te willen gebruiken.' 'Ik denk dat dat iets Amerikaans is,' zegt de interviewster. Een paar keer noemt ze mij Ruth. Ik vind het niet erg. De vriendinnen van Ruth noemen me, per ongeluk, Ruth. Zelfs nu nog, drie jaar na haar dood. Dit gebeurt vaak. Soms horen ze zichzelf en bieden ze hun verontschuldigingen aan. Maar het gebeurt vaker dat ze hun vergissing niet horen en zeg ik niets. Mijn zusje en ik hadden blijkbaar bijna dezelfde stemmen (maar wanneer ik nu probeer die van haar omhoog te halen, is hij weg). Hoe klinkt haar stem? Ik wil de stem van Ruth, die van Ruth, niet die van mij.

Het interview is snel voorbij. Daarna weet ik niet meer wat ik heb gezegd. Ik heb het gevoel dat ik slaapwandel. 'Dat was uitstékend, heel helder, heel bewogen, heel goed,' zegt de producer. 'Dank je zeer.'

'Dank je dat je mij in de show wilde,' zeg ik, als een gehoorzaam kind.

Later, die avond, is er een groot, betoverend feest om de publicatie te vieren van het boek van Ruth, en om geld in te zamelen voor de coalitie van jonge overlevenden. Miss Amerika komt, of Miss USA, ik vergeet welke. De vrouwen die ik heb ontmoet bij de sponsorloop – de overlevenden zelf – zijn er allemaal en dragen felroze veren boa's. Ze geven er een aan mij. Ik pak hem aan en sla hem om mijn hals. De veren kriebelen, prikken een beetje, als zien ze er zacht uit. 'Ruth zou dit leuk hebben gevonden,' zeg ik. 'Ze was dol op feestjes. Ze was dol op roze.' Ik vraag me af of ze vanavond hier aanwezig is, zwevend tussen de roze ballonnen, zwevend boven de roodfluwelen tafels vol eten, ondersteund door de champagnebubbels. (Beter dan buiten te zijn in de eindeloze, zware regen...) Ik hoop dat ze er is en al deze mensen ziet die hier voor haar zijn. Ik wil huilen, maar lach in plaats daarvan. Dit is tenslotte een feest. Dit is haar feest.

'De Bororo begraven hun doden twee keer: op het dorps-
plein vindt een korte, eerste begrafenis plaats waar de
familieleden enkele weken lang het lijk kwistig van
water voorzien om het ontbindingsproces te versnellen.
Wanneer de ontbinding ver genoeg is gevorderd, wordt
het graf geopend, en wordt het skelet gewassen tot alle
sporen van vlees zijn verwijderd. De beenderen worden
rood geverfd, versierd met mozaïek uit met hars ver-
lijmde veren, in een mand gelegd en ceremonieel ver-
zonken naar de bodem van een rivier of meer, "de ver-
blijven van de zielen". Water en dood zijn daarom in de
gedachten van inboorlingen altijd met elkaar verbon-
den. Om het een te verwerven, is het nodig het andere te
ondergaan.'
(*Claude Levi-Strauss,* Le cru et le cuit)

19 oktober

In het vliegtuig terug, ergens boven de Atlantische Oceaan,
lees ik de paranormale handleiding van Sylvia Browne, dat
me als afscheidscadeau was gegeven door Jeannie, de
spreekbuis voor geesten. 'Je vindt het misschien nuttig op
je reis,' had ze gezegd. En ze heeft gelijk, het is een heel
interessant boek. Nu ik eenmaal ben begonnen met lezen,
wil ik niet ophouden. Sylvia zegt dat de geesteswereld – of
'thuis', zoals het ook bekendstaat – dichter bij ons is dan we
denken: nog geen meter boven onze aardse grond. We kunnen het niet zien omdat 'de vibratiefrequentie veel hoger is
dan die van ons'. Hoewel wat de geesten aangaat 'wij in
feite geesten in hun wereld zijn, die dezelfde ruimte delen
maar onecht zijn in vergelijk, aangezien de geesteswereld de
plaats is waar alle wezens volledig zijn en vol "leven".' Aan
gene zijde regent het nooit, omdat het weer 'een voortdu-

rend kalme en heldere vijfentwintig graden is'. Geestmensen hoeven niet te slapen, hoewel ze wel lichamen hebben: met haren en longen, enzovoort, maar 'aan tegenovergestelde kant van waar ze zich in hun lichaam op aarde bevinden, een exact spiegelbeeld van de menselijke anatomie'. Helaas is er geen verwijzing naar het feit of geesten aan gene zijde op de fiets rondrijden. Sylvia zegt dat ze zich over het algemeen voortbewegen door middel van 'geprojecteerde gedachten', maar dat ze van tijd tot tijd rondrijden in 'een soort combinatie van golfkarretje en hovercraft, nucleair aangedreven en met open zijkanten, dat een paar centimeter boven de grond voortbeweegt'. Geesten doen ook aan 'contactloze sporten' die aan gene zijde worden beoefend in 'prachtige atletische stadions, golfbanen, tennisbanen, skihellingen, die glinsteren van eeuwige sneeuw, perfecte golven voor het surfen naar pure, witte stranden, en verblijven voor elke andere vorm van georganiseerde sporten...'

Sylvia's boek dat, naast enkele andere boeken die over spirituele zaken gaan, regelmatig op de bestsellerlijst van New York voorkomt, voorziet in een heel heldere instructie over hoe 'de weg te openen naar prachtige ontmoetingen, zo vaak als je wilt, met de gene zijde'. Gesterkt door een glas rode wijn lees ik de instructies een paar keer en bereid ik mezelf voor op de weg voorwaarts. Dit is de plaats waarvan Sylvia zegt dat je die moet oproepen, achter gesloten ogen. 'Je nadert een paar enorme, glanzende, koperkleurige deuren met complexe versieringen en etsen, de mooiste deuren die je ooit hebt gezien... Binnen vind je een volmaakt ovalen kamer... De vloeren zijn van hardhout, met witte kleden zo zacht als wolken die je blote voeten strelen terwijl je er langzaam overheen loopt...' Er is meer te zien in de kamer: kaarsen, jasmijn, een witte vleugel, een oceaanbries, twee witte stoelen met reliëfversieringen, en het witte licht van de Heilige Geest. 'Je gaat zitten op de linkerstoel, zodat de stoel rechts van je leeg blijft. In de stilte rechts van je merk je beweging op, en je keert je ernaar toe. Een figuur stapt naar voren en gaat op de lege stoel naast je zitten. Je bent niet bang, want je weet dat geen kwaad of duisternis het goddelijke licht dat je beschermt zal naderen. De figuur wacht, geduldig, stil en open. Je bent gezegend door zijn aanwezigheid. Ten slotte spreek je, zachtjes...'

Ik concentreer me op de kamer, sluit het vliegtuig buiten, voel alleen het witte licht, ruik de geur van jasmijn in plaats van de muffige, gerecirculeerde lucht. Ik zit op de linkerstoel. Een figuur nadert. Ik ben niet bang. Ik kijk om te zien wie de figuur is. Het is Anna Wintour, de redactrice van de Amerikaanse *Vogue*. Verdómme. Ik geloof niet dat zij mijn geestgids is: ze hoort niet in de magische kamer te zijn, hier gaat het niet om. Dus drink ik nog een glas rode wijn en begin ik overnieuw. Ik open de grote koperkleurige deuren; ik loop naar de linkerstoel; ik wacht op mijn geestbezoeker. Ik wacht... en wacht... tot ik wellicht in slaap ben gevallen. En dan nadert een figuur. Het is Louis, mijn overleden grootvader. Hij gaat niet in de witte, versierde stoel zitten. Hij wil zijn eigen stoel, zijn uitgesneden houten bardenstoel. Hij zegt niets tegen me. Hij uit geen enkel woord.

28 oktober

'Liefde op zich functioneert als een soort "grensgebied" tussen gezondheid en ziekte voor de menselijke ziel.'
(*Sandor Ferenczi,* Love within Science)

De kinderen hebben vakantie en we zijn voor een paar dagen naar Wales gegaan om te logeren in een omgebouwde schuur vlak bij een dorpje dat Battle in Brecon heet. Het regent zo hard dat het veld buiten is veranderd in een modderpoel. Zelfs onze hoopvolle hond wil niet uit. In plaats daarvan rijden we naar Hay on Wye, een plaats die vandaag de dag meer boekwinkels dan inwoners heeft, en schuilen daar voor de regen. De kinderen brengen een groot deel van de tijd door met het uitkiezen van boeken: Jamie kiest uiteindelijk voor een tweedehands ingebonden boek uit een vochtige winkel vlak bij het stadskasteel. Het is een dik boek met de titel *Luchtrampen: dialogen uit de zwarte doos.* Op de voorkant staat een foto die op 4 november 1993 is genomen van een Boeing 747 van China Airlines die van de landingsbaan van de luchthaven Hongkong is gegleden en de zee is ingeschoten, overschaduwd door de twee toren-hoge rotsen aan beide zijden. ('Een plotselinge windstoot en de regen op de landingsbaan beïnvloedden de remmen van het vliegtuig in die mate dat het tijdens de landing onstuitbaar naar links werd geduwd.') Tom wil een boek waarin een driedimensionaal uitklapbaar bord zit en dat de titel *Spookjagers*! draagt. ('Zoek je weg in het uitklapbare spookkasteel. Wees op je hoede! De spoken zijn erop uit jóú als eerste te pakken!')

Ik ga niet tegen hun keuze in maar voel me, in plaats daar-van, schuldig. Ik ben geen goede moeder. Ik dacht dat ik hen voor de dood in ons leven had beschermd, maar dat is niet het geval. Ik ben ergens de weg kwijtgeraakt, in een doodlopende straat terechtgekomen, en ik heb hen met me meegenomen, en nu hebben ze een kompas en wegwijzers nodig om er weer uit te komen.

Ik bijt op mijn nagels op de terugweg naar Battle, terwijl de kinderen in de beslagen auto wegdoezelen. We rijden langs de buitenwijken van Brecon en gaan vervolgens de brug over de rivier de Usk over. 'Ze zullen die brug spoedig moe-ten afsluiten,' zegt Neill wanneer we er half overheen zijn. 'De rivier heeft de pijlers beschadigd.' Ik veeg een rondje open op de beslagen ruit en tuur naar buiten. Het bruine water heeft bijna de bovenkant van de brug zelf bereikt, en de paden aan beide zijden zijn verdwenen.

'O, god,' zeg ik. 'Ik wil hier echt niet vast komen te zitten.' 'Dat gebeurt ook niet,' zegt Neill. 'Er is altijd een weg eromheen...'

29 oktober

> '*De sociale taak van het gezin hoeft zeker niet beperkt te zijn tot het krijgen en grootbrengen van kinderen, zelfs hoewel in deze taak wel de voornaamste en onvervangbare uitingsvorm hiervan ligt... Het is met name wenselijk het altijd grotere belang naar buiten te brengen dat in onze maatschappij wordt ingenomen door gastvrijheid, in al haar vormen... het openen van de deur van je huis en nog meer de deur van je hart.*' (*Dagelijkse meditatie voor 29 oktober, paus Johannes Paulus II,* Prayers and Devotions.)

Mijn ouders komen ons vandaag hier bezoeken. Hoewel ze gescheiden zijn, kwamen ze uiteindelijk allebei in Wales te wonen, vlak bij elkaar om de hoek. Mijn vader is net weer naar dit land teruggekeerd uit Zuid-Afrika, waar hij de afgelopen dertien jaar heeft doorgebracht. Ik vraag me soms af of hij hierheen, naar een nat eiland dat hem ellendig maakt, terugkeerde om de schade van de dood van Ruth te herstellen; om de afgebrande woestenij van ons familieleven weer op te bouwen.

Ze komen op tijd aan voor een laat ontbijt en ik maak eieren met spek en worstjes klaar, ter versterking voor de dag die voor ons ligt. Het regent nog steeds buiten, een pure deken van water. Ik vertel mijn vader over de reis naar New York, en mijn ontmoeting met Jeannie, de spreekbuis voor geesten, en Dale Palmer. Hij kijkt sceptisch. 'Maar, pap, hoorde jij geen stemmen in je hoofd?' zeg ik, waarbij ik me op gevaarlijk terrein begeef.

'Ja,' zegt hij met een glimlach, 'net als alle beste mensen.'

'Weet je nog, onze tocht naar St. Ives?' zeg ik, 'toen we klein waren?'

Hij blijft glimlachen, hoewel het misschien meer een grimas is. 'Weggaan met een stel christenen zou genoeg moeten zijn om iemand gek te maken,' zegt hij.

'Maar was je toen schizofreen?' vraag ik. 'Ik bevond me op een dwaalspoor,' zegt hij. Ik kan hem niet in de ogen kijken. Ik heb te veel gezegd en nu is het zijn beurt. Hij blijft nu doorpraten: over waarom zijn vader gek was; over waarom joden onderdrukt worden; over zijn rol als gek in de joodse gemeenschap. Hij knarst met zijn tanden, en mijn maag begint zo'n pijn te doen dat ik de kamer uit moet. Wanneer ik een paar minuten later terugkom, zit hij nog altijd, wild gebarend, te praten terwijl Neill aan de andere kant van de tafel zit te luisteren. 'We moeten gaan,' zeg ik. 'Er was een waarschuwing voor overstroming op de radio, en het weerbericht voorspelt windkracht tien voor vannacht. Er zijn al windstoten van honderdtwintig kilometer per uur.'

'Gaan jullie zo snel al weg?' zegt mijn vader teleurgesteld. 'Ik dacht dat we een fijne, gezellige middag samen zouden hebben.'

'Het spijt me,' zeg ik, 'maar we moeten pakken.' Ik ga naar de kamer ernaast, waar Tom in zijn eentje het spookhuisspel zit te spelen. Ik kan mijn vader horen doorpraten door de openstaande deur. 'Mijn vader Louis hoorde stemmen in zijn hoofd,' zegt hij, 'maar híj koos ervoor ze een spiritistische betekenis te geven. Hij kon nooit de werkelijkheid onder ogen zien, nooit. Ik raadde hem aan Freud te lezen, maar hij gaf de voorkeur aan Madame Blavatsky...'

'Heb je nog maagpijn?' zegt Neill wanneer we veilig in de auto zitten en hij aan de lange rit naar huis begint.

'Minder,' zeg ik. 'Ik kon mijn vader niet aan. Ik kon niet

begrijpen wat hij zei. Misschien heb ik het niet genoeg mijn best gedaan. Ik weet het niet...'

'Ik denk dat hij probeerde te zeggen dat zijn mentale ziekte een plaats heeft binnen het judaïsme,' zegt Neill. 'Er is een naam voor – "meshugassen" – en het is bij hem geaccepteerd, vanwege de gekte van zijn vader. Hij voelt zich geaccepteerd binnen de structuur van de joodse gemeenschap.'

Ik zucht, maar zeg niets. De klok ging in de vroege ochtend een uur terug – de Britse wintertijd – en tegen vijf uur 's middags is het donker, hoewel de lucht al de kleur heeft van graniet, vanwege de storm. Neill rijdt gestaag oostwaarts door het platteland, waarbij hij opgebroken rivieroevers omzeilt en overstroomde wegen vermijdt. Ik bied aan de kaart te lezen, maar de kinderen zijn achterin in slaap gevallen en het duurt niet lang of ook ik doezel weg. Ik denk aan Ruth, die in zee loopt, en onze laatste gezamenlijke vakantie in het westen van Wales. Dat was zes weken voor ze stierf, en ze wist dat de kanker zich had uitgezaaid naar haar hersenen. 'Ik kan net zo goed heel ver weg zwemmen, en niet terugkomen,' had ze destijds tegen me gezegd.

'Doe het alsjeblieft niet,' had ik gezegd. 'De zee is daar trouwens te vies.' (Als kinderen hadden we enkele zomers achtereen in de zandduinen achter het strand gekampeerd, toen de zee nog helder en schoon was, en toen hadden mijn ouders op een dag een knallende ruzie. 'Wat deed je in het water?' zei mijn vader steeds opnieuw tegen mijn moeder terwijl ik met dichtgeknepen ogen in de tent lag, onder het voorwendsel dat ik niets kon horen, mijn armen strak om mijn slapende zusje geslagen. 'Ik deed helemaal niets!' zei mijn moeder. 'Ik weet niet waar je het over hebt. Je bent gek, jij maakt mij gek.' Na de ruzie moest mijn moeder terug naar Oxford en bleven wij met mijn vader in de zandduinen, en toen werd onze tent weggeblazen in een storm met windkracht tien. De zomer was voorbij. Ik kan me niet herinneren wat er daarna gebeurde.)

Ik weet niet waarom we terug wilden naar hetzelfde strand toen Ruth stervende was, maar we gingen terug, op zoek naar iets, ik weet niet wat. Het verleden, neem ik aan. Die laatste dag van onze laatste vakantie, op het strand waar we al die jaren geleden speelden, liepen we samen de zee in, in de manshoge golven. 'Kom op,' zei ze tegen me, 'laten we gaan zwemmen.'

'De stroom is te sterk,' zei ik, 'en het is zo koud.'

'Wees niet bang,' zei ze en ze zwom door de golven heen. Ik volgde haar, toen, om ervoor te zorgen dat ze terugkwam. Onze kinderen waren een zandkasteel aan het bouwen op het strand. Aan het eind van de dag, toen de zon uit de hemel kwam vallen, keken we toe hoe het opkomende water de kastelen opslokte.

Nu, op deze benauwde wintermiddag, half in slaap in de auto, besef ik dat de wegenkaart uit mijn handen is gegleden. 'Ik ben hem kwijt,' zeg ik tegen Neill, nog half in slaap. 'Maak je geen zorgen,' zegt hij. 'Ik weet de weg.'

'Maar ik verloor de kaart toen Ruth stierf,' zeg ik, eerder tegen mezelf dan tegen hem, mijn stem overstemd door het geluid van de ruitenwissers. 'En ik weet nog steeds niet waar ik heen ga...'

31 oktober

'Halloween, de nacht die de overgang markeert van herfst naar winter, lijkt al vanaf vanouds de tijd van het jaar dat de zielen van de overledenen hun vroegere thuis opnieuw zouden moeten bezoeken om zich te warmen aan het vuur en zich te troosten met de spijs en drank die voor hen in de keuken of in de salon waren neergezet door hun liefhebbende familieleden. Misschien was

het een natuurlijke gedachte dat de nadering van de winter de arme, huiverende, hongerige geesten uit de barre velden en de bladerloze bossen verjoeg naar de beschutting van het huisje met zijn bekende haard...'
(*James George Frazer,* The Golden Bough: A Study in Magic and Religion.)

De lucht is blauw – voor het eerst in dagen – maar ik voel me onrustig, alsof de wolken van gisteren nog boven dit huis hangen. Ik droomde gisternacht over mijn vader; hij praatte, praatte, praatte, maar ik kon niet volgen wat hij zei. In mijn droom wandelde ik bij hem vandaan naar een muur van zee, waar ik ging zitten en naar de golven keek, tot een lappenpop aanspoelde in mijn handen. Ik pakte de slappe pop, en werd wakker met een gevoel bedrogen te zijn...

Het is Halloween vandaag; vannacht is het moment waarop de sluier tussen de levenden en de doden het dunst is. Ik wil hem naar beneden rukken; de beklemming in mijn borst wegrukken; deze hunkering wegrukken, deze stilte, dit duistere niets dat bezit van me heeft.

'Ruth.' Ik zeg haar naam hardop in de lege keuken. 'Ruth.' Het enige geluid is de wind die buiten huilt. 'Ruth.'

Ik heb haar drie keer geroepen. Ze zwijgt; maar als ik mijn ogen sluit kan ik haar ironische glimlach zien.

Ik ga het huis uit en loop naar het metrostation, over de straten waar het geluid van voetstappen wordt gedempt door de herfstbladeren, de metro in, waar niemand praat, behalve de droevige man die op het platform zit te mompelen, die door iedereen wordt omzeild, ook door mij. Bij Hyde Park Corner kom ik weer boven in het kortstondige zwakke zonlicht van de herfst en loop naar Belgrave Square, waar de ramen van alle grote witte herenhuizen leeg en blind zijn als ik ernaar omhoogkijk.

Nummer 33 huisvest de Spiritualist Association of Great Britain (de spiritistenvereniging van Groot-Brittannië). Ik had er al maanden aan lopen denken hiernaartoe te gaan, sinds een vriend van me vertelde dat er elke dag om half-vier demonstraties van mediums zijn. Vandaag lijkt een goede dag om deze plaats te bezoeken... nee, het is meer dan dat, vandaag móét de beste dag van het jaar zijn om hier te komen. Terwijl ik de grote zwarte voordeur open-duw, raak ik weer opgewonden; zoals ik me voelde als kind op weg naar het verjaardagsfeestje van een vriendinnetje (en ik ben hier gekomen voor een sociaal samenzijn van de doden, neem ik aan). De dame aan de receptiebalie neemt mijn toegangsprijs – vier pond – in ontvangst en wijst naar de reusachtige trap. 'Het is op de eerste verdieping,' zegt ze, 'door de deur aan je linkerhand.'

De kamer, die in schemer is gehuld omdat de gordijnen nog dicht zijn, staat vol rijen met klapstoelen, wel honderd of meer, als in een bioscoop. Ik ga voorin zitten, naast een bord waarop staat: DEZE HAL IS VERNOEMD IN NAGEDACH-TENIS AAN SIR OLIVER LODGE FRS, EEN GROOT LEIDER IN FYSIEK EN PSYCHISCH ONDERZOEK. Dat is een goed voorte-ken, besluit ik, want Lodge was niet alleen de uitvinder van de bougie, maar werd ook aangehaald door Judith Chis-holm als voorloper in het onderzoek naar een wetenschap-pelijke manier van communicatie met de doden.

Er zitten drie oude dames in het publiek, en twee grijze mannen. Er arriveert nog een vrouw, die zwaar ademt en naast me komt zitten. Ze draagt een roze hoed die op haar hoofd vastgespeld zit, en een roze jas, over een roze fluwe-len trainingspak, met mauve appliqué bloemen op de voor-kant. Ik schat haar in de tachtig.

Het medium dat vandaag hier verschijnt heet Julie John-son. Ook zij draagt een roze trui, hoewel haar kleding min-der schreeuwerig is als die van mijn buurvrouw (keurige tweed rok, panty's in huidskleur, platte zwarte schoenen, functionele trui). Ze staat op het verhoogde platform aan het einde van de kamer, en opent de gordijnen achter zich. 'Kijk, ik zal het licht binnenlaten,' zegt ze opgewekt. Aan de ene kant van haar staat een vleugel en voor haar een lessenaar, tussen twee ingewikkelde bloemschikkingen die je in een kerk zou kunnen verwachten. Ik bestudeer de bloemen, terwijl ik probeer erachter te komen of ze echt of nep zijn, maar het valt moeilijk uit te maken (het ene moment ben ik er zo van overtuigd dat ze echt zijn dat ik zeker weet dat ik de geur van verwelken uit de vazen kan ruiken; het volgende moment kan ik bijna de stof op de namaakbladeren zien...). Julie praat snel tegen ons. Ze zegt een gebed van vrede en harmonie, op dezelfde vlotte toon waarmee een voorzitster van de plattelandsvrouwenvereniging een bezoekend spreker zou bedanken. 'Ik ben slechts de telefoon tussen jullie en jullie geesten,' zegt Julie. 'Maar ik kan ze horen, zien, en soms zelfs ruiken.'

Ze sluit half haar ogen – en even ziet ze eruit als een blinde – en wanneer ze haar ogen opent wijst ze naar een onbewogen vrouw aan de andere kant van de kamer. De vrouw is in het zwart gekleed. 'Ik zie een gezellige, eenvoudige vrouw in de geesteswereld,' zegt Julie tegen de vrouw. 'Ze heeft een fluweelachtige, rode stoel en ze haakt dingen voor haar huis. Het moet heerlijk zijn zulke mooie dingen te maken. O, en ze houdt haar huis heel, heel netjes. Betekent dit iets voor u?'

De vrouw in het zwart knikt, hoewel haar gezicht onbewogen blijft. 'Nu zie ik hoe je met deze vrouw op een ezel langs het strand rijdt,' zegt Julie. 'Ah, gelukkige dagen... jullie hadden zoveel plezier. Betekent dat iets voor u?' De vrouw knikt weer, maar deze keer is ze duidelijk aangedaan. 'Ze houdt heel veel van u,' zegt Julie. 'Ze is je tante, is het niet?' Twee tranen rollen over het gezicht van de vrouw, en ik kan mezelf er niet van weerhouden naar haar te kijken, maar wanneer ik haar gezicht naar mij toegekeerd zie, voel ik me beschaamd en staar ik naar het plafond, alsof ik leiding zoek bij de kristallen kroonluchter. Er zitten grote vochtvlekken op het plafond, alsof alle tranen die in deze kamer zijn geplengd naar de hemel zijn gestegen, maar op de een of andere manier in plaats daarvan in het pleister-werk vast kwamen te zitten.

Dan wendt Julie zich naar mij. Mijn beurt! Ik ga rechtop zitten, opnieuw opgewonden, en concentreer me op de herinnering aan de glimlach van Ruth, verlangend dat ze vandaag een dramatische verschijning maakt – het is toch Halloween – hier, in Belgrave Square. 'Ik zie je grootvader,' zegt Julie, 'de vader van je moeder.'

'O,' zeg ik met een vaag gevoel van teleurstelling.

'Hij laat me al zijn plannen en documenten en papieren zien,' zegt ze. 'Was hij advocaat?'

'Nee,' zeg ik en ik probeer niet vernietigend te klinken, 'civiel-ingenieur.'

'Nou, hij maakt zich zorgen over Timothy,' zegt Julie. 'Betekent dat iets voor je?' Dat doet het inderdaad. Timothy is de tweelingbroer van mijn moeder, hoewel ze het nooit over hem heeft of iets tegen hem zegt. Ze heeft, af en toe, gezegd dat hij de lieveling van hun ouders was, maar niet veel meer dan dat.

De verwijzing naar Timothy is nogal indrukwekkend, maar toch ben ik teleurgesteld, waar blijft Ruth in dit alles? Maar Julie is weer verder gegaan, en ik vang stukjes van de ver-halen van andere mensen op, de geesten van andere men-sen. Het is als luisteren naar de onbegrijpelijke dromen van iemand anders, hoewel de details bekend zijn; gedoe over huiselijk leven, in plaats van gotische verhalen over de dood. Julie vertelt de dame in het roze die naast me zit dat de geesten weten dat ze zich zorgen maakt over haar dak-goot. 'Maar maak je geen zorgen, het komt goed, en je kunt die kerel gebruiken die je al een offerte heeft gegeven. Hij is goedkoop, en hij is betrouwbaar.'

Na de bouwproblemen van de dame in het roze, richt Julie haar aandacht op de angstig kijkende grijze man achter me. 'Ik kan een geest vlak naast u zien zitten, meneer,' zegt ze, 'en zo te zien is hij uw vader.' Het gezicht van de man licht iets op. 'Uw vader zegt dat u een hobby hebt waar u uw werk van kunt maken,' vervolgt Julie. 'U voelt u teneergeslagen – een beetje verraden bijna, op uw werk – maar uw vader zegt dat u zich geen zorgen moet maken, alles komt goed.'

Deze huiselijke geesten blijven kalmerende adviezen voorschotelen, over kapsels, reismaatregelen, nieuwe huizen, vakanties. Het is een soort babbeltje waar de ouders van mijn moeder zo goed in waren, rustige, vriendelijke huiselijkheden die gepaard gingen met thee met melk en koekjes. Mijn grootouders zouden zich hier thuis voelen, denk ik, als ze zich sowieso ergens zouden thuis voelen in deze luidruchtige wereld. Misschien zou ik vaker moeten proberen hun zachte, verloren stemmen te horen, in plaats van door mijn verlangen naar Ruth al het andere uit mijn hoofd te laten verdrijven.

Na een uur maakt Julie een einde aan de samenkomst en bedankt ze ons en onze aanwezige geesten voor de aanwezigheid. Op een gespannen drafje verlaat ze de zaal, iets mompelend over haar volgende afspraak. Ik denk erover achter haar aan te hollen en om meer te vragen; om haar te volgen omdat ze misschien de manier weet om door een tijdkreukel te glippen; een geheim konijnenhol dat me naar het wonderland van de doden leidt. Maar de dame in roze komt moeilijk overeind, dus help ik haar, en ik draag vervolgens haar plastic boodschappentas voor haar. 'Ik heet Elsie,' zegt ze, tussen haar piepende ademhaling door. 'Hoe heet jij?'

'Justine,' zeg ik.

'Dat is een mooie naam,' zegt ze terwijl ze mijn handen in de hare neemt.

'Kom je hier vaak?' vraag ik terwijl we langzaam de trap afdalen.

'Niet zo vaak als ik zou willen,' zegt ze. 'Ik vind de reis nogal zwaar. Maar het is altijd de moeite waard. En weet je, ik héb me zorgen gemaakt over de dakgoot...'

Voor ik wegga maak ik een afspraak met Julie over twee dagen, een persoonlijke reading, alleen zij en ik (en geen gees-

ten van anderen die rondhangen en het zicht vertroebelen).
Tegen de tijd dat ik thuis ben, hebben de kinderen een pom-
poen leeggeschept en zijn ze bezig zich in hun Halloween-
kleren te steken. 'We zijn duivels,' zegt Tom, 'maar ook een
soort geesten en vampiers.' Ze hebben nepbloed op hun gezicht gesmeerd en hun gezicht is bleek van opwinding en
witte poeder. Ze gaan de straat op, waar ze zich voegen bij
een menigte andere kinderen die zich hebben verkleed.
Ik haal snoepjes tevoorschijn voor alle kinderen die met
lampionnen en plastic hooivorken in hun hand aan de deur
komen. Witte chocolade in de vorm van spoken; rode
snoepjes die eruitzien als met bloed doordrenkte tanden;
groene gombeertjes en oogbollen van drop. Rond bedtijd,
als ik bij mijn jongste zoon zit die langzaam in slaap valt,
vraagt hij: 'Wat was er nu eng aan?' Maar hij slaapt al voor
ik hem antwoord kan geven. Mijn oudste zoon slaapt ook,
hoewel zijn Harry Potter-bandje nog aanstaat, zoals het
elke nacht doorloopt, tot ik het uitzet.
Ik heb vanavond mijn geesten en duivels te ruste gelegd.
Tenminste, dat is wat ik mezelf vertel...

1 november
Allerheiligen. Er is een e-mail van mijn vader. Hij schrijft:

> Verdriet: bij normaal verdriet wordt de verloren
> persoon als een hallucinatie neergezet in de vorm
> van een beeld of verkeerd beeld of, gebruikelijker,
> van een stem. Als je Freud leest over rouwen en
> melancholie in verband met een hechtingsverlies
> in de jeugd, kun je de processen ontdekken
> waarbij de smart van een kind/de rouwende bij
> haar verlies leidt tot wensvervulling; een

hallucinatie van de geliefde...

Alle voorouders leven voor de sjamaan/ medicijnman/exorcist en leven voor het levende familielid dat hen boos heeft gemaakt door niet genoeg respect te tonen voor de recente en lang verloren doden, waarvoor de straf bestaat uit inbeslagneming door de geest, vreselijke waanvoorstellingen en hallucinaties. De stemmen van het geweten in de moderne, rationalistische persoon zijn uiteraard de subtiele relikwieën van de collectieve stem van de voorouders van het onderwerp, met name de recente doden.

Religieuze rituelen kunnen iemand bevrijden van verloren zielen: het eten van het offerbrood, het lichaam en het bloed van de god die stierf zodat jij je met hem kunt verpersoonlijken. Hij stelt je in staat de schuldenlast van de dood te dragen omdat je hem hebt gegeten en hij je daardoor loutert.

Bij een depressie, die de buitensporige verlenging van verdriet is, dachten Freud en Melanie Klein dat het verloren 'liefdesobject' op sadistische wijze wordt verpersoonlijkt, wordt 'gegeten' en aldus opgenomen, door inwendig te worden verteerd. Kannibalisme was het triomfantelijke verteren van de dode vijand en we hebben een fantasie dat iets wat we deden misschien heeft bijgedragen aan de dood van de geliefde, dus stillen we onze angst door de geliefde op te eten, haar in ons te hebben. Aldus voelen we dat ze niet dood is en ze tot ons spreekt...

Heb ik mijn zusje opgegeten? Ik hoop het niet. Ik ga op zoek naar mijn man om hem te vragen of hij denkt dat ik een kannibaal ben geworden, in elk geval voorzover het mijn dode zusje betreft.

'Nee,' zegt hij. 'Ik denk dat het andersom is. Jij bent ver-teerd door verdriet over haar.'

2 november Allerzielen

('Heer, verleen hun eeuwige rust'; Requiem aeternam dona eis, Domine.)
'...het is een wijdverbreide overtuiging dat de zielen van de doden hun oude huizen weer bezoeken... en op die plechtige gelegenheid bereiden mensen zich voor op de ontvangst van de geesten door eten voor hen klaar te zet-ten...' (*James George Frazer,* The Golden Bough: A Study in Magic and Religion.)

Ik droom over Ruth deze ochtend. Ik sta in een rij voor thee en koekjes en cake met een paar vrouwen die ik niet ken. Dan zie ik mijn zusje aan de andere kant van de kamer naar me glimlachen. Ik strek mijn hand uit naar haar, en we omarmen elkaar. Ik kan haar lichaam in mijn armen voe-len, warm en zacht en echt. 'Ik mis je, ik mis je zo erg,' zeg ik terwijl ik mijn wang tegen de hare laat rusten. 'Hoe kan ik zonder je leven?'
Voor ze iets zegt word ik wakker door Tom die op mijn gezicht tikt. Het kost me heel veel moeite uit die droom-omarming te ontwaken, maar wanneer ik eindelijk wakker ben, is het alsof de aanraking van mijn kind het antwoord op de vraag is.
Nadat ik de kinderen naar school heb gebracht, ga ik terug naar Julie en Belgrave Square. Het regent vandaag nog hef-tiger; er is donder en bliksem boven me, en de donkere ochtendlucht is zo wild dat het erop lijkt alsof hij open zal splijten. (Toen ik klein was, misschien vijf of zo, zat ik

ineengedoken achter in de auto met Ruth, terwijl mijn ouders voorin ruzie zaten te maken over waarom we de weg kwijt waren. En we waren de weg kwijt, wij allemaal, die dag en andere dagen. Ik zag de donkere lucht, maar er scheen een zonnestraal uit de wolken. 'Dat is de hemel,' fluisterde ik tegen Ruth. 'Wat is hemel?' zei ze. 'Dat is magie,' zei ik. 'We zullen er op een dag samen heen gaan.')

Eenmaal binnen op nummer 33 is niet alles zoals het moet bij de spiritistenvereniging. Julie is laat. Ze is er niet. Ze is niet te bereiken, en wie weet waar ze zou kunnen zijn? ('Waarom weet je dat niet? Jullie zijn toch paranormaal!' wil ik tegen de receptioniste schreeuwen, maar ik onderdruk dit als zijnde nutteloos in de omstandigheden.) Wat nog erger is, is dat Julies collega, die vandaag ook readings zou geven, op de eerstehulp ligt. 'Hij gleed uit over de bladeren,' zegt de receptioniste die somber haar hoofd schudt. Intussen heeft ze een woedende beller aan de telefoon. 'Waarom zijn mensen zo agressief?' zegt ze en ze kijkt steeds gegriefder.

Ik ga op een kleine vergulde stoel met een roodfluwelen zitting buiten de kamer van Arthur Conan Doyle zitten wachten, naast het mededelingenbord. Ik sta op het punt een aantekening te maken voor de volgende spiritistische les, die op vrijdag 17 november zal plaatsvinden ('Waarom lijken de egoïsten altijd te slagen en is dit belangrijk?'). Maar ik word afgeleid door een tweede receptionist – een jonge man – die een andere beller op de versterker heeft gezet zodat zijn collega het kan horen. 'Ik wil mijn éígen minidiskrecorder meenemen voor mijn sessie met het medium,' zegt de man aan de andere kant van de lijn, waarbij zijn stem door de ontvangsthal dondert. 'Het is heel belángrijk, begrijpt u dat?'

'Dat is geen probleem, meneer, dat beloof ik u,' zegt de receptionist terwijl zijn collega giechelt. Ik voel me licht geshockeerd – dit zou tenslotte een liefdevolle, delende plaats moeten zijn – maar misschien werd ik niet verondersteld dit gesprek te hebben gehoord, want nadat de receptionist klaar is met de geïrriteerde beller, komt hij met een boos gezicht naar me toe en vertelt me dat ik daar niet moet zitten, ik moet in de wachtkamer plaatsnemen.

De wachtkamer is aan het einde van de gang. Er staan drie stoelen en er zitten al drie vrouwen, dus blijf ik staan en lees het bord aan de muur. Er staat: MEDEDELING VOOR DE WACHTENDEN

• Elke mededeling is in de aard van een experiment.

• Het is niet mogelijk voor een medium specifiek bewijs te geven waarom de wachtende vraagt.

• Het werk van een medium is te proberen bewijs te leveren van overleving en niet om de toekomst te voorspellen.

• Terugbetaling kan alleen geschieden als dit door het medium, persoonlijk, voor het verlaten van de kamer is verteld.

De kamer is groen geschilderd en is vervuld van een verstikkende lucht van angst, als in de wachtkamer van een ziekenhuis. Er zijn geen ramen: alleen een klok en de stoelen. 'Is het normaal dat je elk woord van het gesprek hiernaast kunt horen?' zegt een van de vrouwen. Ze verwijst naar de stemmen die overwaaien vanaf de andere kant van de gang, waar een sessie gaande is. 'Wie is Mary?' vraagt het onzichtbare medium. Er volgt een gemompeld antwoord van zijn klant. 'Nu hoor ik Elizabeth, waarschijnlijk een Betty,' vervolgt het medium, 'iets te maken met verpleegsters?'

Na 45 minuten is Julie er eindelijk. 'Het spijt me enorm dat je moest wachten,' zegt ze zenuwachtig. 'Ik kom helemaal uit Tunbridge Wells en de treinen zijn vreselijk, vréselijk. En ik kwam gisteren pas om één uur 's nachts thuis, en ik was alweer vroeg op, door al die regen, vreselijk, vréselijk. Ik werk nu al zestig dagen aan één stuk, weet je, 's ochtends, 's middags, 's avonds.'

Ik begin me schuldig te voelen dat ik hier ben – alsof ik me opdring bij een overwerkte jonge arts die op het punt staat uitgeput te raken – en het wordt nog erger wanneer een geest met de naam Elizabeth ook in deze kamer verschijnt, in plaats van hiernaast te blijven, waar ze ongetwijfeld hoort. 'Zegt de naam Elizabeth je iets?' zegt Julie.

'Eh, nee,' zeg ik.

'Nou, ze is hier voor jóú,' zegt Julie, die er van streek uitziet bij mijn falen de bezoekende geest te herkennen. 'Ze is een zeer ontwikkelde vrouw, weet je.'

Na tien minuten zijn we niet verder gekomen en Julie stelt voor dat we onze sessie beëindigen. 'O, nee, alsjeblieft niet,' zeg ik terwijl ik me nog schuldiger voel. 'Eigenlijk wil ik het liefst de een of andere vorm van communicatie met mijn zus Ruth.'

'Wanneer je een bepaald iemand wil, wordt het allemaal veel moeizamer,' zegt Julie met een afkeurende uitdrukking. 'Luister, je kunt terugbetaald krijgen.'

'Ik wil geen terugbetaling,' zeg ik. 'Maar misschien zouden we Ruth op moeten geven en kun je mijn vriendin Kimberley in plaats daarvan proberen? Ze ging vaak naar een spiritistische kerk, weet je, voor ze stierf. Ik weet zeker dat ze contact met me wil.'

'Maar het is Elizabeth die met je wil praten,' zegt Julie.

'Ik kén geen Elizabeth,' zeg ik.

Julie sluit haar ogen, alsof ze wanhopig is. 'Elizabeth kent jou zeer beslist,' zegt ze.

'Oké,' zeg ik, 'hoe zit het dan met mijn grootvader Louis; ook hij was spiritist.'

'O, ja,' zegt Julie met een blik van opluchting. 'Nu, hij heeft iets te maken met schapen, is het niet? En hij woonde in een huis naast een kerk, in Wales misschien?'

Ik durf haar niet te vertellen dat Louis een joodse leraar was die dichter werd en die op de bovenste verdieping van een flat midden in Johannesburg woonde. Dus knik ik maar terwijl ze verder babbelt over de schapen en de kerk en een souterrain, waar ik een foto van Louis zou kunnen vinden als ik maar goed genoeg zocht. (Ik heb ook geen souterrain, maar ik ga er niet tegenin.)

'Nou, het was de moeite waard toch door te zetten,' zegt Julie. 'Ik ben blij dat we toch ergens gekomen zijn.'

Nadat ik de spiritistenvereniging heb verlaten, controleer ik mijn mobiele telefoon die ik vlak voor de afspraak hier had uitgezet en ontvang een dringend bericht dat de dochter van Kimberley, Juliette, met een blindedarmontsteking in het ziekenhuis ligt en dat ik er direct heen moet omdat haar vader, David, voor een paar dagen voor zijn werk in Japan is. Terwijl ik naar Hyde Park Corner ren, besluit ik nooit meer naar een medium te gaan, nooit, nooit meer. (Als ik ooit bewijs nodig had van de nutteloosheid van deze onderneming, dan was dit het wel, op Allerzielen.)

Later, veel later, terwijl ik zit te wachten tot Juliette uit de operatiekamer komt, bel ik mijn man en vertel hem over de communicatiemislukking van vandaag. 'Hmm, ja, het lijkt inderdaad een beetje op een vergissing,' zegt hij. Maar ik wil hem vertellen dat ik eigenlijk, ondanks het feit dat Kimberley beslist niet was komen opdagen, het gevoel begin te krijgen dat ze hier nu wel is, naast me zweeft in het ziekenhuis, zwijgend, zoals het geval wil, naast de partner van David, Eileen (van wie de moeder ook zelfmoord pleegde, dus, hoeveel geesten zijn er vanavond wel niet in de wachtkamer van het ziekenhuis?). Uiteindelijk besluit ik hier niets van aan mijn man te vertellen, tenminste niet via de telefoon. Ik wacht wel tot een later tijdstip, hoewel later nog lang op zich zal laten wachten. De tijd vertraagt hier, zoals de tijd zich voortsleepte toen ik met Ruth in haar ziekenhuis zat; de minuten sleepten zich naar uren; de dagen naar nachten, tot je je niet meer kunt voorstellen dat je nog ooit buiten komt. Ik eet een Mars en lees Eileen haar horoscoop voor uit de achtergelaten krant van iemand anders. (Mercurius is afnemend, wat, blijkbaar, slecht nieuws voor ons beiden is.)

Nadat Juliette eindelijk uit de narcose is ontwaakt, leun ik over haar bleke, slaperige gezicht heen en kus haar. 'Ik hou zoveel van je, lieverd,' zeg ik en ik neem haar hand in de mijne, terwijl Eileen haar andere hand vasthoudt. Dit kind is warm en echt en een constante factor, net zo levend als mijn zusje in mijn droom van gisteravond; net zo lief als de glimlach van haar moeder op de foto die naast het bed van Juliette thuis aan de muur is geprikt. Ze wordt geliefd als ieder ander kind geliefd kan worden, door haar vader en Eileen en mij en de geesten die ons, vanavond, omringen aan het einde van deze lange, lange vreemde dag.

5 november

'Vergeet het niet, vergeet het niet, 5 november, het bus-kruitverraad,' zegt Jamie die om negen uur 's morgens door de keuken marcheert. 'Mam, op welke datum werd bij je voorouder het hoofd afgehakt?'
'Weet ik niet,' zeg ik.
'Waarschijnlijk meteen,' zegt Jamie, 'of werd hij eerst gemarteld?'
'Weet ik niet,' zeg ik.
'Waarom weet je het niet?' zegt hij. 'Hij is jóuw voorouder, toch?'
Ik besef dat ik niemand kan vragen over Henry Garnett, de verloren, dode priester van mijn moeders familie, die werd onthoofd omdat hij weigerde de namen te onthullen van de mannen die hem hadden opgebiecht dat ze betrokken waren geweest bij het buskruitverraad. Daarna werd hij zalig verklaard toen het gezicht van Christus werd gezien in een druppel bloed die na zijn executie op de grond viel. Iedereen die misschien meer had geweten over de legende die zijn dood omringt, is ook dood. Trouwens, ik moet pannenkoeken bakken voor het lievelingsontbijt van Juliet-

te, nu ze na haar operatie weer thuis is, en Jamie moet naar karateles, en dan komt de moeder van Kimberley bij Juliette op bezoek. 'Kimberley maakte altijd heel lekkere cakes en koekjes,' zegt haar moeder, die toekijkt hoe ik het pannenkoekbeslag maak.

Het gesprek verloopt doelloos tussen half opgedronken kopjes thee door, terwijl de regen langs de ramen stroomt. 'Wanneer is de pijn over?' zegt de moeder van Kimberley rustig tegen me.

'Mijn buik voelt al veel beter nu,' zegt Juliette aan de andere kant van de tafel.

'Hebben ze hem opengesneden?' vraagt Tom. 'Was er bloed?'

'Een vriendin van me nam me mee naar een spiritistische kerk in Bayswater,' zegt Kimberleys moeder, 'maar ik kan niet zeggen dat er iets gebeurde.'

Terwijl de woorden heen en weer glijden tot ze niets zinnigs meer zeggen vraag ik me af of ik het misschien allemaal niet meer kan bevatten. (En wie wil het trouwens bevatten?) Beslag, denk ik, is de betere manier voorwaarts, terwijl ik nog een stapel pannenkoeken maak voor de kinderen; gemengd uit gewone ingrediënten; vloeibaar en klaar voor een onopmerkelijke, alledaagse transformatie.

23 november
Rita Rogers belt, onverwachts, halverwege de middag, en dat tot mijn grote vreugde. 'Hallo, liefje,' zegt ze. 'Met Rita.' Ik wil haar niet vragen waarom ze vandaag belt (Rita weet alles, en wie ben ik om haar wijsheid in twijfel te trekken?). Maar ze vertelt me een verhaal over een reading die ze voor een moeder deed van wie de dochter was gestorven, 'en meer wist ik niet, liefje, niets, maar toen ik met de reading begon zei ik: "O, nee, je dochter werd vermoord."

En dat was zo, liefje, verkracht en vermoord, en ik zag alles terwijl ik tegen deze arme moeder sprak. Het gebeurde in een park en het meisje schreeuwde maar niemand hoorde iets, en de man legde zijn hand over haar mond, o, het was vreselijk, vreselijk...' Terwijl ze me het verhaal vertelt hoor ik een ijle schreeuw door de telefoon, alsof hij vanaf haar eind van de lijn komt.

'Wat was dat?' zeg ik, waarbij ik Rita midden in een woordenstroom onderbreek.

'Wat?' zegt ze.

'Die schreeuw, ik hoorde een schreeuw.'

'O, die is van de geest, liefje,' zegt Rita alsof er niets uitzonderlijks is gebeurd. 'Dat gebeurt soms als ik aan de telefoon zit.'

'Maar ik hóórde hem,' zeg ik.

'Ja, dat klopt,' zegt Rita, 'trouwens...'

'Klinken de stemmen van de geesten zo voor jou?' zeg ik, waarbij ik Rita opnieuw onderbreek. 'Niet ín je hoofd, maar daarbuiten, alsof ze naast je staan?'

'Ja,' zegt ze, 'er zijn zelfs twee stemmen die op dit moment tegen me proberen te praten, die van je zusje en van je vriendin Kimberley, allebei in één oor, en het is moeilijk alles te volgen terwijl ik met het andere oor met jou praat.'

'Wat zeggen ze?'

'Iets over een John. Ken je een John?'

'Nee,' zeg ik. 'Nee... ik bedoel, ja. Ik heb een vriend die John heet en die kanker heeft. En ik had nog een vriend die John heette en die in mei overleed aan een hersentumor. Ruth kent hem ook, maar Kimberley niet.'

'Goede genade, wat ken jij veel dode mensen,' zegt Rita. 'Misschien is hij het niet, maar een andere naam die met een J begint. De geesten maken zich zorgen over deze persoon, die wat zwakjes is.'

'Jamie? Dat is mijn oudste zoon. Maar hij is niet ziek...'

'Nee, niet hij,' zegt Rita.

'Juliette?' zeg ik. 'Kimberley was haar moeder...'

'Juliette!' zegt Rita, 'Ja, dat is waarschijnlijk de persoon. Ze is ziek geweest, of niet?'

'Ja, dat was ze inderdaad,' antwoord ik. 'Ze had een blindedarmontsteking.'

'Nou, haar moeder moet zich zorgen om haar hebben gemaakt,' zegt Rita. 'Akelig, blindedarmontsteking.'

'Rita,' zeg ik en ik wijzig abrupt het onderwerp omdat ik probeer alles in dit onverwachte gesprek te stoppen ingeval ze weer verdwijnt (en ook volledig uit mijn leven, als een onbetrouwbare elfenpeettante), 'rijden geesten op een fiets rond?'

'Ja, liefje,' zegt ze. 'Ze fietsen. Ze houden ook van fietsen. Er is water aan gene zijde, en ze varen. Ze hebben boten en gebouwen en fietsen – ze leven als jij en ik – en er zijn paarden, en fietsen, ja.'

Wanneer het gesprek voorbij is – net als ik de telefoon neerleg – hoor ik een klap in de keuken. Cate, de geliefde oppas van mijn kinderen die hen twee dagen per week van school haalt, staat midden in gebroken glas en bloed en azijn in de keuken. 'Ik weet niet wat er gebeurde,' zegt ze terwijl ze haar gewonde hand vasthoudt, 'die fles azijn kwam gewoon de kast uitvliegen en heeft me gesneden.'

We binden een handdoek om haar hand en ik rijd met haar naar het ziekenhuis, want het bloeden wil niet stoppen. Onderweg kwebbel ik over de bloedfobie van Ruth, wat niet echt behulpzaam van me is, maar ook ik ben bang ('Ze viel altijd flauw wanneer ze bloed zag,' zeg ik. 'Nou, ik voel me nu ook een beetje duizelig,' zegt Cate). Dan vertel ik haar over mijn telefoontje met Rita. 'Je zou denken dat de geesten ons zouden hebben gewaarschuwd dat je een vreselijk ongeluk zou hebben, in plaats van door te gaan over een ziekelijk persoon van wie de naam met een J begint,' zeg ik boos.

'Mijn echte naam is Julia,' zegt ze half lachend, half huilend, 'maar iedereen noemt me Cate. Misschien probeerde ze ons te waarschuwen?'

'Waarom kunnen de geesten niet specifieker zijn?' zeg ik. 'Het is allemaal zo vaag en onbehulpzaam. Net als de laatste keer toen ik naar dit ziekenhuis moest, toen Juliette een blindedarmontsteking had, en dat het medium diezélfde ochtend alleen vertelde dat iemand met de naam Elizabeth met me wilde praten. Waarom hadden de geesten niet gewoon kunnen zeggen: "Juliette is heel ziek. Ga nu naar het ziekenhuis." Dat zou toch verstandig geweest zijn?'

We komen bij het ziekenhuis en ik loods Julia/Cate naar de eerstehulpafdeling, waarbij we een spoor van bloed in ons kielzog achterlaten. Aan de ene kant van ons zit een jonge moeder met een bleke, lusteloze baby. Aan de andere kant laat een huilend meisje haar hoofd diep hangen terwijl ze met haar vuisten in de ogen wrijft. 'O, verdomme,' zeg ik terwijl ik rondkijk in deze kamer vol verlorenen en vervloekten. 'Stomme geesten,' en dan ga ik op zoek naar een verpleegkundige, terwijl de mensen me nastaren alsof ik gek ben geworden.

Ik kan niemand vinden om te helpen hoewel het me lukt één knorrige verpleegkundige over te halen me verband te geven, en wanneer ik terugkom bij Cate bloedt ze nog heviger, dus wikkel ik het verband om de wond in een poging het bloed te stelpen. 'Kan niemand hélpen?' zeg ik, maar het schijnt dat ik het zelf moet doen en het bloed doorweekt het verband, dus ga ik een groter verband halen bij de knorrige verpleegkundige, en wat pleisters, die ik gebruik om weer net zo'n ondeskundig verband aan te leggen. 'Ik wist niet dat mijn bloed er zo rood uitzag,' zegt Cate die met de seconde bleker wordt terwijl ze naar de rode plassen en druppels om haar heen op de ziekenhuisvloer staart. Het is geen grote wond, maar hij is heel diep. Je kunt het vlees zien, wat onverwacht is. (Toen ik bij Ruth was tijdens haar keizersnede zag ik niets van de snede omdat ik in haar ogen keek, en ze was bang. 'Zing iets voor me,' zei ze, 'vertel me een verhaaltje.' Ik zong kinderliedjes, en vertelde haar over de picknicks die we met onze kinderen op het strand zouden hebben; een vuur met gepofte aardappelen en geroosterde marshmallows. 'En chocoladebiscuitjes,' zei ze, 'vergeet de chocolade niet.') Ik vraag me af hoe lang het duurt voor je hier, wachtend op een dokter, doodbloedt: vijf uur, zes?

'Stel dat ik aids heb,' zegt Cate. 'Niet dat ik het heb, maar dat weten ze niet, en er ligt overal bloed, en niemand doet er iets aan.'

Uiteindelijk komt iemand naar de wond kijken, om vervolgens een foto te maken; en ten slotte, na nog een uur of zo, laat ik haar achter om gehecht te worden, onder toezicht van haar man John (Jóhn!), die net uit zijn werk is aangekomen. 'Misschien was dat de J?' mompel ik in mezelf terwijl ik alleen naar huis rijd. 'Hoewel het onwaarschijnlijk lijkt. Trouwens, dit was het, ik heb er genoeg van. Genóég. Geen mediums meer. Ik kom nergens, ik word gek, loop in rondjes rond.' ('En je praat ook nog eens tegen jezelf,' zegt mijn denkbeeldige therapeut. 'Ik geloof dat dat een probleem begint te worden...')

Later die avond voel ik me verward, en ik heb nog steeds niemand om tegen te praten, want Neill is uit en Ruth negeert me. Dus zoek ik de verre regionen van internet af, waarbij ik steeds verder weg van huis graaf, door de eindeloze websites blader van Amerikaanse mediums die telefoonsessies aanbieden vanaf tweehonderd dollar per halfuur (en dan nog, ze zitten tot het volgende jaar vol). Uiteindelijk ontdek ik een betere Net-bestemming – 'Het universum van de levende energie' – dat is gewijd aan het werk van twee Amerikaanse academici in Arizona; professor Gary Schwartz en zijn vrouw, dr. Linda Russek, die laboratoriumtests uitvoeren naar de accuraatheid van mediums. Die avond zijn ze niet aanspreekbaar, maar ik stuur een e-mail naar hun 'directeur van het onderzoekscomité voor mediums', een bekend Californisch medium dat Laurie Campbell heet. (Ik vraag haar of ze me misschien wil bellen als ze tijd heeft, omdat ik met haar wil spreken over al de dode mensen in mijn hoofd, om het niet te hebben over de overvloedige hoeveelheden bloed die in mijn leven opdoemen wanneer ik dit het minst verwacht.)

Maar het is nu twee uur in de ochtend en ik zwerf door obscure katholieke websites op zoek naar meer informatie over Henry Garnett. (Hij blijkt een jezuïet te zijn, maar verder kom ik niet.) Ik voel dat het tijd is dat iets zinnig begint te worden – het bloed, de doden, het hele zootje – maar alles is een puinhoop. Mijn ogen beginnen te tranen van vermoeidheid, en er is niets op het scherm wat duidelijk is, niets wat me leidinggeeft, alleen vage teksten van vreemden over de gene zijde van de wereld. Verder stilte...

26 november

Ik droom over Ruth (waarnaar leiden deze dromen? Ik veronderstel dat als je van iemand houdt, de liefde ergens naartoe moet, een uitdrukkingsmiddel zoekt, zelfs als degene van wie je houdt dood is, weg, verdwenen in de duisternis... Ik heb het gevoel dat ik een dubbelleven leid: gedeeltelijk overdag, gedeeltelijk 's nachts, al raken deze twee soms door elkaar. In de droom staan we op de bovenste verdieping van een toren, in de receptie van het kantoor van iemand anders. Ze zegt niet veel tegen me, maar ik vertel haar hoe blij ik ben haar te zien, hoezeer ik haar gemist heb. Ze ziet er goed uit, geen kanker, geen hersentumor, haar haar is weer lang en donker en krullerig. Maar ze ziet er ook bedachtzaam uit. Ze vertelt me dat ze in Amerika woont.

'Mag ik je telefoonnummer daar?' vraag ik beleefd.

'Ik wil het eigenlijk aan niemand geven,' zegt ze terwijl ze over mijn schouder in de verte kijkt.

Ik ben woedend op haar, maar ik wil niets zeggen. Ik ben bang om mijn boosheid aan haar te onthullen; en ik voel ook de aandrang te huilen, omdat ze niet meer van me houdt. Ze wil niet met me praten. Er is een menigte mensen om ons heen – een rivier van vreemden, ik had niet beseft dat er zoveel waren – en op de een of andere manier word ik van haar weggeduwd. Ik blijf lopen, vlak voor haar – ik kan niet anders dan voortbewegen – en het duurt niet lang of ik ben haar kwijt. Ik zit in een lift die naar de begane grond gaat. Ik vang een glimp van haar op aan de andere kant terwijl de deuren zich tussen ons in sluiten. En dan is ze verdwenen.

Wanneer ik wakker word, op weer een sombere zondagmorgen, ziet Neill eruit zoals ik me voel: bang, holle ogen, grijs gezicht. 'Wat is er?' zeg ik.

'Ik had een vreselijke droom,' zegt hij. 'Ik droomde dat ik met iemand samen was, een vrouw, niet jij... een zangeres, geloof ik, hoewel ik haar gezicht niet kon zien. We waren in een tuin en toen, plotseling, verdween ze.'

'Waar ging ze naartoe?' vraag ik.

'Ze was dood,' zegt hij. 'Ik wist gewoon dat ze dood was, al had ik haar niet zien sterven. En er stond een man daar, waar zij had gestaan – een heel gewoon uitziende man – maar ik wist dat hij de Dood was. En nu hij de vrouw had gehaald, kwam hij voor mij. Toen werd ik wakker, het was donker buiten en Tom was bij ons in bed gekropen, maar ik kon de stem van die man nog steeds horen. Hij wist dat ik dorst had en hij zei: "Wil je naar beneden om een glas water te drinken, en daar, alleen in de keuken, sterven? Of wil je nu sterven, met je zoon naast je?"'

'En je dacht dat je wakker was?' zeg ik, geraakt door zijn droom.

'Ik was wakker,' zegt hij. 'Maar ik bleef gewoon liggen, tot zonsopgang, en durfde me niet te bewegen.'

'Het was maar een droom,' zeg ik, in een poging hem gerust te stellen, zoals hij zo vaak mij geruststelde. 'Je droomde maar...'

13 december

Ik heb een afspraak gemaakt om de bibliotheek van het Freud-museum in Hamstad te bezoeken, het huis in Maresfield Gardens dat Freud betrok na zijn ontsnapping uit Wenen in 1939. Hoewel ik zijn werk heb gelezen (hoe kon ik niet, met een moeder als therapeut; en een vader die bij het ontbijt het oedipuscomplex aanhaalde?). Ik heb vele jaren weerstand kunnen bieden aan Freud; waarschijnlijk een kinderlijke reactie op de overtuiging van mijn ouders. (Mijn ontkenning moet voor mijn vader net zo storend zijn geweest als zijn eigen voorgaande weigering zijn vaders spirituele overtuigingen te accepteren. Deze argumenten en onbuigzaamheid lijken in mijn familie te zijn doorgegeven.) Maar nu voel ik me zo geïrriteerd door de sussende taal van het spiritisme dat ik een dosis Freud nodig heb. Ik ben niet op zoek naar wat het was dat mijn vader in Freud vond: de wetenschap dat alles wat we over onszelf moeten weten in ons eigen hoofd zit, in tegenstelling tot een mythische, magische wereld buiten ons hoofd. Ik wil bewijs dat Freud inderdaad belangstelling koesterde voor het occulte. En ik wil meer dan dat, dat Freud bij zichzelf wist – zelfs hoewel hij niet verkoos dit aan het publiek toe te geven – dat het onbewuste iets is wat buiten het bereik ligt van rationele geneeskunde of materialistische wetenschap. Waar het me heen zal leiden, weet ik niet echt. (Als dat weer terug naar het spiritisme is, dan heb ik in rondjes gelopen. Maar de afgelopen tijd lijk ik niet in staat iets anders te doen.)

Ik herinner me de straten nog een beetje, van lang geleden. (Ik ben hier dichtbij geboren, in een straat die Frognal heette, waar mijn ouders hun eerste flat samen huurden, en leerden hoe ze in een vreemde stad moesten leven, met een baby die ze niet zo snel hadden verwacht in hun leven.)

Wanneer ik bij Maresfield Gardens kom, voel ik dezelfde belletjes van opwinding in mijn keel opstijgen als toen ik voor het eerst naar het Instituut voor Paranormaal Onderzoek ging. Gebouwen bevatten geheimen, net als mensen. Dit is een plaats waar deuren naar andere werelden kunnen worden geopend. Ik heb voorheen een virtuele versie van Freuds huis bezocht, op internet (een land waarin ik me, steeds meer, naartoe voel zweven, nacht na nacht, op zoek naar iets ter vervanging van Ruth; op zoek naar een glimp van wat achter het computerscherm ligt, aan de andere kant van het glas).

Nu ben ik in het echte huis en beklim ik de trappen naar de zolderverdieping, naar de bibliotheek van Freud. De plaats waar geesten tussen de regels van de boeken leven. Ik weet zeker dat als ik het juiste boek kan vinden – of de juiste geest? – ik het antwoord op alles heb. Ik zal de betekenis vinden van de verwarring om me heen, in me. In plaats van dat ik mezelf kwijtraak, zal ik een echte bestemming hebben. Of zoiets.

De brieven die ik wil lezen zijn de brieven tussen Sigmund Freud en zijn medewerker in de psychoanalyse, Sandor Ferenczi. Het was Ferenczi (een Hongaarse arts die zeventien jaar jonger was dan Freud) die zijn mentor aanmoedigde het occulte – of dat wat buiten het oog van het verwachte ligt – niet uit het oog te verliezen bij de vastbesloten poging van Freud de psychoanalyse tot een wetenschap te maken. In zijn essay met de titel 'Spiritisme', gepubliceerd in 1899, schreef Ferenczi: 'Tegenwoordig hebben de meeste zogenaamde intelligentsia al als onderdeel van hun opleiding de principes geabsorbeerd van atomisch materialisme. De wereld is niets anders dan een oneindige massa onzichtbare deeltjes in verschillende afmetingen, waarbij hun vibrerende bewegingen licht, warmte, elektriciteit, enzovoort creëren. Het menselijk bewustzijn zelf is slechts een effect van bepaalde hersenconglomeraties. O, wat een taak overkwam onze natuurkundeleraren die de verplichting hadden deze ideeën met absolute overtuiging aan ons te presenteren. Hoe gemakkelijk leek ons alles toe, als we ons maar hielden aan hun mededelingen: tussen zestig en zeventig atomen (sindsdien tien nieuwe elementen!), acht tot tien vibraties van de ether. Dit is de essentie van de wereld. Gek is hij die waagt te spreken over harmonie, over de geest, over metafysica...'

Sindsdien is Ferenczi – die het wel waagde te spreken over de geest en helderziendheid – door sommige, meer orthodoxe analytici 'gek' verklaard. Maar Ferenczi lijkt mij een belangrijke waarneming te hebben gedaan toen hij, in hetzelfde essay, schreef: 'Ik geloof dat er in de kern van deze verschijnselen een waarheid schuilt, zelfs als deze de subjectieve in plaats van de objectieve waarheid is... De spiritisten zijn in het bezit van alchemistisch goud, van een verborgen schat. Hun wetenschap heeft alle kans een rijke en onverwachte oogst op te leveren op een terrein dat, nog niet, is gecultiveerd: dat van de psychologie.'

En daar waar mijn vader Freud zag als een vertegenwoordiger van wetenschappelijke redenatie – de rationalist aan de andere kant van het spectrum dan zijn vader, namelijk mijn grootvader, de irrationele spiritist – was ik, in deze bibliotheek, op zoek naar een compromis tussen deze tegengestelde stellingen. Freuds kaart van de onbewuste geest kan ook het tot nu toe onbekende bevatten. En als een analyticus soms een medium kan zijn, en vice versa, dan zouden mijn vader en grootvader (om het niet te hebben over mijn moeder de therapeute en mij) ten minste een punt van overeenkomst vinden. Misschien is er ruimte voor ons allemaal op deze zolder. Misschien sluiten we hier vrede met elkaar. Maar eerst moet ik aanwijzingen vinden in de geschiedenis van iemand anders. (Mijn leerkracht in Oxford – een vriendelijke man die de naam Hood droeg, die destijds heel oud leek, maar waarschijnlijk dezelfde leeftijd had als ik nu – leerde de klas dat we op het verleden konden bouwen om een toekomst te creëren. We bouwden Romeinse villa's van kartonnen dozen. Het leek zo eenvoudig, echt; en zelfs hoewel ik niet zeker wist hoe de toekomst in de doos zou passen, bracht ik uren door met het decoreren van mijn doos en maakte ik besmeurde, plakkerige mozaïeken uit oude uitgaven van *Het Beste*, en 's nachts, als ik niet kon slapen, bedacht ik ingewikkelde uitbouwen.)

De brieven op de zolder onthulden dat in augustus 1909 Freud, Jung en Ferenczi samen naar Amerika voeren – van de oude wereld naar de nieuwe – waar Freud een reeks lezingen zou geven. Niet lang na hun terugkeer in Europa schreef Ferenczi op 5 oktober naar Freud om hem te vertellen dat 'Amerika een droom lijkt'. Maar wat vooral hun aandacht vasthield was niet deze reis overzee, maar het bezoek van Ferenczi toen hij weer in Boedapest was, het bezoek aan een medium, Frau Seidler. Het was razend makend dat de eerste helft van Ferenczi's brief aan Freud waarin hij zijn ervaring beschrijft, ontbreekt. Zelfs hoewel ik mezelf ervan had overtuigd dat ik hem hier in deze bibliotheek zou ontdekken. Maar ik vind wel het antwoord van Freud, geschreven op 11 oktober 1909, betreffende de mysterieuze Frau Seidler: '... ze lijkt de beelden van schepen en het reizen symbolisch te hebben geïnterpreteerd in verband met de dood. Dat zal ze wellicht ook correct hebben gedaan bij andere gevallen, want ze had niet kunnen weten dat ze een echte reiziger naar Amerika voor zich had. Zou men zich nu, als gevolg van deze ervaring, moeten wijden aan het occulte? Zeker niet; het is slechts een kwestie van gedachteoverdracht. Laten we intussen absoluut zwijgen hierover.'

Over het geheel genomen bleef Freud in gedrukte versie zwijgen over iets wat hem zou afleiden van de respectabiliteit van zijn werk. Toch schijnt hij, in zijn persoonlijke leven, soms geneigd te zijn geweest tot magisch denken. Hij offerde zijn lievelingsbezittingen op om zijn kinderen voor een ramp te behoeden; hij plaatste nadruk op de cijfers 28 en 23 in zijn leven. Zijn vriend en biograaf Ernest

Jones, die een overtuigd scepticus was, schreef: 'In de jaren voor de grote oorlog had ik enkele gesprekken met Freud over occultisme en soortgelijke onderwerpen. Hij was er dol op om mij, vooral na middernacht, te vergasten op vreemde en griezelige ervaringen met patiënten. Hij had het altijd over een ongeluk of een dood die jaren na een wens of een voorspelling uitkwam. Hij genoot bijzonder van dat soort verhalen en was duidelijk onder de indruk van de meer mysterieuze aspecten ervan. Als ik protesteerde bij enkele van de sterkere verhalen had Freud de gewoonte te antwoorden met zijn favoriete citaat:

'Er zijn meer dingen in de hemel en op aarde dan waarover in jouw filosofie wordt gedroomd.'

Jones gaat verder in zijn (helaas) nu niet meer verkrijgbare biografie die in het Freud-museum wordt bewaard, dat wanneer de nachtelijke verhalen van zijn mentor draaiden rond

'bezoeken van heengegane geesten, ik hem zijn neiging verweet tot het aannemen van occulte overtuigingen op basis van oppervlakkig bewijs. Zijn antwoord was: "Ik vind het zelf helemaal niet fijn, maar er schuilt enige waarheid in," waarbij in deze ene korte zin beide kanten van zijn aard tot uiting komen.' (pag. 408, hoofdstuk XIV, Sigmund Freud: Life and Work door Ernest Jones)

Nadat ik sommige zinnen uit de brieven heb overgeschreven en een paar bladzijden uit de biografie van Jones heb gekopieerd, verlaat ik de zolderkamer, en dwaal door de rest van het museum. Ik weet niet echt wat ik ga doen met deze stukjes papier. Ze vormen het bewijs van... wat? Dat vreemde gedoe dat ons allemaal overkomt? Of dat Freud – de man die mijn vader verhief tot het toppunt van het rationele onderzoek van de menselijke irrationaliteit – uiteindelijk toch iets te bepraten had met mijn magisch denkende grootvader?

Ik verlaat het museum en loop de straat op terwijl ik me erop probeer te concentreren dat ik niet hardop tegen mezelf praat en vergeet waar ik heen ga. Ergens neem ik een verkeerde afslag, en kom ik niet uit bij het metrostation, welke richting ik dacht op te gaan, maar bij een winkel die ik nooit eerder heb gezien. JODEN VOOR JEZUS staat er op het bord buiten, in grote letters, een familiegrap in het groot opgeschreven. Toen mijn vader het erover had hoe zijn vader lid werd van deze organisatie, heb ik eigenlijk nooit echt gedacht dat deze bestond, maar dat het eerder een fantasie was – een middernachtverhaal – een metafoor voor mijn grootvaders vreemde verschuiving van geloof.

Ik aarzel, en loop dan de winkel binnen. De vrouw in de winkel lijkt blij me te zien. 'Kan ik u helpen?' zegt ze.

'Ik weet het niet,' antwoord ik.

'Waar ga je naar de kerk, liefje?' zegt ze.

'Ik ga niet naar de kerk,' zeg ik.

De vrouw kijkt verbijsterd. 'Waar woon je?' zegt ze.

'Crouch End,' zeg ik.

'O, er is een schattige kerk bij je in de buurt,' zegt ze. 'Op de heuvel. Ik weet zeker dat je daar welkom bent. Ze zullen je het gevoel geven dat je thuis bent.'

'Eigenlijk wilde ik iets uitzoeken over mijn grootvader,' zeg ik. 'Hij werd vele jaren geleden lid van deze organisatie.'

'Ik weet niet zeker of ik je daarbij kan helpen,' zegt ze. 'Ik denk dat je beter af bent als je in plaats daarvan naar de kerk gaat.'

Die avond, thuis, vertel ik Neill over mijn vreemde dag. 'Ik ging naar het Freud-museum,' zeg ik, 'en vond die heel interessante brieven over hoe hij zo half en half in het occulte geloofde, en toen, op de terugweg, kwam ik uit bij het kantoor voor Joden voor Jezus. Het was zo'n toeval.'

'Waarom is het een toeval?' zegt Neill.

'Nou, mijn grootvader werd lid van de organisatie, en hij was ook een spiritist, en mijn vader zegt altijd dat zijn vader

Freud had moeten lezen, in plaats van zijn tijd te verdoen aan al die onzin.'
'En?' zegt Neill.
'Dat is alles,' zeg ik, terwijl mijn stem wegsterft.
'Maar ik zie de betekenis niet helemaal,' zegt Neill. 'Ik volg je niet...'
Ik zucht. 'Nou, het lijkt iets te betekenen,' zeg ik, 'maar ik weet niet precies wat.'

Het woordenboek van de scepticus: **apofenia**. Er is op het ogenblik een controversieel debat gaande over of ongebruikelijke ervaringen symptomen zijn van een mentale gestoordheid, of dat een mentale gestoordheid het gevolg is van dergelijke ervaringen, of dat mensen met een mentale gestoordheid met name ontvankelijk zijn voor of zelfs op zoek zijn naar deze ervaringen.
Apofenie is de spontane waarneming van verbindingen en betekenis van ongerelateerde verschijnselen. In de statistieken wordt apofenie een Type I-afwijking genoemd, het zien van patronen die, in feite, niet bestaan. Het is hoogstwaarschijnlijk dat de schijnbare betekenis van veel ongebruikelijke ervaringen en verschijnselen te wijten is aan apofenie, zoals EVP, numerologie en een heleboel andere paranormale en bovennatuurlijke ervaringen. Zie gerelateerd trefwoord **pareidolia**...

> 'Pareidolia is een soort illusie of misvatting die betrekking heeft op een vage of obscure stimulus die wordt waargenomen als iets helders en goed waarneembaars. Bijvoorbeeld, in de verkleuringen van een verbrande tortilla ziet men het gezicht van Jezus Christus. Of men ziet de beeltenis van Moeder Teresa in een kaneelbroodje of het gezicht van een man in de maan...'
> (Robert Todd Carroll, SkepDic.com)

17 december

Weer een e-mail van mijn vader. Hij lijkt het prettiger te vinden op deze manier te communiceren, wat ik prima vind. Zijn stem op het scherm is rustig, en er zitten geen scherpe randjes aan deze gesprekken, waarmee we elkaar in stukken kunnen snijden. (Wanneer er iemand in de familie doodgaat, schikken de overlevenden zich opnieuw op onverwachte plaatsen. Ze vinden andere manieren om met elkaar te praten; onderhandelen over de met speren voorziene vallen van verdriet. Deze worsteling om de afzonderlijke stukken van een gebroken familie weer in elkaar te passen is, mogelijk, net zo verbijsterend als iets wat je in een seancekamer zou kunnen tegenkomen.) Mijn vader schrijft:

Justine,
Ik hou een praatje over joodse mystiek (kabbala) – een puur psychologische benadering – geen magie, en ik dacht dat je het interessant zou kunnen vinden.
Hoop dat je geïnspireerd bent geraakt door de duidelijke band van Freud tussen oudheidkunde en het onderzoeken van het onbewuste – de oude middeleeuwse beeldjes in zijn huis in Maresfield Gardens – analoog aan symptomen (gecomprimeerde, misplaatste, symbolisch herziene uitkomsten) van onbewuste historisch-religieuze conflicten en parallel daaraan, de geschiedenis van onze schuldneurose.
Liefs,
Pap

19 december

'... zelfs als alle stukjes van een probleem in elkaar lij-
ken te passen als de stukjes van een puzzel, moet men
overwegen dat hetgeen waarschijnlijk is, niet noodzake-
lijkerwijs de waarheid is en dat de waarheid niet altijd
waarschijnlijk is.'
(*Sigmund Freud,* The Origins of Religion)

Ik probeer thuis te zijn voordat de kinderen thuis zijn, maar
ik zit nog in de auto in een file in Upper Street door de
kerstinkopers, dus bel ik Neill en vertel hem dat ik laat zal
zijn. Voor ik iets kan zeggen, hoor ik hem huilen. 'Kirsty is
dood,' zegt hij. Zijn zusje is dood. 'Ze stierf in het water,'
vervolgt hij, 'in zee... Ze werd vermoord door de zee.' Zijn
stem breekt door de telefoon en ik kan hem nauwelijks
horen. Er moet een vergissing in het spel zijn. Dit is niet
mogelijk. Mijn zus is dood, niet de zijne. 'Neill?' zeg ik. Hij
zwijgt. 'Hou vol,' zeg ik. 'Ik ben zo thuis. Hou vol...'
Ik kom aan terwijl de kinderen net met Cate uit school
door onze straat lopen. 'Kirsty is dood,' zeg ik fluisterend
tegen Cate. Ze kijkt geshockeerd. Ik kijk wezenloos. Ik
open de voordeur en we gaan het huis binnen. Neill zit aan
de keukentafel met een fles rum voor zich, hij houdt vol...
Ik omarm hem, deze man van wie ik hou, mijn rots in de
branding, en het is net alsof hij in mijn armen verbrokkelt.
Ik voer hem de keuken uit, de weg af, naar een bar in de
buurt. Ik bestel een zwarte koffie voor hem. Hij vraagt om
een whisky en wat garnalen.
'Ze was op vakantie in Mexico,' zegt hij. 'Ze was aan het
duiken met haar kinderen. Een speedboat voer over haar
heen.' Zijn verbijstering is hem aan te zien. 'Hoe onwaar-

schijnlijk is dat? Te worden gedood door een kloteboot...'
Hij drukt zijn hoofd in zijn handen. Aan de tafel ernaast
hebben een paar mensen een kerstfeestje, en ze kijken naar
ons. Ik wil opstaan en, kortaf, zeggen dat mijn man net te
horen heeft gekregen dat zijn zusje dood is, dus wilt u alstublieft niet naar hem staren. Maar ik heb mijn armen om
hem heen geslagen, ik kan dus niet opstaan.

Hij drinkt de whisky en duwt de schaal met garnalen weg.
'Ik word er misselijk van,' zegt hij. We lopen weer naar
huis, en de telefoon begint te rinkelen, en te rinkelen, en te
rinkelen. Kirsty is een beetje een beroemde popster, en het
verhaal over haar dood zal binnen uur over de radio te
horen zijn. Een vriendin van me belt me op vanaf een krant
en zegt tegen me: 'De telefoonlijnen zijn overbezet.'

Ik stel me de lijnen voor die zich over de oceaan uitstrek-
ken van Mexico naar Londen, strak en staalachtig en koud,
scherp genoeg om je open te snijden, terwijl de woorden er
als spreeuwen op balanceren.

Ik ga naar de zolder om de telefoontjes te beantwoorden en
mensen te bellen om hun te laten weten wat er is gebeurd,
voor ze het nieuws horen. Om zes uur hoor ik, door de mist
heen, de telefoon rinkelen. Ik neem hem aan, en het is Laurie Campbell, het medium dat ik de voorgaande maand een
e-mail had gestuurd, duizenden kilometers ver weg, waar het
nog steeds ochtend is in Amerika (en als er acht uur verschil
is tussen Londen en Californië, schiet het door mijn hoofd,
hoe groot is dan het tijdverschil tussen hier en Mexico? Hoe
ver terug is de Mexicaanse klok? Zou Kirsty daar nog in leven
kunnen zijn? Zou het ongeluk nog op zich laten wachten?)

Ik verman mezelf en vertel Laurie dat ik vandaag niet met
haar kan spreken. 'Mijn schoonzusje is dood,' zeg ik. 'Ze
werd vanmorgen gedood. Door een boot. Hij raakte haar
toen ze in het water was.'

'O, mijn god, wat vreselijk,' zegt Laurie. 'Het moet heel snel
gebeurd zijn... onmiddellijk... een klap tegen het hoofd...'
'Hoe weet je dat?' zeg ik.

'Ik voel het,' zegt Laurie. 'Ik zie haar... en het bloed...'

'O, shit, het spijt me dat ik je dat vreemde e-mailtje heb gestuurd over het bloed,' zeg ik. 'Je moet wel denken dat ik gek ben...'

'Nee, dat was het bloed van je schoonzusje in het water,' zegt Lauria. 'Het was voorkennis...'

'Mijn e-mail was voorkennis?' zeg ik verward. 'Luister, het spijt me, ik moet nu ophangen. Ik bel je volgende week...'

Ik ben nog steeds in de war wanneer ik naar beneden ga. Niet over mijn gesprek met Laurie, maar over alles, álles, het is één grote puinhoop, ik kan niet meer goed denken, kan niet meer goed lopen, kan de woorden niet vinden... Op de een of andere manier is het zo geregeld dat ik Neill naar het zuiden van Londen breng, naar het huis van zijn broer. Neill zit op de passagiersstoel, staart uit het raam naar de straten, waar andere mensen naar huis gaan om andere levens te leiden. 'Elke dood doet je herinneren aan de laatste dood,' zegt hij. 'Het is als verliefd worden. Je weet niet hoe het voelt tot het je de eerste keer overkomt. En dan denk je dat je vergeten bent hoe het voelt, maar gebeurt het weer. En weer...'

Terwijl we over de Blackfriars Bridge gaan, zegt hij: 'Waarom gaan we altijd deze brug over wanneer iemand dood is gegaan?'

'Niet altijd, alleen toen Ruth doodging,' zeg ik.

'Mijn vriend Tony liep de rivier in en verdronk hier in de buurt,' zegt hij. 'Aan de zuidoever, tussen deze brug en Waterloo, geloof ik... Er zou een poortwachter voor de Blackfriars moeten zijn, net als de veerman voor de rivier de Styx.'

Wanneer we bij het huis van zijn broer Calum aankomen is hun jongere zusje Kitty er al. Haar bleke gezicht is nat en opgezwollen door de tranen, net als een door dauw doordrenkt paddestoeltje; en hun moeder, Peggy, die niet Kirsty's moeder is, is net aangekomen uit Amerika, waar ze woont. (De familie van Neill zit ingewikkeld in elkaar: zijn vader, die dood is, had drie vrouwen en vijf kinderen. Neill en Kirsty werden zeven maanden na elkaar geboren. Ze waren hecht, en toch ook weer niet. Ze leken op elkaar en zongen soms samen met heldere, overeenkomstige stemmen die zich in en uit elkaar vlochten. Mijn kinderen hebben haar rode haar geërfd. Ze zei altijd dat ze meer op haar leken dan op Neill...)

Iedereen in dit huis heeft al veel whisky gedronken, behalve ik. Ze praten allemaal tegelijk. Peggy's partner, Irene, die Iers is, probeert me te vertellen over haar recente droom. 'Ik zag die bokser in mijn droom, en hij werd hard geraakt, echt hard, en hij viel op de grond, een witte, canvas vloer, en toen die beroemde bokser, hoe heette hij ook alweer? Ik ben zijn naam vergeten, die bokser die in coma ligt, hij heeft in de kranten gestaan, zijn ongeluk gebeurde na mijn droom, dus waarom droomde ik over hem?'

'Ik weet het niet,' zeg ik.

'Maar viel de bokser – de echte bokser – op een witte vloer of een blauwe vloer?' zegt ze. 'Ik droomde dat hij op een witte vloer viel. Maar op de krantenfoto's lijkt het blauw. Was het dus een aankondiging van de dood of niet?'

'Ik weet het niet, Irene,' zeg ik. 'Het spijt me.'

Calum, die vier jaar jonger is dan Neill, praat snel en beschrijft de zondagen die ze als kind in het huis van Kirsty's moeder doorbrachten. 'Pap was ergens boven, en jij en Kirsty renden altijd samen het bos in om te spelen, en lieten mij achter,' zegt hij met een droevige uitdrukking op zijn gezicht.

'Mensen sterven altijd ten zuiden van de rivier,' zegt Neill, tegen niemand in het bijzonder. 'Ruth, Tony... nou ja, niet Kirsty, hoewel ze in het zuiden aan de andere kant van het water stierf. En de begrafenis van pap... En Kimberleys begrafenis was aan de zuidzijde van de rivier, in Mortlake, en die van John ook. Verdomde Mortlake-crematorium... Ik haat die plek.'

'Tony stierf ín de rivier,' zegt Kitty, die even haar hoofd optilt.

'Hier moet ik je verbeteren,' zegt Calum, die onduidelijk begint te spreken. 'Ruth stierf níét ten zuiden van de rivier.' 'Wel waar,' zeg ik. 'Ze stierf in Trinity Hospice in Clapham.'

'O,' zegt hij. 'Sorry...'

'Hoe stíérf Kirsty eigenlijk?' zegt Neill, die zijn grijze gezicht kneedt alsof het deeg is. 'Was er veel bloed? Werd ze op haar hoofd geraak? Wat gebeurde er met haar hoofd? Ik blijf maar denken aan... Ik bedoel, niemand schijnt te weten wat er is gebeurd.'

Ik zwijg. Ik vind niet dat dit een goed moment is om met de versie van Laurie Campbell van de gebeurtenissen te komen. Het is al laat en ik breng Neill naar huis. Hij wil niet praten. 'Ik wil alleen slapen,' zegt hij, opgekruld tegen de ruit aan zijn kant van de auto...

'Maar nu helaas is het tij gekeerd,
Mijn lief, ze is bij me weg,
En de wintervorst heeft mijn hart geraakt
En werpt een vloek op mij.
Kruipende mist ligt op de rivier
Stroom, lieve rivier, stroom.
Zon en maan en sterren gaan met haar.
Lieve Theems, stroom zachtjes...
Snel loopt de Theems naar de zee,
Stroom, lieve rivier, stroom,
Draag schepen en een deel van mij.
Lieve Theems, stroom zachtjes...'
(Ewan MacColl, *Sweet Thames, Flow Softly,* 1965)

22 december

Ik tref Neill, halftien in de avond, zittend op de bank aan, voor zich uit starend. De kinderen slapen, dus er is niets om de stilte te vullen. Het was vandaag de laatste dag op school; het is vakantie. Er is van alles te doen, en niets te doen. 'Waar denk je aan?' vraag ik.

'Ik heb het gevoel alsof ik in een heel lege ruimte zit,' zegt hij.

Ik zucht en sorteer de kaarten van vandaag in twee stapels (kerstkaarten rechts, deelnemingskaarten links). 'Je moet jezelf de tijd geven,' zeg ik, 'het is nog geen vier dagen geleden dat je zusje stierf...'

Hij antwoordt niet. 'We komen er wel doorheen,' zeg ik, niet in staat hem in de ogen te kijken. 'Maar ik weet dat het zo moeilijk lijkt... Het is als... Nou ja, het is als een vloek.'

'Dit heeft geen enkele betekenis,' zegt Neill boos, 'er is geen patroon. Het gebeurde gewoon. Deze dingen gebeuren. Dat is alles. Mensen gaan dood...'

Ik loop bij hem weg, de keuken in, waar hij en de kinderen een puzzel aan het maken waren die zijn moeder hun voor kerst had gegeven. Hij is nog niet klaar, zit nog vol met grote gaten, dus vergelijk ik hem met de foto op de doos. De puzzel heet IK HOU VAN NEW YORK, en het is een tableau van chaos: files, ongelukken, blokkeringen, putten. Een skelet met wijd opengesperde ogen bestuurt een ambulance naar het Beth Israel-ziekenhuis, maar er ontbreken nog stukjes aan de auto. Ik kan niet zien wie erin ligt. Ik ga in de doos op jacht naar de stukjes van de ambulance, en Neill komt me helpen. Samen proberen we de puzzel af te maken. 'Hulp bij rouwverwerking?' zegt hij met een opgetrokken wenkbrauw. We zijn, nu tenminste, weer aan dezelfde zijde...

23 december

Onze vriend en buurman, David Toop, komt 's avonds langs met Juliette voor pasteitjes en ijs. Later, als alle kinderen naar bed zijn, speelt David (de bewaarder van veel vreemde stukken geluidsgeschiedenis) een opname af die iemand hem heeft gestuurd van dr. Konstantin Raudive, de voormalige professor psychologie aan de universiteiten van Uppsala en Riga, die geloofde dat hij de stemmen van de doden kon opnemen door een taperecorder te laten lopen in een lege kamer, of door een microfoon te bevestigen aan een niet afgestemde radio.

(Het werk van Raudive wordt nog altijd bewonderd door Judith Chisholm en Dale Palmer: een sirenestem voorbij het graf, die hen steeds verder leidt in hun esoterische studies van EVP.) De opname waarnaar we die avond luisteren is in het Duits, en aangezien geen van ons de taal kan spreken, is het onbegrijpelijk. Net zoals de stemmen van de doden, die op deze band klinken alsof ze bestaan uit willekeurige fluisteringen die zijn opgepikt van verre radiostations aan de andere kant van de wereld. Naarmate de band verder speelt word ik steeds agressiever en sceptischer. 'Dit is zo belachelijk,' zeg ik, 'hoe kan iemand die troep serieus nemen?'

'Ik geloof er natuurlijk niet in, maar daar gaat het niet om, wat interessant is, is dat deze stemmen betekenis hebben voor mensen die naar iets op zoek zijn,' zegt David zachtmoedig.

'Maar niemand bij zijn volle verstand kan er betekenis in vinden,' zeg ik.

'Het gaat om magie,' zegt David.

'Ik vond het luisteren naar Kirsty's stem op een cd vanmiddag magischer,' zeg ik en ik neem nog een pasteitje.

Wanneer de opname van Raudive afgelopen is, zet Neill de Grateful Dead op, wat me aan het glimlachen maakt, maar dan, voor ik helemaal besef wat er gebeurt, hebben we dezelfde ruzie als gisteravond, al begrijp ik niet waarom. 'Er is geen patroon in het overlijden van Kirsty en Ruth,' zegt hij kortaf. 'Geen symmetrie, er is niets ongebruikelijks aan. In hemelsnaam, er was een kind in de klas van Tom dat doodging aan hersenvliesontsteking...'

'Ik zeg helemaal niet dat er een patroon is,' antwoord ik, 'en natuurlijk gaan er veel mensen op een afschuwelijke en onverwachte manier dood, maar het is ongebruikelijk dat we beiden een zus hebben die jong sterft.'

'Elke dood is anders,' zegt Neill.

'Ik wéét dat elke dood anders is – je weet dat ik dat begrijp – ik ben niet dom,' zeg ik, me gekwetst voelend, om mezelf vervolgens een halt toe te roepen. Het lijkt geen zin te hebben het gesprek af te maken, dus ga ik naar bed en laat ik Neill en David achter met de whisky en verloren stemmen, terwijl slierten sigarettenrook naar boven kruipen en zich vastzetten in de stoffige hoeken van elke kamer, een bitter lijkkleed dat tot de ochtend zal blijven hangen.

24 december

'Kerstavond. De nadering van Kerstmis treft ons verzameld aan voor de bekende welkomstuitwisselingen van goede wensen. Ons hart stroomt over van gemeenschappelijke vreugde: Dominus propre est! *De Heer is nabij! Kerstmis is het begin van die 'wonderbaarlijke uitwisseling' die ons verenigt met God. Het is het begin van de Verlossing.'*
(Paus Johannes Paulus, *Prayers and Devotions*)

Lola en Joe komen deze middag op bezoek, en zo ook mijn zwager Matt, en mijn moeder en vader, in een ongebruikelijk vertoon van seizoensgevoelige eenheid. We wisselen cadeaus en kusjes uit en goede wensen voor het komende jaar. Lola, die zich opmerkelijk helder kan verwoorden voor een kind van vijf, maakt zich zorgen dat Neill verdrietig is over zijn dode zusje. 'Ben je in orde?' zegt ze gespannen terwijl ze haar smalle, ernstige gezichtje naar hem opheft. 'Ik maak me heel veel zorgen om de overstromingen,' zegt ze. 'Er zijn zoveel overstromingen. De rivieren lopen over. Als het door blijft regenen, zullen alle huizen zich vullen met water, en zullen we op zolder moeten leven.'

'Maak je geen zorgen, liefje,' zeg ik. 'Het regent niet erg hard.'

'Wel waar,' zegt ze. 'Het heeft deze winter meer geregend dan de afgelopen driehonderd jaar. De man op de radio vertelde ons dat. De zon is weggegaan.'

We eten chips en sandwiches en cake, en dan haalt mijn vader zijn menora tevoorschijn, die hij heeft meegebracht om ons eraan te herinneren dat het de vierde nacht van Chanoeka is, alsmede kerstavond. Lola en Joe steken ieder een kaars aan, zo ook Jamie en Tom. 'Vier neven en nichten die vier kaarsen aansteken,' zegt Lola, die ervan houdt haar familieleden te tellen, misschien om zichzelf gerust te stellen dat er kracht heerst in cijfers (of dat niemand is verdwenen).

'Laat het licht van God binnen,' zegt mijn vader.

Daarna neemt Matt Lola en Joe mee naar huis in Zuid-Londen en maak ik champignonsoep voor de rest van mijn familie. Het lijkt goed dit te doen. (Toen Ruth stierf, vulde Neill de koelkast met eten, en kookte hij elke dag voor me, langzaam en uitgebreid. 'Je moet sterk blijven,' zei hij. 'Je hebt meer vitaminen nodig.')

Tijdens het avondeten vertelt mijn vader ons over zijn afspraakjes, gearrangeerd via de kennismakingsrubriek van de *Guardian*. Hij heeft 29 reacties gehad van potentiële

vriendinnen, zegt hij, als antwoord op zijn laatste adver-
tentie.

> (Alles over Eva. Radicale joodse man, ex-Zuid-
> Afrikaan, was academisch, toneelschrijver en
> acteur, 64, ziet eruit en voelt zich in de vijftig,
> zoekt een goede vrouw. Hoop dat jij, Eva, contact
> opneemt met mij, Adam. Deze keer is God aan
> onze zijde!')

Mijn moeder zit zwijgend aan de andere kant van de tafel
en trekt af en toe een wenkbrauw op, terwijl mijn vader zijn
romantische avonturen beschrijft. ('We ontmoetten elkaar
voor een lunch in een vegetarisch restaurant in Bath. Maar
haar tanden hadden iets vreemds...')
Mijn vader woont alleen in een klein huis in Cardiff; hij
kent nog niet veel mensen in de stad. Hij wil niet toegeven
dat hij eenzaam is, maar ik denk dat hij dat wel moet zijn,
hoewel hij ons vertelt dat hij het heel druk heeft met het
planten van overblijvende struiken in zijn nieuwe tuin en
het bezoeken van de plaatselijke synagoge. (Hij had, eerder
dit jaar, gehoopt opgeleid te kunnen worden tot rabbijn,
maar deze plannen zijn op niets uitgelopen...)
De kaarsen op de menora zijn uitgegaan tegen de tijd dat het
eten op is, dus steek ik ze weer aan. 'Ik heb een gebed gezegd
voor Kirsty tijdens shul,' zegt hij en hij zucht. Dan begint hij
een joodse hymne te zingen, rustig, maar nadrukkelijk. 'Ze
moeten deze hymnen hebben gezongen op weg naar de gas-
kamers,' zegt hij droevig. Neill heeft zich al met de kinderen
teruggetrokken in de andere kamer om naar *De tovenaar
van Oz* te kijken. Mijn vader houdt niet van Kerstmis, net
zoals hij Pasen haat. Toen ik nog jong was, vertelde hij ons
altijd dat hij tot wanhoop werd gedreven door deze vreemde
viering van de geboorte van de christelijke koning, in wiens
naam, zoals hij ons vaak in herinnering bracht, miljoenen
joden waren afgeslacht. Dit jaar echter, verzint hij er iets

anders bij. 'Ik haatte ook Chanoeka, toen ik jong was,' zegt hij, 'omdat mijn moeder zo rechts was dat ze ons ook dat niet liet vieren; tenminste, we mochten geen cadeautjes, omdat ze dacht dat het daardoor te veel op Kerstmis zou lijken. Dus kreeg ik nooit cadeautjes...'

'Maar nu hou je wel van Chanoeka,' zeg ik, in een poging het gesprek naar veiliger wateren te sturen.

'Ja, dat is zo,' zegt hij met weer een diepe zucht. 'Weet je, ik hou binnenkort een lezing in de orthodoxe synagoge, over de kabbala. Je zou moeten komen.'

'Ik weet het,' zeg ik. 'Ik kreeg je e-mail. Het klinkt interessant.' En toen – maar waarom doe ik dit, terwijl ik weet wat voor gevaar op de loer ligt? – voeg ik eraan toe: 'Dus je gelooft nu in God?'

'Je weet dat ik niet in God geloof!' explodeert hij. 'Waarom luister je nooit naar me!'

'Nou ja, het lijkt vreemd om niet in God te geloven,' zeg ik, de kloof tussen ons beiden vergrotend, 'wanneer je zoveel tijd in de synagoge doorbrengt.'

'Je hoeft niet in God te geloven om een jood te zijn,' schreeuwt hij. 'Alleen een idioot kan in God geloven. EEN IDIOOT! Zes miljoen doden stierven in de holocaust en er was geen God om hen te redden. ZES MILJOEN JODEN!'

Ik begin te lachen, wat ik uiteraard niet had moeten doen, een wrede en gevaarlijke daad van provocatie, maar ik kan er niets aan doen, omdat plotseling alles zo belachelijk lijkt.

'Hoe kun je lachen bij het lijden van de joden!' zegt mijn vader furieus.

'Waarom kun jij geen gevoel voor humor hebben?' zeg ik.

'Je kunt geen gevoel voor humor hebben over de holocaust!' schreeuwt hij.

'O, alsjeblieft, nee, niet weer de holocaust, niet vanavond,' zeg ik.

'Juist ja, vermijd het onderwerp van de holocaust maar, zoals gebruikelijk,' zegt hij. 'Jij wil er nooit over praten... Het kan je niets schelen, het heeft je nooit iets kunnen schelen.'

Dan ga ik staan en begin ik ook te schreeuwen. 'Hoe durf je naar dit huis te komen en te gaan praten over de dood alsof het je eigen onderwerp is, wanneer Neills zusje net is gestorven, hoe dúrf je! Je kunt het niet verdragen niet het middelpunt van de aandacht te zijn! Je bent een afgrijselijke, egoïstische man!'

Mijn vader ziet er nog bozer uit, hoewel ook broos, alsof ik hem heb geslagen, dus stampvoet ik weg naar de andere kamer, waar Neill en de jongens op de bank zitten en Judy Garland nog altijd op zoek is naar de tovenaar. Neill glimlacht met één mondhoek. Jamie en Tom hebben bleke, ernstige gezichten. 'Het spijt me,' zeg ik tegen de jongens. 'Trouwens, er is niets om je zorgen over te maken. Soms worden mensen boos op elkaar in deze tijd van het jaar...'

'Ho, ho, ho,' zegt Neill.

Mijn vader loopt, met zware tred, naar boven en gaat naar bed. Mijn moeder gaat achter hem aan, en komt vervolgens weer naar beneden. 'Hij zegt zijn joodse gebeden,' zegt ze.

'Fijn voor hem,' zeg ik.

'Hij zegt dat hij beter dood kan zijn,' voegt ze eraan toe.

'Hij heeft gelijk ook,' zeg ik, en zij kijkt geshockeerd. Dan begin ik me schuldig te voelen en maak ik me zorgen dat ik te ver ben gegaan. 'Je denkt toch niet dat hij zichzelf vanavond probeert te doden?'

'O, nee,' zegt mijn moeder, 'hij overleeft ons allemaal.'

25 december

'... twee soorten elementen worden herkend in religieuze doctrines en rituelen: aan de ene kant fixaties met de oude familiegeschiedenis en overlevenden hiervan, en aan de andere kant oplevingen van het verleden en de

terugkeer, na lange intervallen, van wat vergeten was...'
(Sigmund Freud, *Moses, His People, and Monotheist Religion)*

In de ochtend, nadat de kinderen hun kerstkousen hebben geleegd, maar voordat mijn vader op is, sta ik in de keuken de kalkoen te vullen en met mijn moeder te praten. 'Ik doe dit niet nog een keer,' zeg ik terwijl ik het gehakt in de dode vogel duw, 'deze stomme huichelarij dat we een gelukkige kerst met de familie hebben. Ik bedoel, jij en pap zijn geschéíden, in godsnaam. Waarom moeten we Kerstmis samen doorbrengen? Hij is jouw verantwoordelijkheid niet.'
'Ik voel me schuldig,' zegt ze. 'Iemand moet voor hem zorgen.'
'Waarom voel je je in hemelsnaam schuldig?' zeg ik boos. 'Wat heeft het voor zin?'
'Misschien heeft het te maken met mijn tweelingbroer,' zegt ze bedachtzaam. 'Ik zie hem nooit, dus voel ik me in plaats daarvan verantwoordelijk voor pap. Ze zijn beiden net zo moeilijk.'
'Nou, waarom hou je er niet mee op je ex-man te redden?' zeg ik, zelfs nog onvriendelijker. 'Het is niet eerlijk Neill en de kinderen dit op te leggen. Het is al moeilijk genoeg dit jaar... Niet dat een afgrijselijke kerst iets ongewoons is. Ik bedoel, denk aan die kerst toen pap in de psychiatrische inrichting zat, en jij mij en Ruth op kerstdag daarheen bracht, en we buiten in de gang zaten terwijl jij de ochtend met hem doorbracht in een gecapitonneerde cel...'
'Ik zou jullie nooit alleen laten in een psychiatrische inrichting!' zegt ze. 'Ik denk dat je je het verbeeldt dat ik jullie op de gang achterliet.'
'Dat deed je wel,' zeg ik als een kind, geïrriteerd (hoewel ik toen, als kind, zweeg en stoïcijns bleef). 'Ik was acht, ik herínner het me...'(En ik kan het me herinneren, echt. Ruth en ik zaten op een bank, heel dicht tegen elkaar aan, en vreemde mannen met een smal, wit gezicht en een baard

liepen langs ons heen. Een van hen stond stil en vertelde ons dat hij Jezus Christus was. Hij had een kroon van glinsterfolie op zijn hoofd. Hij zag eruit als Jezus, dacht ik, op het feit na dat hij zijn pyjama aanhad. Het rook naar kool in het ziekenhuis. Zelfs de kerstboom in de gang rook naar kool. Er stond een scheef engeltje boven op de boom, en haar hand wees naar de muur. 'Maak je geen zorgen,' zei ik tegen Ruth terwijl ik haar kleine handje vasthield. 'We gaan gauw naar huis...')

Ik beheers me wanneer mijn vader naar beneden komt. 'Gelukkig kerstfeest,' zeggen we tegen elkaar met een aarzelende omhelzing. 'Gelukkig kerstfeest!' Hij geeft me een cadeau, een pot 'Zelfhelende huidcrème'. Het is gemaakt uit bloemenessence en kruidentincturen. Na nog meer uitwisselingen van cadeaus breng ik de ochtend door met het bereiden van de kalkoen, gepofte aardappels, worstjes, spek, pastinaak, melksaus met broodkruimels, cranberrysaus, doperwten, spruiten en jus. (Er moet hier vandaag de een of andere traditie behouden blijven te midden van deze chaos...) Voor mijn vader maak ik twee lamskoteletjes klaar. 'Eigenlijk hou ik wel van spek,' zegt hij vriendelijk, 'al ben ik joods.'

'Dit is de beste kerst ooit!' zegt Tom, die een gameboy en een scooter heeft gekregen.

'Dank je voor je gulheid en gastvrijheid,' zegt mijn vader vreemd formeel, al is er schijnbaar geen spoor van ironie. 'Dank je, mijn liefste kind...'

Na de lunch kijken we naar de koningin ('Nou, zíj heeft pas een niet functionerende familie,' zegt mijn vader, opgetogen).

Ik ga vroeg naar bed, tegelijk met de kinderen, met een pijnlijke keel. ('Je keel doet zeer omdat je niet zegt wat je echt voelt,' zegt mijn denkbeeldige therapeut. 'Dat doe ik wel,' antwoord ik. 'In feite doet mijn keel waarschijnlijk zeer omdat ik tegen mijn vader schreeuwde. Ik had niet moeten schreeuwen.')

Wanneer ik de volgende morgen wakker word zijn mijn ouders al weg. Mijn vader heeft een briefje achtergelaten op de keukentafel. 'De beste Kerstmis ooit!' heeft hij geschreven, 'maar ook de verdrietigste. Ik zie je bij mijn praatje op 10 januari 2001.'

31 december

Ik haat oudejaarsavond. Ik haat dat gevoel van verwachting, terwijl er morgen niets is veranderd. Ik haat de kou, de regen, de duisternis, de modder. Ik haat het gedeprimeerd te zijn. Gedeprimeerd, wat een saai woord; wat een saai iets om te zijn. Mijn handen zijn droog en mijn nagels afgebroken. Ik eet en eet maar, vul me met de kerstcake die mijn moeder voor ons heeft gebakken; bouw meer vlees op over de schrammen in mij.

Neill rijdt ons naar Norfolk, om met andere mensen samen te zijn, anderen dan wij. We logeren bij vrienden, in het huis waarin ik afgelopen augustus logeerde (het huis waar een handafdruk op het raam in de woonkamer stond, hoewel deze nu is verdwenen). De kinderen zijn opgewonden; ze hebben roze wangen, glinsterende ogen, zien er bijna koortsachtig uit. Ze zullen tot na middernacht opblijven, om te zien hoe het nieuwe jaar arriveert. Misschien denken ze dat die schoon, fris en opwindend is, dit onbedorven jaar, als de sneeuw die gisteren viel. 2001: mijn eerste eeuw zonder Ruth. ('Ik denk het niet,' zegt de stem in mijn hoofd.)

Ik maak een chocoladecake voor de kinderen en hun vrienden om later op te eten. (Bakken is goed; het geeft me het gevoel dat ik vooruitgang boek terwijl het deeg rijst.) We gaan 's middags een wandeling maken, over de bevroren velden. Het is hier zo koud dat de modder ijs is geworden, wat beter is dan doorweekt, modderig Londen. Elke keer dat ik langzamer ga lopen om met Neill te praten, om naast hem te gaan lopen, gaat hij sneller lopen. Wanneer ik hem probeer bij te houden, vertraagt hij zijn pas. Ik kan hem niet kwalijk nemen dat hij me vermijdt. We herinneren elkaar aan onszelf: bleke, overlevende zus en broer; een poosje tweelingen.

2 januari 2001

Ik ben de hele dag thuis geweest, alleen, op de kat na. Ik kwam gisteren terug uit Norfolk om te werken, en Neill bleef achter met de kinderen (ik ben genoeg van slag om te denken dat hij me nog altijd mijdt). Dit is voor het eerst sinds lange tijd dat ik met mezelf alleen ben in dit huis, en de stilte is verontrustend. Ik stuur een e-mail naar Dale Palmer in Indiana, om hem gelukkig nieuwjaar te wensen, en beantwoord een e-mail van Sarah Estep in Annapolis, mijn nieuwe computercorrespondent. (Sarah klaagt nooit, zelfs al is ze oud en vaak ziek. Ze heeft me elke week berichten gestuurd, soms vaker, sinds Dale ons via de e-mail aan elkaar voorstelde na mijn reis naar New York in oktober. Ik heb haar gevraagd – in haar hoedanigheid van huidige wereldexpert op het gebied van EVP – te luisteren naar een bericht van mijn zusje. Hoewel ze nog niets heeft gehoord moedigt ze me altijd aan mijn zoektocht naar Ruth niet op te geven, om te blijven proberen contact met haar te krijgen via de computer of via een taperecorder. 'Wil je een geslaagde opname dan móét je een zee van geduld en doorzettingsvermogen hebben', schrijft ze. 'Maar het is de moeite waard als de andere kant begint te communiceren.' Ze stelt ook voor dat ik mijn EVP-banden achterwaarts afspeel. 'Een aantal stemmen komt op de achterkant, of de verkeerde kant van de band. Voor mij is de omgekeerde stem het beste bewijs dat ze echt zijn. Jouw stem, die korte vragen stelt, klinkt als gebazel, maar hún stem kan zo helder als glas zijn.' Ik durf haar niet te vertellen dat ik EVP-opnamen heb opgegeven, omdat het geluid van mijn stem die sprak tot de onveranderlijke stilte te verontrustend was om mee te leven.)

Daarna voel ik me nogal vreemd en afgesneden. Ik onderbreek de dag met eten. Twee kommen cornflakes. Vijf chocoladekoekjes. Roereieren. Nog een kop thee. Twee gemberkoekjes. Ik wrijf mezelf in met de 'Zelfhelende' huidcrème die mijn vader me in mijn droge handen stopte. Mijn moeder belt op, maar ik lijk niet te weten hoe ik moet praten.

'Hoe was oudejaarsavond?' zeg ik, al heb ik het gevoel dat ik in een buitenlandse taal spreek.

'Ach, weet je, prima,' zegt ze. 'Je verwacht altijd dat je die doorbrengt met je geliefden, en de werkelijkheid beantwoordt nooit aan die hoop...'

'Hmm,' zeg ik. 'Nou ja, ik hang maar eens op.'

'Ja,' zegt ze. 'Ik krijg zo een patiënt.'

'Dag,' zeg ik.

'Tot ziens,' zegt zij.

Ik ga naar de drogist en koop wat vitamine C. Ik kom thuis en neem een tablet in, in de hoop me weer normaal te voelen. Het lijkt niet echt te werken. Om vier uur is het weer donker. 'Waarom is het zo donker?' zeg ik tegen de kat. Ze geeft geen antwoord.

Om zeven uur besluit ik iets te doen om de ruimte in het huis te vullen. Ik ga automatisch schrijven proberen. Ik ken in elk geval de theorie, omdat Neill me met kerst een boek gaf dat *Hoe je automatisch schrijven kunt leren* heet. Dit kan een grap geweest zijn, maar ik besluit het serieus te nemen. Wat je blijkbaar moet doen is een kaars aansteken voor een spiegel, in de spiegel kijken, en uiteindelijk komen dan de geesten door de spiegel en leiden je hand. Dus doe ik alle lichten beneden uit en steek ik een kaars aan. Ik kijk in een spiegel in de keuken, met een pen in de ene hand en in de andere een fotokopie die ik vorige maand heb meegenomen uit het Freud-museum, achttien bladzijden van Ernest Jones' *Sigmund Freud: Leven en Werk* (hoofdstuk XIV, *Occultisme*). Het lijkt me geschikt om op te schrijven, althans op de achterkant...

Ik kijk in de spiegel, en het bevalt me niet wat ik zie. Mij. Niet Ruth. Iets dikker dan voor Kerstmis. Bleek puddinggezicht. Wallen onder mijn ogen. Ik schrijf de volgende regels (hoewel ik niet voel dat mijn hand vanuit een andere wereld wordt geleid).

Wie is er in het glas?

Ik zie mezelf.

Ik zie het dode lichaam van Kimberley in haar flat, in de schaduw.

Ik schrik mezelf af. Nee, nee, begin opnieuw.

Het huis leeft.

Ik zie de weerspiegeling van het keukenraam in de spiegel. Er is niemand. Mijn nek is koud.

Terug, terug, er is geen terugweg.

Ik stop met schrijven. Niets van dit al lijkt me erg significant of belangrijk. Ik probeer het opnieuw, waarbij ik mijn hand boven de pagina laat zweven, zoals in het boek wordt opgedragen. Deze keer heb ik helemaal niet het gevoel dat ik iets schrijf. Slechts krabbels. Het is nogal ontspannend, dit krabbelen, dit zweven door de duisternis... Daarna lees ik wat ik heb geschreven. Het lijkt nergens op. Er staat een woord op de eerste bladzijde dat op 'vrolijk' lijkt of 'olijk'. Op de volgende bladzijde zijn de geestwoorden onbegrijpelijk

('slesssegsthaly Mslshnn').

Ze zijn duidelijker als ik ze achteruit lees. Op de derde en laatste bladzijde staat een woord dat een beetje op 'waanzin' lijkt, dan meer krabbels, en aan het eind 'Daaaaaaan'.

Ik draai het blad om en lees als alternatief wat Ernest Jones te zeggen heeft. Dit lijkt beter te helpen: 'Freud heeft in zijn boek *Totem en taboe* aangetoond dat de animistische staat waar de mensheid, al zij het onvolmaakt, doorheen moet zijn gegaan in haar eerste ontwikkelingsfasen, terugkeert in het mentale leven van het jonge kind, en aldus opnieuw moet worden "overwonnen" voor een adequaat begrip van de realiteit wordt bereikt. Deze overwinning, echter, is vaker onvollediger dan over het algemeen wordt gedacht, en er bestaat een neiging er in verschillende omstandigheden naar terug te grijpen. Situaties die deze wijze van denken doen herleven, met het ermee gepaard gaande geloof in magische krachten, roepen het gevoel van bovennatuurlijkheid op... De angst voor iets afschrikwekkend geheimzinnigs en boosaardigs dat voortkomt uit een demonische of bovennatuurlijke macht, zoals de geestverschijning op middernacht, is altijd het gevolg van projectie naar de buitenwereld van onbewuste, onderdrukte wensen...'

Het probleem is dat ik een geest wíl zien. Ik ben niet bang door geesten gekweld te worden. Dus waar blijft dan de freudiaanse theorie over onderdrukte wensen? Ik heb duidelijk een therapeut nodig. Ik bel mijn moeder. 'Mam,' zeg ik. 'Ik ben het. Is je patiënt weg?'

'Ja,' zegt ze, 'al een tijdje geleden. Ben je nog steeds alleen?'

'Ja,' zeg ik. 'Sorry dat ik daarnet zo verward klonk.'

'Dat geeft niet,' zegt ze.

'Eh, ik heb een vraag,' zeg ik.

'Ja?' zegt zij.

'Je weet dat Ernest Jones zegt dat Freud zegt dat de angst om op middernacht een geest te zien het gevolg is van projectie van een onbewuste, onderdrukte wens?'

'Ja,' zegt ze. (Deze bekendheid met obscure freudiaanse verwijzingen is een van de vele voordelen als je je moeder als therapeut hebt.) 'En…?'

'Nou, wat betekent het wanneer je wel een geest wilt zien? Wanneer je er niet bang voor bent?'

Ze zwijgt even, alsof ze haar woorden wil afwegen. 'Ik denk dat Freud zou zeggen dat het willen zien van een geest te maken heeft met onverwerkt verdriet, of een onverwerkt verlies. Je zou kunnen opzoeken wat hij over narcisme te zeggen heeft. Narcisme is niet wat je denkt dat het betekent, het is een ontwikkelingsfase, het willen blijven in een bepaalde staat van zijn, en erin vastzitten, en niet verder gaan.'

'Wat nog meer?' zeg ik terwijl ik probeer mijn stem normaal te laten klinken, omdat ik mijn moeder niet onnodig wil verontrusten door eruit te gooien: ja, ik zit vast, opgesloten, en ik ben achtergelaten, ik staar naar mezelf in een spiegel, in een poging mijn zusje aan gene zijde te bereiken.

'Dat is wanneer je die wereld wilt die door magie kan worden beheerst,' vervolgt mijn moeder, 'omdat het meer troost biedt, omdat de werkelijkheid onverdraaglijk is.'

'Dat klinkt interessant,' zeg ik.

'Je zou ook kunnen opzoeken wat Freud over "fantasie" zegt,' voegt ze eraan toe.

'Oké,' zeg ik. 'Ik zal eens wat gaan lezen.'

Ik ben halverwege Freuds esssay over 'Taboe en emotionele ambivalentie' ('je afwenden van de werkelijkheid is je tegelijkertijd terugtrekken uit de gemeenschap van de mens') wanneer de telefoon opnieuw gaat.

'Ik ben het,' zegt mijn moeder. 'Er kwam net iets bij me op. Waarom lees je niet wat Freud te zeggen heeft over Thanatos – of doodsverlangen – en Eros, de levenskracht? Je weet wel, de cartesiaanse splitsing...'

'Goed,' zeg ik, hoewel ik eigenlijk de cartesiaanse splitsing helemáál niet begrijp.

'Ben je nog steeds alleen?' zegt ze, en ze klinkt enigszins verontrust.

'Ja,' zeg ik, 'maar het gaat goed met me.'

'Pas goed op jezelf,' zegt ze.

'Doe ik,' zeg ik en ik leg de hoorn neer.

Ik raak nogal verdwaald in Freud over het onderwerp narcisme, met name het moeilijke gedoe over 'libidinale hypercathexis' (nog meer bewijs, alsof ik dat nodig had, voor mijn regressief – mogelijk vertraagd – onvermogen verder te gaan). Dan kom ik bij de voetnoot over het onderwerp 'intellectueel narcisme en de almacht van gedachten'. ('Het is bij schrijvers over dit onderwerp bijna een vanzelfsprekendheid dat een soort van solipsisme (alleen het eigen ik bestaat), of berkeleyanisme (subjectief idealisme) (zoals professor Sully het noemt wanneer hij het in het Kind aantreft) in de primitieve mens werkt om hem te doen weigeren de dood als een feit te erkennen.') Tegen deze tijd ben ik zo moe dat mijn ogen dubbel zien. Maar toch, ik weet dat alleen ik er ben. 'En ik,' zegt de stem van Ruth in mijn hoofd. 'Vergeet mij niet.'
'Zal ik niet doen,' zeg ik. 'Hoe zou ik je ooit kunnen vergeten?' En ik glimlach, een brede glimlach, voor het eerst in twee of meer weken. Gelukkig nieuwjaar...

3 januari
Ik droom dat ik bij de begrafenis van Kirsty ben. Het is een plechtige aangelegenheid; er staan veel mensen voor een podium te kletsen, naar muziek te luisteren en op een gegeven moment naar haar zingen te luisteren. Dan, nadat ze heeft gezongen, begint een man een lofspraak over haar te houden. Eerst denk ik dat het haar vader is, Ewan MacColl (ook een musicus, net als zijn kinderen). Maar ik ben in de war, want ik weet dat haar vader – die ook de vader van Neill is – dood is (en trouwens, wat doet Kirsty daar, zingend op haar eigen begrafenis?). De man houdt zijn toespraak terwijl hij een tekst leest die hij stevig vasthoudt, maar ik kan zien dat hij heeft besloten bepaalde woorden

weg te laten, omdat deze woorden ongezegd moeten blijven. Gewoonlijk kan ik, in mijn dromen, niet lezen (de letters smelten eenvoudig weg), maar vannacht zie ik twee woorden op de gedrukte pagina die de man vasthoudt: 'innerlijke' en 'uiterst'. Dat zijn de woorden die niet uitgesproken kunnen worden. Wanneer ik wakker word, kan ik de woorden nog steeds zien, maar ze lijken onzinnig: ze zijn als de aanwijzingen in een cryptogram (of misschien het antwoord, al begrijp ik de puzzel niet...).

Ik val weer in slaap, en droom over mijn vriend Oscar Moore, die in 1996 aan aids stierf: maar in mijn droom is hij niet dood. En het is ook niet alsof hij uit de dood teruggekomen is, het is alsof hij nooit heengegaan is. We gaan samen naar een bar, en dan naar een feest (zoals we vaak deden), waarbij hij me door de straten leidt die ik niet helemaal lijk te herkennen. Het is geruststellend hem weer te zien, hij ziet er zo goed uit, zo helemaal echt en laconiek en robuust, na al deze tijd. Oscar geloofde altijd sterk in de geneugten van deze wereld, in plaats van in de volgende. In mijn droom zeg ik tegen hem: 'Sommige dingen veranderen tenminste nooit.'

In de ochtend besef ik dat het feest van gisteravond – het droomfeest – de eerste sociale aangelegenheid is waar ik sinds een hele tijd ben geweest. Misschien moet ik iets aan deze kwestie doen; meer uitgaan, gezien ik nu mijn meeste avonden lijk door te brengen met het e-mailen naar paranormale onderzoekers aan de andere kant van de Atlantische Oceaan; of dat praten tegen de doden.

4 januari
Jamie is ziek. Hij heeft hoge koorts en overal pijn, en schermt zijn ogen af tegen het licht. 'Stel dat ik hersen-

vliesontsteking heb?' vraagt hij me nadat hij in de gootsteen heeft overgegeven.

'Ik weet zeker dat je dat niet hebt,' zeg ik.

'Hoe weet je dat?' zegt hij.

'Ik weet het gewoon,' antwoord ik terwijl ik mijn armen om mijn bevende kind leg. Maar tegelijkertijd is een deel van me bang dat er misschien weer iets vreselijks gaat gebeuren. (De dood omringt ons; hij besluipt ons... dus waarom niet weer een verdwijntruc?)

'Zijn we vervloekt?' zegt Jamie alsof hij mijn gedachten kan lezen.

'Nee, natuurlijk niet,' zeg ik vastberaden, 'op vele manieren hebben we heel veel geluk.'

'Wat voor manieren?' zegt hij.

'Héél véél manieren,' zeg ik. 'Ga nu wat slapen, en morgen is alles beter, oké?'

5 januari
De begrafenis van Kirsty. Voor we erheen gaan neem ik de hond mee uit, om de hoek naar ons buurtpark. Het motregent en het is leeg en stil; maar dan zie ik een roodborstje, en het roodborstje ziet mij, toch vliegt het niet weg. En terwijl ik naar zijn stem luister, zo lieflijk dat het de lucht zou kunnen doordringen, is het net alsof het hele park plotseling gevuld wordt met vogelzang; en een vreemde, pure, wonderbaarlijke vreugde rijst op uit het modderige, vertrapte gras, als stoom, als iemands adem. Het leven is fragiel, onmogelijk... en het enige wat we kunnen doen, is het koesteren. Ik loop naar huis terwijl ik denk dat plassen mooi zijn. En dat de meeste mensen een goed hart hebben, zelfs de knorrige skinhead met de Duitse herder aan de andere kant van het voetbalveldje. Dan ga ik op zoek naar

Neill. 'Ik had net een levensverrijkend moment,' vertel ik hem. 'In het park.'

'O, goed,' zegt hij met een grauw gezicht. 'En waarom was dat?'

'Ik zag een roodborstje,' antwoord ik en dan stop ik, beseffend dat ik ongeloofwaardig klink, als een verzonnen motto op een slappe ansichtkaart. ('Alle dingen helder en mooi, alle wezens groot en klein...')

Tegen de tijd dat we naar de andere kant van de stad rijden, op weg naar het Morlake-mortuarium, is mijn tasje met vreugde gevuld met stof en verderf. De stad in januari is grimmig; de lucht hangt laag over Londen. De mensen buiten het crematorium kijken geschokt, zijn bijna verlamd. Ze staan voorovergebogen door verdriet en hebben een houding alsof ze gekwetst zijn, alsof ze in duizenden stukjes kunnen vallen nadat ze zich uit hun eigen armen hebben bevrijd.

In het crematorium is de kist van Kirsty bedekt met roze en oranje tropische bloemen; en feeërieke lichtjes zijn om het frame eromheen geweven, als bij een hemelbed in een verhaaltje voor het slapengaan. Ik denk dat ze de bloemen mooi zou hebben gevonden – tijgerlelies, de kleur van haar haar – en alle kleine lichtjes, maar ik kan haar hier niet voelen, maar toch, ze moet hier zeker zijn. Ik kijk naar het plafond, maar ik kan haar nog steeds niet zien; hoewel ze aan de andere kant van het gangpad gedeeltelijk wordt weerspiegeld in de gezichten van haar kinderen, die verbaasd lijken dat ze zich hier bevinden. Aan het einde van de begrafenis vult haar stem een paar minuten de ruimte, als een van haar laatste liedjes wordt afgespeeld, en het geluid van haar warme adem kabbelt om ons heen, en dan is ze weg.

Daarna lopen we rond de tuin waar voorafgaande rouwenden kerstkaarten en kristallen in de kale winterbomen hebben gehangen. 'Voor oma, RIP, Gelukkig nieuwjaar,' staat op een van de kaarten die naast een rozenkrans op een tak is geprikt. Sommige kaarten zijn hun kleur kwijtgeraakt, weggevloeid in de regen. Er zijn vervagende foto's, die opkrullen in het vocht achter de glazen omlijstingen; en ook tere bloemenkransen, neergelegd op de barre aarde van de borders van het crematorium, en verwelkte rozen, nog verpakt in cellofaan, mistig geworden door condensatie, als tranen. In een hoek leunt een kleine, natte teddybeer tegen een kleine berijpte plastic kerstboom, als een offergave voor een dood kind.

Neill en ik wachten op zijn jongere broer en zus, Calum en Kitty, die niet voor de begrafenis waren uitgenodigd, maar behoefte hebben vandaag toch iets van haar te vinden. (Wat een familie scheidt, verbindt haar ook in halsstarrige knopen; ik denk dat we dat allemaal weten.) De volgende begrafenis is al onderweg, en er is net een andere lijkwagen gearriveerd, en er zullen er meer zijn voor de dag voorbij is (hoeveel dode mensen passeren hier elk jaar, jaar in jaar uit, gevolgd door zwarte auto's en begrafenisondernemers en meer door leed getroffen gezichten?). Dus lopen we samen door de tuin, op zoek naar Kirsty, maar er is niets meer te zien. Haar bloemen en feeënlichtjes zijn weg. Er is geen rook, geen vuur, geen as. (Soms voelen de levenden zich kouder dan de doden.)

Uiteindelijk verlaten we het crematorium en gaan we een kop thee drinken in de buurt, op de bovenverdieping van een café dat uitkijkt over de rivier. Het tij komt snel op, en het water stijgt. Terwijl het buiten donker wordt vliegen vogels in een pijlformatie westwaarts langs de rivier. 'Toen ik gisteravond in slaap viel, droomde ik over Kirsty,' zegt Calum. 'We spraken niet met elkaar, we zaten gewoon heel dicht tegen elkaar aan. Ze voelde zo warm aan...' De muren van het café zijn roodbruin, als haar haar, en wanneer iemand lacht, denk ik dat zij het is.

Nu is het laat en Jamie slaapt, en ik hoop dat Kirsty vrede heeft; omhoogschietend, hoog, hoog, naar de plaats waar haar stem, haar lieflijke stem, de lucht doordrong.

'O, Aslan,' zei Lucy. 'Wil je ons vertellen hoe je in jouw land komt vanuit onze wereld?'
'Ik zal het je vertellen,' zei Aslan. 'Maar ik zal niet vertellen hoe lang of kort de weg zal zijn, alleen dat hij aan de andere kant van de rivier ligt. Maar wees niet bang, want ik ben de grote bruggenbouwer. Kom nu; ik zal de deur in de hemel openen en je naar je eigen land sturen.'
(Hoofdstuk zestien, Het uiteinde van de wereld, uit De reis van het Drakenschip, *C.S. Lewis.)*

6 januari

Oké, ik ga dus naar een feest. Een echt feest. Alleen, want Neill wil met niemand praten. Maar niettemin, een feest. Onderweg, terwijl ik door Soho loop, ben ik bijna te bang om met dit plan door te gaan (geesten zijn zoveel rustiger dan echte mensen). Maar ik dwing mezelf over Dean Street. Op het feest lijk ik niet in staat te spreken: de woorden komen er in de verkeerde volgorde uit, of ik kan niets bedenken om te zeggen. ('En, hoe gaat het met je?' 'Prima, het gaat goed met me.' 'Goed...' 'Ja...' 'Nou, tot gauw.') Ik probeer een gesprek te voeren met een man die acteur is; hij speelt de vogelverschrikker in een pantomime-versie van *De tovenaar van Oz*. 'Het is vereenvoudigd,' zegt hij, 'maar de kinderen vinden het prachtig.'

'Heb je nog wel een boze heks van het oosten en een boze heks van het westen?' vraag ik hem.

'Ja,' zegt hij.

'Gaat Dorothy van het oosten naar het westen?' vraag ik.

'Ik weet het echt niet,' zegt hij voor hij wegloopt naar de andere kant van de kamer.

Tegen het einde van de avond begin ik een gesprek met iemand over mijn reizen naar de spiritistische unie van

Groot-Brittannië, en ze kijkt me bezorgd aan. 'Je gelooft toch niet echt in al dat gedoe, is het wel?' zegt ze.

'O néé, helemaal niet,' zeg ik vol zelfvertrouwen, maar ik voel me direct schuldig, alsof ik Ruth verraad. (En stel dat Ruth me kan horen, hoe ik haar bestaan op zich ontken? Natuurlijk kan ze me horen, ze zit in mijn hoofd...) Na het feest loop ik naar de auto die ik heb geparkeerd in een rustige, onverlichte zijstraat; een straat die er sinister uitziet om één uur 's nachts. Er lopen drie mannen achter me, die me inhalen, en paranoia borrelt op in mijn maag. En dan besluit ik, in plaats van het op een rennen te zetten, dat ik veilig ben: ik heb minstens drie geesten die me terug naar de auto vergezellen, de beste bescherming die je je kunt wensen. 'Ja, al loop ik door de vallei des doods, ik zal geen kwaad vrezen,' zeg ik hardop, de sleutels als een boksbeugel vasthoudend. De mannen achter me gaan langzamer lopen. Misschien zijn ze bang voor me.

(In de auto besluit ik dat we misschien toch niet moeten vertrouwen op geesten. Ze lijken zo inconsequent in hun acties: geesten als kippen zonder kop die 's nacht rondvliegen, rondwaren in de ether. Waren er vriendelijke geesten die Kirsty hielpen toen ze in gevaar was? Waarom duwde haar overleden vader de boot niet opzij, vijf centimeter in een andere richting, om haar te redden? Waarom dit? Waarom zij? Waarom niet...)

17 januari

Mijn huis is droevig. Zelfs de hond is ziek en wil niet van het bed af komen. Mijn man rouwt, en wil niet van de zolder komen. Mijn oudste zoon is ziek en wil niet stoppen met hoesten. Mijn jongste zoon wil bij zijn vrienden zijn, ergens anders zijn, als het maar niet hier is. Ik loop door het huis als een geest, maak geen indruk, ruim dingen op zonder enig resultaat. Stapels papier rijzen omhoog op de keukentafel. Vuile was ligt in de hoek van de badkamer. Ik ga naar boven, naar zolder, om met Neill te praten en vind hem liggend in een slaapzak op de vloer. 'Wil je praten?' zeg ik.

'Nee,' antwoordt hij en hij draait zijn gezicht naar de muur.

'Denk je dat je naar een therapeut moet?' zeg ik.

'Nee,' zegt hij en hij sluit zijn ogen.

(De week voordat Ruth stierf kwam ze een paar dagen uit het ziekenhuis en bezocht ik haar, om haar te masseren, want ze wilde toen niet meer praten. Ik streek over haar arme, dunne armen, wreef haar gebogen schouders in met lavendelolie, en toen wendde ze zich van me af, draaide ze haar gezicht naar de muur, sloot haar ogen, afwezig, stil...)

Ik ga weer naar beneden en maak lamskarbonades klaar voor het avondeten. Jamie leest zijn boek over de vliegtuigongelukken. Bij elk ongeluk worden de weersomstandigheden vermeld, de dialogen van de piloten uit de zwarte doos, en de namen van de doden. 'Hoe kom je aan dat boek?' zeg ik.

'Weet je dat niet meer? Ik kocht het toen we in Wales waren en het de hele tijd regende,' zegt hij. 'Ik wilde het tot nu toe nog niet uitlezen.'

'Is het niet een beetje deprimerend?' zeg ik.

Hij geeft geen antwoord, verzonken in de statistieken van de omgekomenen. Daarna zegt hij, boven zijn lamskarbonades: 'Ik las een verhaal in de krant over een meisje dat doodging aan BSE. Ze kreeg het door het babyvoedsel. Denk je dat ik BSE heb?'

'Nee,' zeg ik.

'Ik wil wedden van wel,' zegt hij.

'Ik wil wedden van niet,' zeg ik.

'Om hoeveel wil je wedden?' zegt hij. Ik geef geen antwoord, en hij verdiept zich weer in zijn boek. Ik ga weer naar boven om met Neill te praten. 'Ik maak me zorgen om Jamie,' zeg ik. 'Ik vind dat hij heel morbide is geworden.'

'Wie kan hem dat kwalijk nemen?' zegt Neill, die nu uit de slaapzak tevoorschijn is gekomen en naar het computerscherm staart.

'Wil je naar beneden komen?' zeg ik.

'Nee,' zegt hij. 'Ik ben aan het werk.'

Wanneer de kinderen eenmaal in bed liggen, en het enige geluid in huis hun ademhaling is, zet ik mijn computer aan. Ik verlang naar een paar e-mailberichten van iemand, wie dan ook. Ik heb iemand nodig om tegen te praten. Er is één bericht. Het is van mijn vader, van wie ik de lezing over de kabbala vorige week heb gemist. Het is gericht aan 'Babbelkous': het koosnaampje dat mijn moeder me als kind gaf. Het is zo'n 25 jaar geleden dat ik babbelkous werd genoemd. Dit is wat hij schrijft:

'Op elk punt in de joodse geschiedenis waar leed en verbanning de mensen trof, trok men zich begrijpelijkerwijs terug in mystiek en magie. Er was natuurlijk ook een heftige reactie in de richting van militant nationalisme die uiteindelijk destijds werd beheerst, en pas meer werd gerealiseerd in 1948 met de vestiging van de joodse staat: vandaar het Chanoeka-verhaal met betrekking tot de Griekse-Syrische onderdrukking van het tijdelijke succes van de opstand van de Makkabeeën. Met deze gedeeltelijke overwinning volgde het traditionele geloof in een wonder: de kandelaber die acht dagen blijft branden op de olie van één dag, de mystieke daad waarbij God zijn werk verricht via zijn heilige personages. Het boek Ezechiël heeft betrekking op de visioenen van die profeet, geschreven tijdens de Babylonische onderdrukking in de achtste eeuw v.Chr. De visioenen van de goddelijke triomfwagen die, zo staat geschreven, de profeet Elia naar de hemel bracht in het tijdperk van de latere konin-

gen, na Solomon van de elfde eeuw v.Chr. Elia, zo
staat geschreven, ging naar de hemel zonder echt
te sterven door middel van de mystiek vanzelf-
sprekende goddelijke triomfwagen. Dit werd het
fundament van wat joden later de kabbala noem-
den – de Traditie – in dit geval het op mystieke
wijze terugtrekken in de andere wereld door
middel van meditatie die uitsteeg boven het rab-
bijns legalisme, een gortdroge farizeïsche activi-
teit, en die uitsteeg boven de machtsspelletjes
van de rijke, aristocratische Sadduceeërs ten tijde
van Christus...'

De tekst gaat in deze trant nog enkele paragrafen door,
maar hoewel ik hem vijf of zes keer lees en herlees, kan ik
nog steeds niet begrijpen wat hij zegt. Dus stuur ik hem een
e-mail met de vraag wanneer hij zich voor het eerst interes-
seerde voor de kabbala. Zijn antwoord arriveert vrij snel
daarna.

'Justine,
Ik raakte voor het eerst geïnteresseerd in de
kabbala toen ik begin jaren negentig in Hilbrow
in Johannesburg woonde en heel erg mijn best
deed mijn vader te begrijpen en zijn vreemde
vrouwafhankelijke persoonlijkheid... Ik geloof net
als Jung dat religieuze oertypes ten grondslag
liggen aan het onbewuste. De man-vrouw-
verdeling is willekeurig, maar zij werd
gedomineerd door een geslachtloze Tiferet en
overspoeld door zijn Shekhina, zie zijn
romantische poëzie. Mijn tante Anne, die op
kerstavond stierf, vertelde me spottend dat "hij
per se met een maagd moest trouwen..."(!)
Pap
DAFD'

Ik begrijp het nog steeds niet (en ik begrijp niet wie DAFD is); maar niettemin lijkt het feit dat we met elkaar communiceren een goede zaak. Misschien moet ik beter tussen de regels door lezen? Hier zit toch zeker liefde in.

19 januari

'Meneer, als die jongeling had bekend dat hij me bedroog, zou ik hem niet geloven! Misschien bedriegt hij soms; dat ligt in de aard van het "medium", zo zitten ze in elkaar. IJdel en wraakzuchtig, lafaards, geneigd tot krabben. En zo zijn alle katten; toch, een kat is het beest waaruit je de vreemde elektrische vonken verkrijgt door zijn vacht tegen de haren in te aaien...'
(*Uit Mr. Sludge,* 'The Medium', Robert Browning)

Ik heb het gevoel dat ik mijn man in de steek laat. Dat het me niet lukt met de juiste troostende woorden te komen (maar wat kunnen woorden nu doen?). Onze vrienden zijn aardig, maar ook zij hebben weinig te zeggen tegen Neill, tegen mij. Hun strijd weerspiegelt die van mij; en het lijkt alsof we uit het rijk van normale gesprekken zijn geschoven (of misschien lijkt de dood aanstekelijk in de donkerste maand, en bevinden we ons daarom in een geïsoleerde zone zonder te kunnen communiceren). Dit is, gedeeltelijk, waarom ik me heb ingeschreven bij het Arthur Findlay Instituut in Essex, om mee te doen aan een trainingscursus in medium worden; extreme omstandigheden vragen om wanhopige maatregelen. (En ja, ik ben wanhopig, gezien de problemen met het praten met de levenden, om het niet te hebben over het toenemende aantal dode mensen in mijn leven). Ik besef dat anderen dit wellicht zien als iets bizars,

wat de reden is dat ik niemand – op mijn zwijgende echt-
genoot na – over het plan heb verteld. Dus rijd ik over de
M11 en weet niemand waar ik heen ga, wat een ongebruikelijke bevrijdende ervaring is.

Mijn bestemming ligt in de buurt van het vliegveld Stan-
stedt, ongeveer zestig kilometer ten noorden van Londen,
toch had ik net zo goed honderd jaar of verder kunnen
rijden. Het instituut is een uitgestrekt gotisch landhuis,
gebouwd op de restanten van een vijftiende-eeuws huis, en
het epicentrum van de Spiritistische Nationale Unie: de
plaats waar mediums, groot en klein, zich verzamelen om
hun kunst aan te scherpen.

Het sneeuwt, en de bomen die langs de lange oprijlaan naar
het instituut staan, steken wit af tegen de grijze lucht. Het
huis ligt ver van het zicht van de weg, achter een Victoriaans poorthuis, verborgen voor het vliegveld en de snelweg.
Ik parkeer mijn auto onder een hoge pijnboom, en loop
naar binnen. Er zit een kat zonder staart in de voorste hal,
en een man in een zwartleren broek en een lange, donkere
jas zit naast een niet brandende open haard waar hij een
inschrijfformulier invult. Het is heel koud en er hangt een
vage geur van kattenvoer in de stille lucht. De man in het
zwart heeft een uitzonderlijk grote kristal rond zijn nek
hangen, maar ik wil er niet op betrapt worden dat ik naar
hem staar, dus concentreer ik me in plaats daarvan op de
kat, die mijn starende blik beantwoordt zonder met zijn
gele ogen te knipperen.

Een zakelijk uitziende vrouw komt via een andere deur
tevoorschijn en gaat achter de balie zitten. 'Sneeuwt het
nog steeds buiten?' zegt ze tegen me.

'Ja,' zeg ik.

'Goed,' zegt ze met een glimlach, 'we raken hier allemaal
ingesneeuwd.' Ze overhandigt me een formulier: er staan
vragen op over of ik ervaring heb als medium; over mijn
spiritistische contacten; over wat ik hoop te verwerven van
de docenten van de cursus. Ik schrijf dat ik op zoek ben

naar mijn dode zusje; dat ik wil leren hoe ik onderscheid kan maken tussen echte en denkbeeldige stemmen in mijn hoofd.

Ze leidt me door een met hout gelambriseerde gang, door twee paar dubbele deuren naar de lesruimte, een grote kamer die uitkijkt over het lichte, besneeuwde gazon. Er zitten al minstens honderd mensen naast elkaar, hoewel het platform voor hen nog leeg is. Ik ga zitten, verbaasd dat ik een van zoveel ben, en kijk naar de sombere olieverfschilderijen die aan de muren hangen: portretten van Arthur Findlay, de vroegere eigenaar van dit huis, en zijn familie, veronderstel ik (want het was Findlay – een geslaagde effectenmakelaar uit de tijd van Edward die schrijver en filosoof werd – die het eigendom naliet aan zijn medespiritisten als een plaats voor hun inspanningen).

De mediums in opleiding om me heen zijn van alle leeftijden; hoewel er iets meer vrouwen dan mannen zijn. Ik had verwacht dat het grootste gedeelte van het publiek grijze haren zou hebben, maar in feite is er een aanzienlijk aantal van mijn leeftijd of jonger: mensen als ik; mensen als wij...

Om halfvijf komt onze cursusleider – Glyn Edwards – de zaal binnenlopen, gevolgd door acht leraren. Hij gaat op het platform staan, gehuld in een wolk van aftershave (of is het heiligheid?) terwijl de leraren in een plechtige, halve kring om hem heen gaan staan. Vijf van de leraren zijn oudere vrouwen; drie zijn jonge mannen. Een van de laatste is gezet en heeft stekeltjeshaar, met tatoeages op zijn onderarmen, zware laarzen aan, en de koelbloedige blik van een ex-soldaat. De andere twee mannen zijn wat meer timide, terwijl de vrouwen een gezellig theatraal voorkomen hebben. Ze gaan gehuld in sliertige chiffon sjaals en samenzwerend toneelgefluister, in gulden kostuumjuwelen die glinsteren in de slecht verlichte zaal. Wat hun leider betreft: meneer Edwards draagt een goudkleurige das, met een bijpassende gouden zakdoek in de borstzak van zijn tweed jasje. Ik ben geobsedeerd door zijn opmerkelijke kleurcoördinatie: mosterdgeel overhemd, onberispelijke bruine pantalon, keurig pied-de-cocq vest, mooi tweed colbertje en een paar bijpassende gepoetste bruinleren schoenen. Zijn met de föhn gedroogde haar zit keurig, en zijn forse bakkebaarden zijn onberispelijk. 'Gelukkig nieuwjaar!' zegt hij tegen ons allen, waarbij hij zijn tanden ontbloot tot wat ik aanneem een glimlach is. Onze stemmen klinken niet voldoende zelfverzekerd naar zijn zin, dus zegt hij tegen ons luider te reageren. 'GELUKKIG NIEUWJAAR!' roepen we in koor, als een gehoorzaam poppenkastpubliek. De eerste taak van meneer Edwards is om ons in groepen te verdelen, maar dit neemt enige tijd in beslag omdat hij doof is ('Ik heb een hoorapparaat, maar dat doet het niet altijd') en we spreken niet hard genoeg voor hem, en er is nog meer verwarring omdat een paar namen op de lijst die hij voor zich houdt verkeerd zijn gespeld. Als hij bij mijn naam komt, lijkt deze absoluut niet op wat hij zou moeten zijn, dus als ik luid de correcte versie zeg, kijkt hij vol schijnwanhoop hemels. 'Is daar iemand?' roept hij, wat een uitbarsting van gelach voortbrengt.

Daarna onderhoudt meneer Edwards ons over het belang van hard werken en verantwoordelijkheid in onze training. 'Ik ben helderziend, dames en heren, ik zie álles,' zegt hij bij wijze van waarschuwing. 'We gaan terug naar waar we vandaan komen,' vervolgt hij, waarbij zijn stem de zaal vult terwijl hij ons met duidelijke afkeer dreigend aankijkt. 'Ken je je eigen geest?' zegt hij tegen het nu zwijgende publiek. 'KEN JE JE EIGEN GEEST?' Nog steeds antwoordt niemand. 'WAAROM, IN GODSNAAM, KEN JE HEM NIET?' dondert hij. 'Dit weekend gaat verlopen zoals ik dat wil,' vervolgt hij, met een vage strijdlust, hoewel niemand hem tegenspreekt, 'en zoals de geesteswereld dat wil.' Zijn stem klinkt zachter – en ik ben onder de indruk van zijn krachtige redenaarstechniek, ondanks dat ik me vaag afgestoten voel – terwijl hij doorgaat met deze eigenaardige mengeling van vermaning en inspiratie. 'Vanavond laten we jullie gewend raken aan zitten in stilte, om één te worden met de wereld van de geesten, om je vredig te voelen, kalm, tevreden, om je geestmensen met je in verbinding te brengen. Jullie zullen leren hoe je hen met jou laat communiceren, hoe je je bewust wordt van hoe ze jullie beïnvloeden, en om te beginnen deze ervaringen te accepteren...

Je moet je eigen ervaring hebben,' zegt hij terwijl zijn stem nog zachter klinkt dan daarvoor, en dan, plotseling, schreeuwt hij weer, zo luid dat ik opschrik. 'EN DAT IS WAT JULLIE DIT WEEKEND ZULLEN KRIJGEN!' Dan fluistert hij, zo zacht als een vogel op de zolder. 'Als we dat kunnen, dan zit de sleutel in de deur...'

Meneer Edwards tuurt verbeten naar zijn gegrepen publiek. 'We hebben het over een macht uit de geesteswereld, over een vibratie, over een energie,' zegt hij. 'Het kan alleen gebeuren als je ermee wilt samenwerken. Ik koester belangstelling voor eenieder van jullie, ik ben betrokken bij eenieder van jullie, ik voel wat er met jullie is meegekomen, maar jullie moeten me vertrouwen, de geestmensen hebben er behoefte aan dat ze jullie kunnen vertrouwen. We gaan deuren openen, een raam naar je ziel openen... Vaak, wanneer het niet lijkt dat er dingen gebeuren, gebeurt er wél iets op de achtergrond. Je begint je te openen. Willen jullie dat doen?' vraagt hij ons.

'JA!' roepen we in koor.

Na de les gaan we naar de eetzaal voor het diner. Ik vind een plaats aan een tafel met zes anderen: drie onwaarschijnlijk jeugdige, goed geklede twintigers uit Devon (een verpleegkundige, een winkelmanager en een taxichauffeur, die elkaar in een plaatselijke spiritistenkerk hebben ontmoet); twee mediums uit Guernsey, die voor deze gelegenheid overgevlogen zijn; en een 28-jarige vrouw uit de wereld van lichte transporten. Er is één lege plek aan tafel. (Ik denk graag dat deze misschien in beslag is genomen door Ruth, maar de anderen hebben ongetwijfeld ook zo hun geesten bij zich.)

Mijn tafelgenoten zijn echt enthousiast over meneer Edwards, en lopen ver op me vooruit in hun spiritistische training, dus hou ik mijn mond tijdens het eten (vooraf groentesoep; grote hamlappen met gemengde groenten daarna; en overal heel veel slappe thee). Halverwege de voortgang luidt meneer Edwards – die zich heeft omgekleed in een fris, bedrukt overhemd – een handbel, en het wordt stil in de eetzaal. 'Jullie groepswerk begint om kwart voor acht,' zegt hij. 'Wees niet te laat, onder geen enkele omstandigheid...'

Ik heb een lerares toegewezen gekregen die Muriel Tennant heet. Om tien over halfacht verzamelen ik en de rest van de groep zich in een kamer die bij de regelmatige bezoekers van het instituut bekendstaat als 'De grote lounge'. We zijn bij elkaar met veertien en zitten op harde, plastic stoelen in een kring in het midden van een enorme, bleekgroene salon met een hoog plafond. Rode fluwelen chaises longues en weelderig beklede armstoelen zijn opzijgeschoven tot achter de kring. Er staat een kleine elektrische kachel, die niet brandt, voor de lege marmeren openhaard. Een bouwvallige televisie, met tape over het bedieningspaneel geplakt, leunt ertegenaan. We zeggen niets, maar onze adem vormt kleine, broze wolken in de kou.

Wanneer Muriel arriveert gaat ze in de kring, maar toch een stukje van ons af zitten. 'Hou je stoel op het kleed,' instrueert ze ons, 'en niet op de houten vloer.' Even stel ik me voor dat het kleed gaat vliegen, ons optilt en meeneemt de nacht in; maar het blijkt dat Muriel zich alleen zorgen maakt dat er krassen op het parket komen.

Muriel blijkt, net als meneer Edwards, een beetje doof te zijn. Maar ze schreeuwt niet tegen ons; ze is een bemoedigende en vriendelijke lerares die met kalmerende stem spreekt, al zij het met een ongebruikelijk perfecte uitspraak. Ik schat haar in de zestig, maar ze heeft ook iets leeftijdsloos. Ze vraagt ons onszelf voor te stellen, een voor een, de kring rond. Zo leren we elkaar allemaal kennen. De eerste is Charles, een ernstige zakenman met een zijlijn in geesten die uit Florida hiernaartoe is gevlogen. Dan Dee, een verlegen hippie uit Zuid-Londen, die de rest van ons aankijkt vanachter een gordijn van donker haar. John, een oudere spiritist die slippers draagt en een geel chenille bloes, weggestopt in de broek van zijn joggingpak. Dan Joyce, een jonge spiritiste met laarzen met plateauzolen, die wulps, mooi en zenuwachtig is. Margaret met haar grijze haren, die gespannen en overdreven beleefd is. Yvonne, een keurig uitziende grootmoeder met paranormale en genezende gaven. Dan Bev, een spiritist uit Dorset, die ongeveer net zo oud is als ik. Daniël, een student uit Taiwan die nu in Amsterdam woont. Mark, uit Dublin, die eruitziet als zestien, maar zegt dat hij 27 is. Dan Herbert uit Sheffield, met een indrukwekkende grijze baard die tot aan zijn borst komt, en grijs haar dat in een staart naar achteren gebonden is. Nog een John, maar dan jonger (die door Muriel John 2 wordt gedoopt) die een Hard Rock Café T-shirt draagt. Virginia, een zachtaardige Aziatische dame die in Oxfordshire woont. En als laatste Di, een genezer uit Reading, die al een paar keer eerder aan het instituut heeft gestudeerd.

Voor onze eerste oefening moeten we de ogen sluiten en de geesten bij ons laten komen. 'Velen van jullie zullen hier bedreven in zijn,' zegt Muriel, 'maar als je het moeilijk vindt, verbeeld je dan hoe je omringt bent door wit licht...' De kring zwijgt; de kamer is donker. Ik ben moe, de rit hierheen, de lezing, deze mensen zijn uitputtend. Ik denk aan een wit licht. Witte hitte, die mijn hoofd vult; witheet, in deze koude plaats. In de duisternis achter mijn ogen smelt het licht het glas tussen Ruth en mij. Ruth bevindt zich in het donkere bos, maar is niet langer alleen, en ze pakt mijn hand. Ze zegt niets, maar ze glimlacht terwijl ik met haar het bos in loop. Dan verdwijnt ze, en sta ik bij de ingang van het huis waar Kimberley zes jaar geleden overleed. Ik beklim de trap en ik loop langs haar lichaam. Ik loop door, de laatste trap op, naar het kleine dakterras boven op haar huis. Daar staat ze op me te wachten, badend in het zonlicht, hoog in de lucht, het licht in haar gezicht, glanzend op de daken. Ik spring van de rand van het terras in de blauwe leegte en val over de bomen, over de onregelmatige straten van Londen naar de rivier bij Blackfriars Bridge. Ik sta op de noordoever en kijk uit over het water. Op de zuidoever zie ik al mijn dode vrienden: Kimberley, Kirsty, Oscar, Adam, Beth, Jon, Simon. Ze zeggen niets tegen me, maar ze kijken me aan. Ruth is er ook. Ze komt naar me toe, en de rivier is weg, en we dansen samen, dansen in het witte licht. Links van me is een tunnel van wit licht; onder mijn voeten is een rode ruimte die nergens heen leidt. Ruth is weer verdwenen, maar uit de tunnel zie ik een figuur komen: een gipsen beeld van Christus die een lam vasthoudt. Ik raak het lam aan. Het is zacht en warm en leeft.

'Jullie kunnen nu je ogen openen,' zegt Muriel. Ik open mijn ogen en staar naar het kleed, terwijl ik stiekem op mijn horloge kijk. We hebben hier bijna een uur gezeten, en mijn voeten zijn gevoelloos door de kou. 'Zou iemand zijn of haar ervaring met de kring willen delen?' zegt Muriel. 'Er leek veel krachtige energie in de kamer te zijn.' Ik wil mijn ervaring niet delen (Jezus, wat gênant!) maar ik luister naar de anderen, die het hebben over aura's en geest-gidsen. (John 2 heeft een indiaan die er altijd voor hem is.) Muriel is heel tevreden met ons en eindelijk is de les afgelopen. Iedereen blijft hier vannacht, maar ik rijd terug naar Londen. 'Ik wil wedden dat het hier vol geesten zit,' zegt Tracey, die tijdens het avondeten naast me zat en die ik op weg naar huis in de hal tegenkom. 'Ik doe geen oog dicht, dat weet ik zeker.'

'Ik ben blij dat ik naar huis ga,' zeg ik, naar waarheid, en ik loop de voordeur uit, de sneeuw in, de duisternis in.

20 januari

'Medium zijn vraagt om waardigheid,' zegt meneer Edwards, die beledigd kijkt. Het is kwart voor tien en we 'zitten in de Kracht' in het Heiligdom, wat de spiritistische kapel naast het instituut is. '"Zitten in de Kracht" stelt je in staat zelfrespect te ontwikkelen,' vervolgt meneer Edwards. 'Je kunt pas voorwaarts gaan als je respect hebt voor je eigen geest.' Meneer Edwards draagt deze morgen een lichtoranje overhemd, met een knaloranje das, en een bijpassende trui om zijn schouders geslagen. Hij is zeer geïrriteerd omdat iemand – een naamloos iemand, die niettemin in zijn schurkenboek staat – vandaag niet in het Heiligdom is verschenen. 'Wanneer mensen deze sessies niet bijwonen, betekent dat een belediging voor mij,' schreeuwt hij, zijn gezicht paars van woede, 'en het is een belediging voor de geest.'

En dan wordt zijn stem weer zachter. 'Ik wil niet dat jullie op zoek gaan naar een ervaring, een ervaring verwachten,' zegt hij terwijl hij met zijn hand in de lucht prikt. 'Als een ervaring komt, laat je die komen, laat je die gaan... Je leert de MACHT hoe die je kan manipuleren... We moeten de manier vinden. Alles wat we hebben komt van een grotere macht.' Meneer Edwards beent op en neer door het gangpad dat naar het altaar leidt (of is het een toneel?). Hij vertelt ons over de magische macht die de bomen buiten heeft bestoven met sneeuw; over de magie die God is; over de magie in ons. 'Ik ben geen manifestatie van God, ik bén God,' zegt hij met een stem die tot in de uiterste hoeken van het Heiligdom reikt.

Meneer Edwards spreekt ons lange tijd toe deze morgen, maar uiteindelijk pauzeren we voor een kop thee, en verdwijnt meneer Edwards voor een sigaret in de privé-zitkamer van het medium. De leerlingen lijken uitzonderlijk aangemoedigd door zijn lezing vandaag, hoewel er enige teleurstelling wordt geuit over het gemis aan koekjes bij de thee. ('Vorig jaar hadden we chocoladebonbons en gemberkoekjes,' zegt een dame achter me in de rij voor de thee. 'Bezuinigingen, vermoed ik,' zegt haar vriendin.)

Om halftwaalf splitsen we op in onze groepjes, dus zit ik weer in de lounge met Muriel. De schikking is dezelfde als de avond daarvoor – ze heeft ons gevraagd op dezelfde stoel te gaan zitten in de kring – maar vandaag staat er een ezel met een wit vel papier voor de stoel van Muriel. Ze tekent een eenvoudig figuur op het papier, met een grote torso in het midden. Rondom de figuur tekent ze een lijn. 'Dit is de aura,' zegt ze terwijl ze naar de grillige lijn wijst. 'Wat je was, wat je bent, wat je hoopt te zijn, dat is je dagelijkse aura. We zijn ermee vergroeid, en de aura is met ons vergroeid.'

Dan tekent ze een kring links van het midden in de torso, waar je het hart kunt verwachten. 'Iets bezielt je,' zegt ze, wijzend naar de kring. 'Het is je eigen geest die je bezielt. Dat is wat je in eerste instantie hier bracht...' Ze tekent meer grillige lijnen, die vanuit de kring uitstralen naar de aura en verder. 'Dit zijn de energiestralen die via je alledaagse aura beginnen te werken,' legt ze uit. 'De verlichten – de geestgidsen – beginnen die energiestralen op te merken via je auraveld. De verlichten zeggen: "Aha! Is het niet prachtig!" Dus beginnen ze energie te brengen en vermengen deze met de geestesmacht van eenieder van jullie...'

Muriel tekent nog een lijn dwars door het midden van de torso van de stakige man. Onder deze lijn, legt ze uit, zit het onbewuste. 'Dit is de spirituele activator en de menselijke computer,' zegt ze. 'Alles wordt in het onbewuste opgeslagen, zelfs als we het in het dagelijks bewustzijn niet hebben geregistreerd. Bij het medium zijn,' zegt ze, 'komt het onbewuste in het spel.'

Mijn gedachten beginnen af te dwalen, terwijl ik uit de

ramen van de grote lounge staar, naar het witte gazon en de besneeuwde bossen buiten. Ergens, vlakbij, luiden kerkklokken in een onzichtbare toren. Ik tel twaalf, maar de klokken stoppen niet met luiden. Aan de rand van de kamer, waar het gisteravond te donker was om iets te kunnen zien, staat een grote mahoniehouten kast. Achter het glas, waar onze adem in condens naar beneden druppelt, zien de tuinen en de bossen van Essex eruit als Narnia in de winter.

Muriel vertelt ons over haar grote mentor, een medium dat nu dood is en Gordon Higginson heette. 'Ik heb hem een kast in zien gaan in die bibliotheek,' zegt ze, met glanzende ogen in haar bleke, bepoederde gezicht, wijzend naar een deur aan de andere kant van de kamer. 'Hij ging de kast in met een eenvoudige zwarte broek en bloes aan, en kwam eruit in een vloeiend geestgewaad.' Zijn gewaad was gemaakt door de geesten, zegt ze, en uit zijn mond en neusgaten kwam teleplasma, wat het vlees en bloed van de geesteswereld is, het ruwe materiaal van gene zijde. 'Je kunt de geestgezichten zien in het teleplasma,' zegt ze. 'We zagen het allemaal, in diezelfde kamer.'

'Wat is precies teleplasma?' zegt Daniël, die overdreven veel belang hecht aan details.

'Het lijkt op rook,' zegt Herbert.

'Of gesponnen suiker,' zegt John 2.

'Het is geanalyseerd door een beroemde Duitse wetenschapper,' zegt Muriel 'en het bevat menselijk vlees.'

Joyce trekt haar mooie neus op. 'Het punt is,' zegt Muriel, 'dat er elke dag kleine wondertjes zijn. Jij zou een klein wonder kunnen zijn!' Ze is even stil en kijkt eenieder van ons in de kring aan. 'Ik geef geen les aan iemand die faalt,' zegt ze. 'Ik heb alleen mensen die proberen.' Herbert knikt begrijpend. 'Nu,' zegt Muriel, 'ik wil dat jullie je opsplitsen in groepjes van twee, en de een zal om beurten de ander lezen, waarbij je gebruikmaakt van zowel paranormale krachten als je mediamieke vermogens.'

Mark is er vanmorgen niet – blijkbaar was hij vannacht heel erg ziek – dus zijn we niet langer met een even aantal, en ik kom terecht in een groep van drie, met Yvonne en Bev. Er wordt beslist dat ik als eerste ga, en ik begin met Bev. Ze draagt een geborduurde spijkerbroek, dus ik neem aan dat ze een tienerdochter moet hebben, die haar heeft aangemoedigd zo'n aankoop te doen. Ik sluit mijn ogen en probeer me haar leven voor te stellen. 'Je hebt een tienerdochter,' zeg ik. Bev knikt. 'Jullie hebben een heel goede band.' Bev knikt opnieuw. 'Jullie luisteren samen naar popmuziek en lezen dezelfde tijdschriften.' Bev blijft knikken. 'Je bent hier heel goed in, Justine,' zegt Yvonne bemoedigend. Mijn rechteroor begint zeer te doen. Er klinkt een vage zoem in mijn oor. 'Ik hoor een R,' zeg ik. 'Begint de naam van je dochter met een R?' 'Ja, dat klopt!' zegt Bev, hoewel ik niet het gevoel heb dat ik veel gedaan heb.

'Nu allemaal overschakelen,' zegt Muriel, dus keer ik me naar Yvonne. Gisteren had ze het tussen neus en lippen door over een kleindochter gehad. 'Er is een klein meisje dat je zeer na staat,' zeg ik. 'Ja, ja, dat klopt!' zegt ze met een tevreden uitdrukking op haar gezicht. 'Ze is je kleindochter,' zeg ik. 'Ja, ja, dat klopt!' zegt Yvonne. 'Ze houdt heel veel van je,' zeg ik, 'en jij houdt van haar. Jullie hebben een speciale band.' 'O, ja, die hebben we inderdaad,' zegt Yvonne. 'Ze is de dochter van je zoon,' zeg ik, opnieuw een gok. 'Dat klopt!' zegt Yvonne. 'Je hebt ook met hem een goede band,' zeg ik. Yvonne ziet er nog gelukkiger uit.

'Blijf doorgaan,' zegt Muriel, dus ik kijk nog nauwlettender naar Yvonne. Ze is heel netjes, heel keurig, heel goed gekleed. 'Je hebt een uitzonderlijk net huis,' zeg ik. 'De soort plaats waar je van de keukenvloer zou kunnen eten.' 'Nou ja, ik ben érg trots op mijn huis,' zegt Yvonne. 'Je hebt helemaal gelijk.'

Dan nemen Yvonne en Bev over en lezen mij. 'Je bent een stadsmens,' zegt Yvonne, die naar mijn schone trainingsschoenen kijkt. 'Je woont niet op het platteland,' zegt Bev.

'Woon je aan een hoofdweg?' zegt Yvonne. Ik, nee, dat doe ik niet, maar ja, ik woon in Londen. Ze komen niet veel verder ('Je man heeft een vrij beroep'; 'Heb je kinderen?'); en dan verzamelt Muriel ons weer in de kring en vraagt ons over onze voortgang als medium.

'Hoe kan ik weten dat ik het niet verzin?' zegt Joyce.

'Zie verbeelding niet als iets negatiefs,' zegt Muriel. 'Verbeelding is positief, verbeelding is creativiteit.'

'Ik had het gevoel dat ik gewoon aan het raden was, aan het vissen,' zegt Joyce. 'Ik zag niks.'

'Medium zijn gaat vaak over vóélen, en niet over zien,' zegt Muriel. 'Voor mij zijn deze dingen kleine wondertjes.'

We onderbreken voor de lunch (lasagne, appeltaart, meer thee), en komen in de middag weer bij elkaar. 'Nu, ik wil dat jullie heel hard blijven werken,' zegt Muriel, die haar chiffon sjaal herschikt. 'Ik wil dat jullie allemaal, om de beurt, mij een reading geven. Ga staan, spreek helder, en wees zelfverzekerd. Ga jullie gang.'

Twee van de mediums in opleiding zien bomen ('de boom des levens?'). Muriel knikt, bemoedigend. Eén ziet een kerk. Nog meer geknik van Muriel. Daniël ziet een kapster, die Muriel heel na staat. 'Mijn kleindochter is kapster,' zegt Muriel. 'Goed gedaan, Daniël.' John 2 ziet zijn indiaan, die hem met een vredespijp leidt. 'Soms moet ik vrede stichten in de spiritistische beweging,' zegt Muriel. 'Dat ís een van mijn rollen.' Di scoort heel hoog met haar visioen van Muriels vader, die doorkomt van gene zijde. 'Hij draagt een versleten corduroy broek,' zegt Di, 'en hij wijst naar zijn voeten. Hij heeft van die grote knobbels aan het eind van zijn schoenen, ik denk dat hij last moet hebben van zijn voeten.' 'Di, dat is uitstekend,' zegt Muriel. 'Mijn vader had vreselijke problemen met zijn voeten voordat hij naar de geest overging.'

Dan is het mijn beurt. Ik haal diep adem, en ga staan. Iedereen kijkt vol verwachting naar me. Ik sluit mijn ogen. Ik zie Muriel op een toneel dansen, draaiend, glimlachend, stralend in het witte licht. 'Je was ooit danseres,' zeg ik tegen Muriel met licht trillende stem.

'Dat klopt,' zegt Muriel. 'Ik heb veel medailles gewonnen in mijn tijd, weet je. Ik zat bij het toneel.'

Ik sluit mijn ogen opnieuw. Ik zie een jonge man in een rolstoel. Hij is gehandicapt, maar met zijn verstand is niets aan de hand. Er klinkt weer gezoem in mijn rechteroor, een R, er is nog een naam die begint met een R....(Dit is belachelijk, ik probeer mijn zwijgende Ruth te horen.) De jonge man in de rolstoel spreekt nu. Hij zegt tegen Muriel: 'Dans met mij, alsjeblieft.' Ik open knipperend mijn ogen weer. 'Het spijt me, ik hoop dat dit niet beledigend klinkt,' zeg ik, 'maar ik zie een jonge man in een rolstoel, en hij vraagt je ten dans. En ik denk dat zijn naam begint met een R...'

'Ronnie!' zegt Muriel. 'Hij kwam regelmatig naar dit instituut voor hij stierf, en hij zat hier in deze kamer met mij, en ik had muziek aangezet op de platenspeler, en we dansten samen, terwijl ik zijn rolstoel in de kamer rondduwde. O, ik moet zijn lieve moeder vertellen dat hij vandaag in de geest doorkwam.'

De kring om me heen is nogal onder de indruk. Ik ga weer zitten. Dit is allemaal onzin, denk ik. Misschien vertelt Muriel me alleen dat ze een jongen in een rolstoel kende om me aan te moedigen. Maar nee, ze doet niet alsof, ze gelooft in dit gedoe, ik weet dat ze erin gelooft. 'Zie je, we hadden een klein wondertje vandaag. Is het niet geweldig?' Ze staat op en loopt naar het midden van de kring. 'Nu moet je ook je toneelkunst kennen,' zegt ze. 'Daardoor kom je als medium over. Stel dat je een dem doet, dat is een afkorting van demonstratie, zoals jullie waarschijnlijk allemaal al weten. Je krijgt de boodschap van de geest, en je wijst naar iemand in het publiek...' Ze richt haar arm op een dramatische manier in de richting van Yvonne. 'Je geeft de boodschap – zoiets als "je kleindochter is je heel dierbaar" – en dan wend je je af, maar je blíjft met je arm naar

Yvonne wijzen.' Ze wendt zich van ons af en staart naar het plafond alsof ze op zoek is naar meer boodschappen, en wendt zich dan weer naar Yvonne en fixeert haar met een doordringende blik. 'Zie je?' zegt ze terwijl ze haar armen weer langs haar zij laat vallen. 'Je houdt de dramatische spanning vast met dat wijzen. En aarzel niet, blijf praten, zelfs als je iets fout hebt. Als je blijft praten, heb je uiteindelijk wel iets goed. Je hoeft niet te interpreteren of uit te leggen. Vergeet nooit: de ontvanger is de analyticus.'

Als volgende op het rooster staat een trance. We gaan om beurten in trance – ik sluit mijn ogen en probeer het witte licht te vinden, maar blijf het afleidende gesnurk van de oudere John horen – terwijl de anderen in de kring verslag uitbrengen over de fysische manifestaties en aura's die eenieder van de in trance verkerende toekomstige mediums omringen. Alle anderen zien een smaragdgroene kleur en slingers van goudkleurige en blauwe flitsen. Ik, daarentegen, zie niets, absoluut niets, hoewel ik in de duisternis blijf staren, tot mijn ogen op het punt staan te gaan tranen. 'Heb je iets gehoord, Joyce?' zegt Muriel. 'Er zat veel geesteskracht om je heen.'

'Nee,' zegt Joyce flegmatiek.

'Hoorde je geen stromend water?' zegt Muriel.

'O, ja, ja, dat hoorde ik,' zegt Joyce, 'blauw water.'

'Goed gedaan,' zegt Muriel.

'Ik zag kabouters en schoorsteenvegers,' zegt John 2, die een Hard Rock Café T-shirt in een andere kleur dan gisteravond draagt. 'Ze dansten rond de voeten van Justine.'

'Ik denk dat je moet proberen bééldende manifestaties te vermijden,' zegt Muriel tactvol. 'Probeer je in plaats daarvan te concentreren op de kleur van de aura.'

'Ik heb nog niet genoeg les gehad,' zegt John 2, een kiene doch gevoelige ziel.

'Wanhoop niet, je hebt een groot potentieel,' zegt Muriel. 'Ik was vroeger een zenuwachtige student, net als jij. En toen pikte Gordon Higginson me er op een dag uit, toen ik hier op cursus was, en hij zei tegen me, hij zei: 'Muriel, jij zult een docent in trance en fysisch mediumschap worden.'

'Ik zal het blijven proberen,' zegt John 2.

'Vergeet niet dat er niemand faalt in mijn klas,' zegt Muriel, 'er zijn alleen mensen die proberen.'

Buiten is de mist neergedaald. Het is onmogelijk meer dan een paar meter voor je uit te zien. We worden verondersteld vanavond weer 'in de Kracht te zitten' met meneer Edwards, die ons daar tot na elf uur zal houden, en dat kan ik niet opbrengen, ik weet dat ik dat niet kan. Na het avondeten (erwtensoep, gesmoorde kip, aardappelpuree, meer thee) zoek ik Muriel op. 'Muriel,' zeg ik, 'het spijt me echt, maar ik denk dat ik vanavond vroeg weg moet. Mijn oudste kind is niet echt in orde...'

'Natuurlijk, liefje,' zegt Muriel. 'Je moet nu gaan en echt héél voorzichtig naar huis rijden.' Ik vraag me af of ze een ongeluk kan voorzien.

'Ik wil geen problemen krijgen met meneer Edwards,' zeg ik. 'Hij was zo boos vanmorgen over de persoon die de sessie "zitten in de Kracht" miste.'

'Maak je geen zorgen,' zegt Muriel. 'Ik zal alles aan hem uitleggen. Hij zal me gewoon op mijn woord moeten geloven.'

Terwijl ik mijn jas aantrek zie ik Muriel met meneer Edwards praten, en misschien is het alleen mijn verbeelding, maar ik weet zeker dat hij boos kijkt... Het maakt niets uit, het maakt niet uit, ik ben vrij, op weg naar de voordeur, de auto in, de oprit af, ik kan niets zien, maar op de een of andere manier zal ik thuiskomen, over niet al te lange tijd. De weg maakt een bocht naar links, maar er zijn geen lichten buiten, alleen de lichten van de auto. Volg gewoon het licht, zorg dat je thuiskomt, in de stilte, laat me slapen, laat me slapen...

21 januari

Het regent in Londen, en de sneeuw is vannacht gesmolten. Er ligt grind op de weg, en het besmeurt de voorruit van de auto. Maar ik blijf doorrijden, ik tuur naar voren, over de lege snelweg op zondag, om het instituut op tijd te bereiken voor de eerste sessie van de dag. Tegen halftien zit ik in het Heiligdom en kijk ik omhoog naar de glas-in-loodramen die hoog in de tegenoverliggende muur zitten. Er zijn zeven ramen: eenvoudige vormen; eenvoudige kleuren (rood, geel, blauw). Ze doen me denken aan de ramen die ontsnapping aanduidden in het televisieprogramma *Playaway*, waar Ruth en ik altijd naar keken toen we klein waren (zouden we door het ronde of het vierkante raam gaan? Je wist tot op de laatste minuut nooit welke het was...).

Deze ochtend draagt meneer Edwards een beige overhemd en een kastanjebruine trui om zijn schouders gedrapeerd. De rest van de docenten zit achter hem, inclusief de potige man met de tatoeages, die vandaag gekleed gaat in een glimmend zwart overhemd met korte mouwen. Iedereen heeft de ogen gesloten, op de man in het zwarte overhemd na, en – af en toe – ik (als ik mijn ogen opendoe omdat ik me opgejaagd voel, hoop ik dat hij niet kan zien dat ik naar hem kijk).

Meneer Edwards wordt bezocht door geesten. Hij klinkt niet langer boos; hij is bijna kalmerend. De engelen zijn met hem, zegt hij. 'We zijn meer dan jullie broers en zussen, meer dan jullie vaders en moeders,' mompelt meneer Edwards zachtjes, terwijl zijn stem rijst en daalt als de golven. 'Laat al je pijn en leed en verlies los, want God is in je.' Het sneeuwt weer buiten, zacht en koud en stil. Maar in het Heiligdom is het warm, en zelfs de nepbloemen verwelken in de bedompte kamer. Mijn ogen worden zwaar, en ik drijf ergens anders heen, wie weet waar, door het ronde raam, ik weet niet zeker waarom...

Na enige tijd vertrekken de engelen en zo ook meneer Edwards, voor weer een sigarettenpauze. Twee dames op de voorste rij springen naar voren en nemen het platform in beslag voor een onderbreking om fondsen te werven. Er komt een veiling, een veiling van een lied, dat wordt gezongen door een van de docenten, een vrouw die Jill heet. Het bieden begint bij zestig pond, en de docente stapt naar voren. Ze leunt op een wandelstok, maar haar stem klinkt krachtig. '*Somewhere over the rainbow*', zingt ze zonder enige begeleiding, behalve de glimlach van het publiek, '*way up high there's a land I heard of, once in a lullaby. Somewhere over the rainbow, skies are blue, and those dreams that you dare to dream, really do come true...*'

Tijdens de ochtendpauze met thee (niet voor mij, ik verdrink in de slappe thee), loop ik de grote trap in de hoofdhal op naar de eerste verdieping, waar een collectie vervaagde foto's van geesten aan de muren hangt. Op een van de foto's kijkt een flegmatiek kijkende geest in een Edwardiaanse kinderjurk ongegeneerd naar de camera. Ze staat in het midden, met een grote ketting om haar nek, die duidt op oriëntalisme. Ergens anders gaan de mediums gehuld in teleplasma, als oude mousseline of kaasdoek, spinnenwebben of een veeg op het glas. Er zijn zwarte en witte geesten die dubbel belicht kunnen zijn geweest; kransen van het graf die op het gezicht van de rouwenden zijn gemaakt. Naast de foto's wordt nog een gedenkteken getoond: een kroon van doornen, in een ronde glazen kast. Er zit geen label op. Ik kan niet raden waardoor deze hier is gekomen.

Nog één sessie te gaan... Muriel leert ons haar lievelingsmantra. 'Ik ben goed, ik ben God, ik ben alom aanwezig.' Ze vertelt ons meer over Gordon Higginson (de man van de wonderbaarlijke manifestaties); en over Jezus, van wie

Muriel meent dat hij 'het grootste medium van allen' is (groter zelfs dan Gordon).

Nog één lunch te gaan... Rosbief, yorkshire-pudding, verschillende groenten en trifle als toetje. (Iemand nog thee?' 'Nou, graag...') Het meisje dat naast me zit vertelt me over haar moeder die twaalf jaar geleden zelfmoord pleegde ('Het was tijd voor haar om te gaan'). En de vrouw die tegenover me zit onthult dat ze een baby had die overleed, die nu bij haar is, in de geest...

Nog één les te gaan... Meneer Edwards zal ons een demonstratie geven van zijn verbijsterende mediamieke vermogens. Hij praat heel snel, met veel details die me niets zeggen, over een garage en verkeerslichten en een straat die is verdwenen; een plaats die er niet meer is, maar die de geesten zich herinneren. Een vrouw met grijs haar knikt: ja, ze kent de plaats waarover hij het heeft. Meneer Edwards spint zijn geestverhaal en dan is hij, plotseling, weer boos. Hij staat voorovergebogen, alsof hij ondraaglijke pijn lijdt. 'Hoe kunnen jullie me dit aandoen!' schreeuwt hij tegen het publiek. Twee mensen hebben net de zaal verlaten om hun vliegtuig te halen. 'Het is een belediging weg te gaan terwijl ik nog aan het praten bent, ik voel me misselijk, misselijk,' zegt hij, waarbij hij de woorden eruitspuugt als gal in zijn keel.

Het publiek is stil, gespannen, voelt zich niet op zijn gemak. Gaat meneer Edwards hier voor onze neus overgeven? Nee, dat gaat meneer Edwards niet doen. Hij gaat verder over zijn verbinding met de geestmensen, hoewel hij geïrriteerd is, verongelijkt als de grijsharige vrouw hem niet begrijpt. De klok tikt; het publiek schuift op de stoelen; niemand mag de zaal verlaten; meneer Edwards moet niet opnieuw boos gemaakt worden. Eindelijk is de dag voorbij. Ik neem afscheid van Muriel en ren naar de auto. Tegen de tijd dat ik terug ben op de snelweg is de sneeuw verdwenen. Het witte, gereflecteerde licht vervaagt nu in de schemering van januari...

'Het is waar! Op de een of andere manier geef ik van-
daag waarheid over. Dit vak van mij, ik weet het niet
zeker, maar er zit iets in, trucjes en zo!
Echt, ik wil mijn eigen geest verlichten.'
(Mr Sludge, 'The Medium', *Robert Browning*)

28 januari

Vanochtend droomde ik over Ruth. Ze is, eindelijk, teruggekeerd uit Amerika en woont weer bij Matt en de tweeling. 'Ik zit een beetje krap bij kas,' zegt ze. 'Ik heb een
poosje niet kunnen werken.'

'Maak je geen zorgen, ik zal je helpen,' antwoord ik. 'Moet
je het geld van het Guys-ziekenhuis terugbetalen? Het geld
voor je dood, nu je weer hier terug bent?' (Een tijdje voordat Ruth stierf, aan een kanker die niet werd gediagnosti-
ceerd tot het te laat was om haar te behandelen, ging het
ziekenhuis buiten de rechtbank om akkoord met een redelijk aanzienlijk bedrag – niet veel voor een leven, maar
genoeg voor de hypotheek – dat naar Matt, Lola en Joe
ging.)

'Ik moet een IT-cursus volgen,' zegt Ruth. 'De rechtbank
heeft bepaald dat het geld van Guys moet worden uitgege-
ven aan een training voor mij in de computertechnologie.'
We spreken met elkaar in een minibus die oostwaarts rijdt.
Ze zit naast Matt en hun kinderen. Ik ben samen met Neill
en onze kinderen. Ik ben heel blij haar te zien, maar ook in
de war, omdat Matt nu met Anna is getrouwd. En ik dacht
dat Ruth dood was, maar nu zit ze hier, levend en wel: stralend van goede gezondheid zelfs.

We rijden weg van een huis waarin we eens met onze
ouders woonden; een oude boerderij in Wales. In de droom
zijn we allemaal terug geweest naar dit huis – eigenlijk is

zelfs ter sprake gekomen dat we daar voorgoed gaan wonen – maar ik voel me er niet in op mijn gemak. Ik was nooit gelukkig in dat huis, en ik ben er nu ook niet gelukkig in. 'Ik kan niet terug naar het huis,' zeg ik in mijn droom tegen mijn moeder. 'Ik wil dit alles niet nog een keer meemaken.'

We waren naar de boerderij verhuisd toen ik een tiener was. Mijn ouders waren uit elkaar gegaan, en mijn vader had zijn baan aan de universiteit van Oxford opgegeven en had ergens een kamer gehuurd. Maar toen hadden ze besloten weer te gaan samenwonen, in de boerderij in Wales. We zouden een gelukkig gezin op het platteland worden. Hoe snel begon het mis te gaan? Ik kan het me niet herinneren. Mijn vader was heel erg gedeprimeerd. Dat waren we allemaal. Hij had een opname van Ted Hughes die zijn 'Kraai'-gedichten voorlas, en hij speelde deze altijd luid af. Het ging over duistere tijden en de dood. Ruth vond een opname van de poëzie van Sylvia Plath en begon deze, zelfs nog luider, in haar slaapkamer af te spelen. Ook dat was nogal deprimerend. Soms wisselde ze deze af met haar favoriete plaat: '*Jesus Christ Superstar*'. Mijn vader drukte zijn gezicht in zijn handen en zei dat hij was teruggekeerd naar drie antisemitische katholieke heksen. Mijn moeder spendeerde veel tijd aan het planten van bloemen in de tuin, en groenten, zodat we op een dag onafhankelijk konden zijn. Er was een oude golfplaten schuur aan het eind van de tuin, die stukje bij beetje uit elkaar viel. Op een dag vonden we er een nest adders, weggestopt in de stenen fundering.

Onze dichtstbijzijnde buren woonden aan de andere kant van ons land: echte boeren, in een nieuwe boerderij. Ze hadden twee enorme schuren vol legbatterijen. Ik kon me er niet toe brengen langs de kippenhokken te lopen. Het zag eruit als een concentratiekamp. Soms, als ik een glimp van de vogels opving, kon ik de bloederige pijnlijke plekken in hun nek zien waar de veren waren weggepikt. Ik hield niet van het platteland. Ik haatte het. Ik klom in een boom in het veld voor het huis – zo ver mogelijk van de kippen vandaan – en zat daar, dromend over ontsnapping. Ruth zat daar met mij, als ze niet naar Sylvia Plath en *Jesus Christ Superstar* luisterde. We waren toen allebei punkrockers geworden, daar in de boom. Ze verfde haar haar blauw. Het mijne was knaloranje. We hadden zwarte plastic broeken en truien van de rommelmarkt. Elk weekend liepen we anderhalve kilometer naar het dichtstbijzijnde dorp, waar we vervolgens de bus naar Cardiff namen om punkgroepen te zien spelen in Top Rank. We zagen de Clash, de Jam, de Damned en de Sex Pistols. Daarna namen we de laatste bus naar huis.

Ik had geluk. Ik kon naar de universiteit van Cambridge toen ik zeventien was. Maar ik voelde me schuldig dat ik Ruth thuis achterliet, alleen in de boom. Mijn ouders waren weer uit elkaar gegaan. Mijn vader had een nieuwe vriendin. Mijn moeder ging tegen kernenergie protesteren in Greenham Common. Ze woonde in een tent. Ruth kwam vaak bij me logeren; twee jaar later kreeg ze een plek aan dezelfde universiteit. Zo herinner ik me alles, maar het ging waarschijnlijk niet in die volgorde en andere mensen zagen het ongetwijfeld anders. Ik heb nog altijd de brieven van Ruth uit die tijd, en soms lees ik ze opnieuw, op zoek naar aanwijzingen. In oktober 1979, toen ik net aan mijn eerste termijn was begonnen, schreef ze me om me te vertellen dat ze haar haar zwart had geverfd en een nieuwe geruite jurk had gekocht om over haar punkbroek te dragen. Onze moeder was minder gedeprimeerd, zei Ruth, en druk bezig met het aanbrengen van kurktegels tegen het plafond van de slaapkamer. Op 7 november stuurde ze me weer een brief om me te vertellen dat ze haar haar groen had geverfd. 'Afgelopen zaterdag ging ik naar tweedehands kledingwinkels, op zoek naar dingen voor jou,' gaat ze verder. 'Ik zag heel veel leuke dingen – lurex jurken en zo – maar het was nogal duur, dus heb ik niets gekocht omdat het veel geld was en ik niet zeker wist of je ze leuk zou vinden. Ik zal wél een paar dingen kopen op de volgende rommelmarkt.' Op 19 april 1980 schreef ze om te zeggen dat onze vader weer wilde intrekken, maar dat 'morgen waarschijnlijk alles weer is overgewaaid'. Ze had gesolliciteerd voor een vakantiebaantje voor de zomer bij British Home Stores, en 'ik kocht wat blauwe haarverf van Crazy Colour en ga een keertje mijn haar strepen/verven/oplichten. Ik was een beetje ondeugend, en zei dat ik bij een kapper werkte, aangezien de groothandelaar alleen aan kapperszaken verkoopt. Ik voel me er een beetje paranoïde over, en verwacht nu elke minuut de politie aan de deur met een arrestatiebevel.' Aan de achterkant van de envelop had ze zichzelf getekend in de zee met een T-shirt met een hart op de voorkant en allemaal haaien om haar heen. Op 5 mei schreef ze om te bedanken voor de oorbellen die ik haar voor haar zestiende verjaardag had gestuurd. 'Ik had een theefeestje met cakes, chips en pinda's, passend bij mijn nieuwe image...' Onze vader had gebroken met zijn vriendin en Ruth was gezakt voor haar piano-examen. 'Ik kon het niet geloven,' zei ze.

30 januari
Er was een e-mail van Dale Palmer in Indiana. Zijn langverwachte website draait, en hij heeft een paar vrienden, inclusief Sarah Estep en mij, uitgenodigd in te loggen en te testen of we de stemmen van onstoffelijke wezens kunnen opnemen, door middel van het medium van wit, roze of bruin geluid. Ik begrijp niet helemaal wat de verscheidene gekleurde geluiden betekenen, en Neill kan me daarmee ook niet helpen wanneer ik naar de keuken ga om hem te vragen het uit te leggen. Niettemin ren ik meteen weer de trap op naar zolder om nú contact op te nemen met de

onstoffelijke wezens. Helaas kom ik de website niet eens op, laat staan dat ik de geluidsbestanden kan downloaden, want mijn postcode in Londen is niet dezelfde als een Amerikaanse zipcode, en zonder een zipcode om je te registreren kan ik op de een of andere manier geen toegang krijgen tot wat ik nu zie als het veld van dromen aan de andere kant van mijn computerscherm. Ik e-mail Dale om mijn probleem uit te leggen, ook om advies te vragen over hoe ik contact kan krijgen met Ruth, en hij e-mailt terug met de woorden: 'Ik verwacht dat alles wat we proberen negenennegentig keer mislukt, maar dat het de honderdste keer wel lukt.' Hij voegt eraan toe: 'Wil je een bericht naar Ruth sturen? Zeg het gewoon hardop of denk er gewoon aan, dan kan ze je in elk geval horen. Onstoffelijke wezens in de hogere realiteit kunnen, als ze dat willen, al weten wat we denken en van plan zijn. Het is niet plaatsgebonden. Het doel van de site is dat zij met ons kunnen communiceren: niet wij met hen.'

Dale gaat verder met te zeggen dat de afgelopen paar weken voor hem ook moeizaam zijn geweest. Zijn nieuwe hoorapparaat, dat vijfduizend dollar kost, verdween vlak voordat de website klaar was om te testen, dus kan hij nog steeds geen onstoffelijke stemmen horen (als die ontvangen waren). Bovendien hadden zich 73 virussen vastgeklampt aan de gedownloade bestanden die nodig waren voor de tests. 'Sommige dagen voel ik me als Job,' zegt hij. Misschien dat hij een paar dagen Indiana ontvlucht voor een korte vakantie in Florida met zijn vrouw Kay. Maar het onderzoek zal doorgaan. Wanneer de nieuwe software is geïnstalleerd, zullen de stemmen in de toekomst nog gemakkelijker te begrijpen zijn en aldus verzekeren dat 'feitelijke communicatie tussen dimensies van de realiteit echt door iedereen gemakkelijk te begrijpen wordt'.

'Gij zijt allen jammerlijke vertroosters.'
(Job 16, vers 2.)

6 januari

Zes jaar geleden stierf Kimberley. Zes jaar is een lange tijd, maar ook geen tijd. Soms lijkt het gisteren; vandaag. (Wanneer iemand doodgaat, verdwijnen ze niet altijd uit je leven. Je hebt een relatie met hen: een relatie die verandert, die zich begint aan te passen aan hun stilte. Je gaat verder, maar ze gaan met je mee. Je laat elkaar niet achter...) Vanmorgen om kwart voor acht schiet er een lichtflits door de lucht en volgt een donderslag die zo luid is dat ik dacht dat er een bom ontploft was. Jamie en Tom rennen met verschrikte ogen de slaapkamer binnen. Buiten gillen de auto-alarmen, en dan gaan de sirenes af.

Een seconde later is het voorbij. De wereld is niet vergaan. Dinsdagmorgen gaat het leven verder. Zes jaar geleden was het een maandagmorgen. Tom was ziek geweest, hij was nog een baby, koortsig, bleek, net uit het ziekenhuis met het vermoeden van longontsteking, wat een heftige griepaanval bleek te zijn. Ik had het gevoel alsof ik weken niet had geslapen. Ik was bij hem in het ziekenhuis gebleven, waarbij ik nachtenlang, die eeuwen leken te duren, wegdoezelde naast zijn ledikantje. (Er waren ook andere problemen. Mijn moeder was met een man getrouwd – mijn stiefvader, de bloedspecialist – die aids bleek te hebben. Ze woonde bij hem in Amerika, en ik was bang dat zij zou worden besmet, als terugslag voor het oude katholieke martelaarschap van haar familie, wat me boos maakte. Ze vond dat ik bijgelovig was. Ik vond haar roekeloos. We leken niet in staat tegen elkaar te praten zonder te schreeuwen. Wat mijn vader betrof: hij was teruggekeerd naar zijn thuisland, Zuid-Afrika, waar Ruth en ik hem een paar maanden daarvoor hadden bezocht, waarbij we Jamie en Tom hadden meegenomen voor het negentigste verjaardagsfeest van hun grootvader van mijn moederskant. Mijn vader leek toen op de rand te staan van weer een instorting, en knarste met zijn tanden tot ik vreesde dat er alleen bruine stompjes over zouden blijven. Zijn leven was nu nog meer versnipperd, en zijn tandartsrekeningen liepen huizenhoog op...)

Ik probeer geen smoesjes te verzinnen; of misschien doe ik het wel, op een indirecte manier, voor mijn falen Kimberley ervan te weerhouden zichzelf te doden. Verdriet is niet noodzakelijkerwijs lineair, noch het schuldgevoel van de overlevende. (Na de dood van Ruth vertelde de rouwverwerker me dat er vijf stappen zijn op de weg naar herstel: verdoofd zijn, ontkenning, woede, verdriet, aanvaarding. Dezelfde stappen die de terminaal zieke zet, als ik de ziekenhuisfolders moet geloven, maar het kan toch niet zo zijn dat ik de enige ben die naar een kortere weg zoekt en uiteindelijk op de omweg terechtkomt? En er is toch zeker meer dan één aanvaardbare route; en allerlei onweerstaanbare omleidingen?)

Ik had Kimberley enkele dagen niet gesproken. Ik wist niet dat haar depressie was verworden tot een zwarte vloedgolf van wanhoop. Ik wist niet dat ze ongelukkig was, dat ze een uitweg zocht voor haar ongelukkig zijn. Ze had zich gericht op astrologie, paranormale genezing en spiritisme. Een of twee keer in de week ging ze naar een spiritistische kerk in de buurt. Ik weet niet wat ze daar vond. Ik weet wel dat ze ergens naar magie zocht; naar een ontsnappingsroute naar een andere plaats. Ze had vrienden gemaakt onder sommigen – een van hen was een toekomstvoorspeller – die voor een ouderwetse kermis werkten die elke augustus naar ons park kwam. De kermis vulde het park met houten paarden die rondgaloppeerden op een door stoom aangedreven carrousel. Er waren roze suikerspinnen en kleine vliegtuigjes die in rondjes draaiden en de lucht in werden getild. De zomer ervoor had Kimberley de kermis in verschillende delen van Zuid-Engeland bezocht. De dood leek echter geen plaats waar ze naartoe zou willen.

Het dochtertje van Kimberley, Juliette, had blond haar als het hare, en blauwe ogen. Ze was bijna vijf jaar, net een paar maanden jonger dan mijn zoon Jamie. Op de dag dat ze werd geboren had ik Jamie meegenomen naar deze nieuwe baby in het ziekenhuis. (Was het mijn verbeelding, of keken ze elkaar diep in de blauwe ogen en zagen ze dingen die wij niet konden zien?) Ze waren samen opgegroeid; speelden samen op de kleuterschool, zaten bij elkaar in de klas. We woonden op één huis na naast elkaar. Soms, toen ze net hadden geleerd te rennen, in de tweede winter van hun leven, namen Kimberley en ik hen mee naar het koude park om de hoek van onze straat. Vaak waren wij de enige mensen in het park op die druilerige doordeweekse ochtenden, toen ieder ander aan het werk leek te zijn, of thuis, veilig in de warmte. In de zomer had Juliette een roze driewielertje en Jamie een blauw, en hielden we picknicks in het park: appelsap en boterhammen met pindakaas. Juliette en Jamie; Jamie en Juliette. Kimberley was een eindeloos liefhebbende moeder, die bereid was cakes en tekeningen te maken, terwijl ik alleen maar naast de kinderen op de bank neerplofte. Toen Tom net was geboren, en Neill weken achter elkaar in Amerika aan het werk was, en ik doodmoe en met een grauw gezicht droop van de melk en de tranen, schoot Kimberley vaak te hulp. Toen ik, zes jaar geleden, hoorde dat ze zelfmoord had gepleegd, zei ik: 'Dat kan niet waar zijn. Ze heeft vorige week Jamie en Juliette van school gehaald... Ze houdt van haar kind.'

Maar nu is ze zelf ten val gekomen. Een kloof had zich geopend en haar opgeslokt. Tot die week voor haar dood hadden we de meeste avonden zitten praten, uitputtende gesprekken, die in rondjes draaiden, over haar depressie, en haar verwarring over welke richting precies ze verondersteld werd te gaan. 'Iedereen voelt zich soms zo,' zei ik. 'Maar leef bij de dag...' Naast gemeenplaatsen had ik therapie voorgesteld; ze had het geprobeerd, zonder succes. Ze vertelde me dat de eerste therapeut die ze bezocht een cirkel van wol om haar voeten had gelegd, wat niet leek te helpen. Ik vertelde haar dat ze misschien naar een andere therapeut moest gaan, en ook naar haar dokter, en dat deed ze. Ze begon Prozac te slikken, alsmede een hele reeks homeopathische middelen. Ze had ze me allemaal laten zien, al haar pillen op een rij op haar keukentafel, naast een flesje met kruiden dat Rescue Remedy heette, en andere geheime formules gemaakt uit zomerbloemen en bladeren.

'Dit is de moeilijkste tijd van het jaar,' zei ik. 'Maar het wordt beter. Na februari is het al bijna lente. Het wordt dan weer licht. We kunnen dan picknicken in het park, net als vorig jaar. Tom kan dan al een beetje lopen. Misschien moeten we in juni samen op vakantie gaan? Aan zee ergens?'

Ze glimlachte en zei dat ze daarnaar uitkeek. Ze was de dag voor mij jarig. Midzomerverjaardagen. 'We zijn allebei Tweelingen,' zei ze altijd, 'schizofrene Tweelingen. We denken hetzelfde, jij en ik.' Tegen deze tijd was ze gescheiden van haar man David. Ik kon niet begrijpen waarom ze bij hem was weggegaan. 'Hij is zo goed voor je,' zei ik. 'Je leeft maar één keer,' antwoordde ze.

Kimberley doodde zichzelf, ergens in de vroege uurtjes die volgden op een lange zondagnacht, in de flat die ze had betrokken aan de andere kant van het park. Juliette was er niet: ze had het weekend bij David doorgebracht. Kimberley had de deur naar haar flat een stukje open laten staan. Daardoor hoefde hij niet opengebroken te worden; haar lichaam lag daar, klaar om in de stilte te worden gevonden. (Wanneer precies besloot ze zelfmoord te plegen? Ik begreep het niet. Hoe had ze aan zoiets kunnen denken?) De avond voor haar zelfmoord had ze lijsten geschreven: lange lijsten voor het verjaardagsfeestje van Juliette, dat de volgende week zou plaatsvinden. Lijsten die in cirkels liepen; knopen van problemen die niet ontward wilden worden. Ze liet ook een briefje achter waarin stond dat ze in de duisternis had gezeten – een donkere doos – en op zoek was naar het licht. De dood was niet meer dan een brug naar het licht.

Ik heb haar lichaam nooit gezien, waar ik op een bepaalde manier nu spijt van heb. Maar ik zie haar, heel af en toe, nog steeds de hoek voor me omslaan; lang blond haar, gevangen in een zonnestraal. Haar begrafenis vond plaats in het Mortlake Crematorium, op een koude, doordeweekse dag waarop we anders in het park hadden kunnen rondlopen. Daarna liep ik naar de tuin van het crematorium, en daar trof ik Jamie en Juliette samen aan, kleine gezichten die opkijken naar de nu heldere lucht. 'Daar is Kimberley nu,' zei Jamie. 'Ze ging daar naar boven, door het blauw, naar de sterren. Ze kan ons nu zien.'

Vaak voel ik haar achter me staan. Als ik me snel genoeg omkeer kan ik haar misschien zien, maar dat gebeurt nooit. Ik voel alleen haar adem in mijn nek. 'Ik weet dat je er bent,' zeg ik. Zij zegt nooit wat.

13 februari

Juliette wordt elf vandaag. Jamie heeft een gesprek bij een middelbare school in de stad. We zijn er vroeg en wachten buiten, naast de rivier. De zon schijnt, en het is eb. Hij schijnt niet met me te willen praten. Ik neem aan dat hij moe is, en nerveus.

'Hoe is Kimberley gestorven?' zegt hij, uit het niets, terwijl hij staart naar het water onder ons.

'Ze pleegde zelfmoord,' zeg ik.

'Dat weet ik,' zegt hij. 'Maar hoe? Hoe heeft ze zichzelf vermoord?'

Ik aarzel, probeer tijd te winnen. 'Weet Juliette het?' zeg ik.

'Ja,' zegt hij.

'Nou, misschien moet je met haar erover praten.'

'Ik wil het haar niet vragen,' zegt hij. 'Ik vraag het jou.'

'Ik weet het niet zeker,' zeg ik na een lange pauze. (Sommige geheimen zijn niet aan mij om te delen; sommige eindes behoren andere mensen toe; hoewel ik wilde dat ik de goede antwoorden kon vinden voor mijn kinderen.)

'Oké,' zegt hij, nog altijd starend naar het water.

Daarna, terwijl hij het gesprek voert, loop ik over Blackfriars Bridge naar de zuidzijde van de rivier. Daar, op de korrelige zandoever, ligt een bos gele rozen. Ze zijn nog vers, en netjes samengebonden met een lint, alsof ze daar zijn neergelegd als een teken van liefde, of een krans. Maar er zit geen briefje aan, niets waaruit op te maken valt waar de bloemen vandaan kwamen. Ik leun over de reling in een poging het beter te kunnen zien; maar er zijn nog steeds geen aanwijzingen. Ik denk eraan om over de reling te klimmen die me scheidt van het water, als ik aan Jamie denk, die aan de andere kant van de rivier op me staat te wachten. Ik wend me af van de rozen en ga terug naar waar ik vandaan kwam; terug naar mijn zoon.

Die nacht droom ik over Kimberley. Ze leeft, en ze overhandigt me een briefje dat ze heeft geschreven. Ik lees het niet – ik kan nog steeds niet lezen in mijn dromen, hoezeer ik het ook probeer; de woorden lopen gewoonweg in elkaar over – maar ik neem het briefje van haar aan, omdat ik weet dat dit, eindelijk, zal bewijzen dat er een leven na de dood is. Het is materieel bewijs.

Dan begin ik me verward te voelen. Misschien is het briefje geen enkel bewijs van iets. Misschien is ze nooit gestorven. Vergis ik me? 'Ik ging naar je begrafenis in het Mortlake Crematorium,' zeg ik, aarzelend, tegen Kimberley.

Ze glimlacht alleen tegen me; een raadselachtige, zwijgende glimlach. 'Waar heb je al die jaren gezeten?' vraag ik haar. 'Wat probeer je me te vertellen?'

Ze geeft geen antwoord. Ik word wakker, en het briefje is weg.

15 februari

*'Paranormaal onderzoek is een poging dat wat onge-
bruikelijke feiten zijn met elkaar in verband te brengen
en te interpreteren. Dat kunnen feiten zijn die alleen
ongebruikelijk lijken, of ze kunnen helemaal geen feiten
zijn.'*
(The Society for Psychical Research: An Outline of
its History, *door W.H. Salter,* SPR, *president, 1947-
1948)*

Halfzeven 's avonds. De Society for Psychical Research
houdt haar jaarlijkse Gwen Tate Memorial-lezing in een hal
in Kensington Central Library. Dit jaar wordt de lezing
gehouden door professor David Fontana, een psycholoog
aan de universiteit van Cardiff, voormalig president van de
vereniging, en momenteel lid van de raad. Zijn lezing
draagt de titel 'Nieuw licht op overleving'. Ik weet dit alles
door mijn middernachtelijke surfen op het Net: wanneer
de kinderen slapen en Neill er niet is, ben ik vaak op zoek
naar meer informatie over hoe je contact kunt opnemen
met de doden. De ene vreemde website leidt je naar de
andere; geen van alle leidt naar Ruth.
Niettemin is de vereniging (die een heel sobere website
heeft) een zeer verheven instelling. Ze werd opgericht in
1882 door een aantal wetenschappers, spiritisten, en classi-
ci (hoewel de spiritisten zich al snel terugtrokken, zich ver-
vreemd voelend door wat zij zagen als de merendeels academische benadering van de vereniging, en stichtten wat
het Instituut voor Paranormaal Onderzoek zou worden).
De eerste president van de vereniging was Henry Sidgwick,
professor in de morele filosofie aan de universiteit van

Cambridge. De oprichters hadden tot doel 'zonder voor-oordelen te onderzoeken... welke faculteiten, echt of veron-dersteld, van de mens onverklaarbaar blijken in termen van een erkende hypothese'. De vereniging telde twee Britse eerste ministers onder haar leden (Balfour en Gladstone), naast Freud, Jung, sir Oliver Lodge, sir Arthur Conan Doyle, en een heleboel andere eminente Victorianen en Edwardianen. (De Gwen Tate die in de titel van de lezing wordt herdacht, was de dochter van Henry Tate – van Tate & Lyle Sugar – die een genereuze erfenis naliet in haar tes-tament ter ondersteuning van de activiteiten van de vereni-ging.) De academische traditie is tot op de dag van vandaag voortgezet, met een veelheid van professoren die betrokken raken in een wetenschappelijk debat over paranormale en occulte kwesties, hoewel de vereniging minder hoog staat aangeschreven dan tijdens de verwoestende nasleep van de Tweede Wereldoorlog. De comfortabele wereld waarin ik tot voor kort leefde – waar mensen feestjes hebben, geen begrafenissen – is niet erg geïnteresseerd in de activiteiten van de vereniging. Maar ik ontdek dat ik me steeds meer aangetrokken voel door deze kant van het leven (de kant die tegen de dood aan leunt, waar je de rand kunt benade-ren en in de kloof kunt kijken). Dus hier zit ik, in een half-lege lezingzaal, met ongeveer vijftig leden van het over het algemeen oudere publiek, wachtend op nieuwe openbarin-gen.

Veel van wat professor Fontana te zeggen heeft gaat me ver boven de pet. De obsessie met ether en teleplasma waar-door zijn voorgangers, de Victoriaanse paranormale onder-zoekers (een obsessie die zich uitstrekte tot ook de vorige eeuw) in de greep werden gehouden, schijnt te zijn vervan-gen door de taal van de kwantumfysica. Vandaag concen-treert professor Fontana zich op 'het concept van niet-plaatsgebonden zijn' in een welbespraakte poging te suggereren, met gebruik van de taal der moderne weten-schap, dat het bewustzijn los kan staan van het lichaam, en daarom ook de dood zou kunnen overleven. Niet-plaatsgebonden zijn, zegt hij, 'is het blijkbare vermogen buiten tijd en ruimte te opereren. En als de menselijke geest niet plaatsgebonden is, heb je een zeer sterk argument voor de overleving van het leven na de dood.' Hij baseert zijn theorie op het feit dat 'elk atoom in het menselijk lichaam onderdeel is van de kwantumwereld' en dat 'kwantummechanieken erop wijzen dat binnen het atoom zelf nietgebondenheid aan het werk is'. Tot zover kan ik het volgen, maar wanneer professor Fontana overgaat naar de 'golfdeeltjesparadox' en 'de halveringstijd van willekeurige deeltjes' ben ik de draad kwijt. Niettemin geniet ik van zijn lezing. Er is een kalmerende poëzie te vinden in zijn interpretatie van natuurkunde; in zijn verhalen van nevelkamers en weerkaatste elektronen. 'Het is onze daad van waarneming die de wereld creëert,' zegt hij. 'Wat gebeurt er wanneer we sterven? We zijn medescheppers van alle realiteit die we na de dood ervaren...'

Na zijn lezing is er thee met koekjes, en er zijn kopieën te koop van de Voortgang van de Vereniging voor Paranormaal Onderzoek. Aan het ene eind van de kamer onderhouden een paar jonge fysici Fontana in een esoterisch kwamtumgesprek. Aan weer een andere kant wisselt de grijsharige meerderheid van het publiek anekdotes uit over klopgeesten en spoken. Ik voel me verstrikt zitten in het midden, op drift in het midden, verloren in limbus. Ik loop naar het boekenstalletje achter de theetafel en koop boek 58, deel 220 over de voortgang: *Het Scole-rapport* van David Fontana, en twee van zijn collega's in de vereniging, Montague Keen en Arthur Ellison. Ellison, een voormalig professor in de elektrotechniek aan de universiteit van Londen, stierf vorig jaar, maar meneer Keen, een gepensioneerd parlementair correspondent, is vanavond aanwezig. Ik had al over het Scole-rapport gehoord, dat in november 1999 werd gepubliceerd, opnieuw via het Net, waar het in de meest verre regionen nog gonst van het nieuws dat dit cindelijk het natuurkundig bewijs is voor leven na de dood. 'Je moet eerst het rapport lezen voor we verder kunnen praten,' zegt meneer Keen nadat ik hem na de lezing in een hoek gedreven heb. 'En dan zal ik je testen om te zien of je begrijpt wat we zeggen.' Ik denk dat hij een grap maakt – over het testen in elk geval – maar hij schijnt toch een voorzichtige wetenschapper te zijn.

17 februari 1911, Freud schrijft Jung vanuit Wenen:
'Geliefde vriend,
Ik begrijp dat je me niet gelooft; je schijnt te denken dat ik mijn cycli heb en dat ik, plotseling, op bepaalde intervallen, de behoefte voel door een roze gekleurde bril naar de wereld te kijken. Ik begrijp dat ik je meer details moet geven...
De Vereniging voor Paranormaal Onderzoek heeft me gevraagd mijn kandidaatschap als corresponderend lid voor te dragen, wat betekent, naar ik aanneem, dat ik gekozen ben. Het eerste teken van belangstelling in het goede, oude Engeland. De ledenlijst is zeer indrukwekkend...
Altijd de jouwe, Freud.'

18 februari

Het heeft me enkele dagen gekost om door de 452 in kleine lettertjes gedrukte bladzijden van het Scole-rapport heen te komen (met als ondertitel: 'Een verslag van een onderzoek naar de echtheid van een reeks fysische verschijnselen geassocieerd met een mediamieke groep in Norfolk in Engeland'). Scole is de naam van het dorpje in Norfolk

waar vier mensen van middelbare leeftijd – Robin en Sandra Foy, en nog een ander stel: Diana en Alan Bennett –
twee keer per week een seance hielden, wat in 1993 begon
in de kelder van het echtpaar Foy. Robin Foy, ex-officier
van de RAF en manager in de papierhandel, was in de voorgaande dertig jaar zeer geïnteresseerd geraakt in het
paranormale, een preoccupatie die hij deelde met Sandra,
zijn tweede vrouw. Ze werden in hun zoektocht naar fysiek
bewijs voor leven na de dood bijgestaan door Allan Bennett, timmerman en medium, en zijn vrouw Diana, spiri-
tueel genezer. De Scole-groep noemde zichzelf Nieuwe Spiritistische Wetenschappelijke Stichting, en na een paar
maanden van inspanningen beweerden ze zowel boodschappen als fysieke voorwerpen te ontvangen van een
team van 'geestmededelers'. De gematerialiseerde voorwerpen – die in de wereld van paranormaal onderzoek bekend-
staan als een 'apport' – omvatten een exemplaar van de
Daily Mail van 1 april 1944, met een voorpaginaverslag
over de schuldig bevonden Helen Duncan, een medium
dat was vervolgd onder de wet op hekserij uit de achttien-
de eeuw. De Scole-groep beweerde dat de geest van Duncan zich bij hen had aangekondigd, en had verklaard dat ze
van plan was bewijs te leveren van haar leven na de dood.
Ze zeiden ook dat ze boodschappen hadden ontvangen van
gene zijde die waren gecreëerd op onbelichte, ongeopende
fotorolletjes, en een opname op een taperecorder waar de
microfoon van was verwijderd.

Hun beweringen veroorzaakten een enorme opwinding in
de kleine, hecht verbonden wereld van spiritisme en
paranormaal onderzoek, waar iedereen elkaar kent, en het
nieuws bereikte al snel de vereniging. Vele jaren lang had
het 'fysieke' mediumschap – het vertoon van zwevende
tafels, kloppende geesten en teleplasma die zo populair
waren in de negentiende en begin twintigste eeuw – een
neergaande lijn vertoond. Enkele beroemde beoefenaars
hiervan waren ontmaskerd als oplichter. En wat de rest

betrof: hun kunst leek met hen te sterven. Maar nu leek de Scole-groep iets anders te bieden. Het had niets te maken met ether of teleplasma (of uitgebraakt kaasdoek, nu we het er toch over hebben, waarvan Helen Duncan werd beschuldigd dit in haar seances te hebben gebruikt). Het was een 'moderne' vorm van geestcommunicatie, met gebruik van technologie die meer bij de huidige tijd paste.

In 1995 mochten Arthur Ellison en Montague Keen bij een Scole-seance aanwezig zijn, als onderzoekers en waarnemers van de vereniging. Een jaar later kwam David Fontana erbij, en het duurde lang voordat de drie mannen overtuigd waren van de authenticiteit van de communicaties met het 'geestteam'. Ze geloofden dat het team berichten doorgaf van dode wetenschappers, inclusief Thomas Edison en Oliver Lodge. In januari 1997 schijnt er, op geheimzinnige wijze, op een ongeopend fotorolletje een elektrisch schema te zijn verschenen met instructies voor het maken van een 'germaniumapparaat' waarmee de levenden rechtstreeks met de doden konden communiceren, zonder de noodzaak van een medium. Volgens de Scole-groep werd het schema welwillend ter beschikking gesteld door Edison zelf, compleet met zijn handtekening.

(Geruchten over de machine van Edison voor het praten met de doden doen al jaren de ronde, zelfs al vanaf dat hij in 1920 een interview gaf voor de *Scientific American*, waarin hij zei dat hij werkte aan een apparaat dat 'persoonlijkheden in een andere existentie of sfeer... een betere mogelijkheid geeft zich te uiten dan het optillen van tafels en het kloppen en ouija-borden en andere grove manieren die nu ogenschijnlijk de enige manier van communicatie zijn. Laat me uitleggen dat dit apparaat een soort klep is, zogezegd. Dat wil zeggen, de minst mogelijke inspanning wordt geleverd om vele keren de beginkracht uit te oefenen voor geleidende doeleinden. Het is gelijk aan een elektrische centrale, waar de mens, met zijn relatief miezerige eenachtste paardenkracht, een klep opent die een stoomturbine van 50.000 paardenkrachten in werking stelt. Mijn apparatuur is iets soortgelijks...' Ondanks een aantal zoekpogingen na de dood van Edison in 1931 is zijn apparaat nooit gevonden. In de jaren veertig probeerde een eminent onderzoeker voor General Electrics de machine te bou-wen, naar informatie die naar verluidt was doorgegeven door Edison tijdens een seance in New York. Het werkte niet.)

Er staat meer – veel meer – in het Scole-rapport, inclusief de mysterieuze verschijning op nog een fotorolletje van 'Ruth', een gedicht van Wordsworth dat naar men beweert kleine veranderingen bevatte door de geest van de dichter zelf in manuscriptvorm. ('*Sweet Ruth! With thee I know not how/ I feel my spirit burn...*') Maar aan het einde van dit alles woedden de discussies voort binnen de vereniging – en daarbuiten – over of de Scole-groep nep is of niet. Na veel intern geworstel werd het Scole-rapport gepubliceerd met een appendix met enkele sceptische commentaren van leden van de vereniging die minder overtuigd waren van het bewijs dan de schrijvers. Volgens een van de sceptici 'is de productie van fysieke effecten van de meest mondaine en banale aard – in bijna of volledige duisternis – zeker geen "doorbraak" en niets nieuws'. Wat betreft het 'germaniumapparaat'; het leek nooit juist te werken, ondanks alle hoop op het tegendeel, en produceert alleen een 'waterachtig' geluid in de aanwezigheid van de onderzoekers.

21 februari

(Dictionary of Superstitions) *'GETIJDE-genezingen: 1887 Speranza Wilde, Bijgeloof van Ierland. 'Plaats, om koorts te genezen, de patiënt op een zanderig strand wanneer het vloed wordt, en de zich terugtrekkende golven dragen de ziekte weg en laten hem gezond achter.'*

We zijn naar een warm eiland gegaan, Neill en ik en de kinderen, voor een vakantie; een vlucht uit het huis, en de griep die van Jamie overgegaan is op Tom en Neill, waardoor ze een koor van hoestenden en koortsige nachtelijke piepende ademhaling vormen. We zijn bij de zee, hoewel we er angstig naartoe gaan. Niemand zegt dat hij bang is om te gaan zwemmen, hoewel Jamie het heeft over haaien en slangen. 'Zit er iets gevaarlijks in het water?' zegt hij.
'Nee, niet hier,' zeg ik.
'Hoe weet je dat?' zegt hij.
'Vertrouw me,' zeg ik, hoewel ik bang ben dat ik het noodlot tart. (Geluk is zo'n kostbare, onzekere staat; zo delicaat in evenwicht, zo dicht bij de rand.) Na twee dagen langs het strand te hebben gelopen, wagen we ons een stukje in het water, nog altijd dicht bij de kust. Het is ondiep genoeg zodat we onze voeten op de grond kunnen houden, maar ik probeer het zand en de rotsen onder me niet aan te raken, voor het geval daar iets giftigs verborgen zit. De volgende dag gaan we eindelijk met een boot verder de zee op, met zwembrillen en flippers, om te gaan snorkelen zoals Kirsty deed. Waar Kirsty zo van hield; waar wij eens zoveel van hielden, voor ze stierf. Neill springt er als eerste in, met de kinderen, terwijl hij hun handen vasthoudt, en dan volg ik. Ik haal diep adem en duik naar beneden, onder het zon-

licht op het oppervlak. We weten nu dat toen ze stierf haar bloed in het water om haar heen stroomde, en de zee rood kleurde. Een paar seconden ben ik op zoek naar het bloed, op zoek naar haar, hoewel ik weet dat ik haar niet zal vinden. Er zijn alleen roze topjes koraal hier vandaag, dat als beenderen op de oceaanbodem ligt. Kleine visjes schieten door de koraalvingers heen, glijden door het water, verdwijnen uit het zicht.

('... *Tegen deze tijd gleed het* Drakenschip *over een gedeelte van de zee dat onbewoond leek... Ze voeren in redelijk ondiep water en de bodem zat vol zeewier. Vlak voor de middag zag Lucy een grote school vissen die aan het zeewier graasden. Ze aten allemaal gestaag en bewogen zich allemaal in dezelfde richting. Net als een kudde schapen, dacht Lucy. Plotseling zag ze een klein zeemeisje van haar eigen leeftijd... een rustig, eenzaam uitziend meisje. En net toen het meisje, dat door het ondiepe water gleed, en Lucy, die over de reling hing, tegenover elkaar kwamen, keek het meisje op en staarde recht in het gezicht van Lucy. Ze konden niet met elkaar praten en in een ogenblik raakte het meisje achterop. Maar Lucy zal haar gezicht nooit vergeten. Het keek niet bang of boos zoals de gezichten van andere zeemensen. Lucy mocht dat meisje en ze wist zeker dat het meisje haar mocht. In dat ene moment waren ze op de een of andere manier vriendinnen geworden. Er lijkt niet veel kans dat ze elkaar opnieuw zullen ontmoeten in die wereld of een andere wereld. Maar mochten ze elkaar weer zien, dan rennen ze met uitgestrekte armen naar elkaar toe...*')
(*Hoofdstuk 16, 'Het uiteinde van de wereld', uit* De reis van het Drakenschip *van C.S. Lewis.*)

23 februari

De laatste avond van onze vakantie, en opnieuw bezoek ik het huis met de geesten dat ik in mijn dromen bezoek. We waren naar dit droomhuis verhuisd omdat we meer ruimte nodig hadden, maar nu we er zijn, durven we niet verder dan de begane grond en de eerste verdieping. De kamers zijn veilig, maar de bovenste verdieping – de zolder – is gevuld met een vreemd geweeklaag, het geluid van eenzame geesten. 'Ik moet een exorcist zien te vinden,' zeg ik hardop tegen het lege huis. Maar ik weet niet hoe ik er een moet vinden. (Moet ik onder de 'E' in het telefoonboek kijken?)

In de woonkamer, voor in het huis, heeft Neill een heleboel onbekende meubels neergezet: oude mahoniehouten stukken, ongeveer als de meubels die ik zag tijdens mijn tijd aan het Arthur Findlay Instituut. 'Ik kocht deze meubels, omdat ik dacht dat ze bij dit huis zouden passen,' zegt hij. Maar er zijn drie tafels, drie banken, en drie zijtafels. 'Ik vind dat het te vol wordt in de kamer,' zeg ik. 'Misschien moeten we een gedeelte op zolder neerzetten?'

Buiten, aan de andere kant van de straat, hebben we uitzicht op de rivier. De rivier stijgt, loopt over op de oevers, stroomt in golven over de geparkeerde auto's naar ons huis toe. 'De kelder zal vollopen,' zeg ik. Neill is weg en ik zeg tegen de kinderen dat we naar boven moeten gaan, naar de eerste verdieping, om aan het wassende water te ontkomen. Maar zelfs daar zijn we niet veilig. We moeten nog een trap hoger, naar de zolderverdieping. Daar zijn drie kamers: twee slaapkamers, nog behangen met het vervaagde roze behang uit een andere eeuw. Maar het papier is gescheurd door de scheuren in de muren waar het huis in de loop der jaren is verschoven.

De kamers zijn eng, maar minder beangstigend dan de derde kamer, die nog drie treden hoger ligt, treden die naar de laatste kamer in het huis leiden. De deur naar deze kamer is geopend, al dacht ik dat hij op slot zat. Binnen zie ik een schaduw. Tom loopt naar de kamer, naar de schaduw. 'Nee!' schreeuw ik, maar er komt geen geluid uit...

25 februari

We landen voor dageraad op Gatwick, maar er wordt een zachtgeel licht weerkaatst door de sneeuw op de grond. We rijden door Zuid-Londen, op weg naar ons huis door de stille zondagstad, en bevinden ons op de weg naar het huis van Matt (in feite van Matt en Anna); het is even na zes uur in de ochtend. Er brandt geen licht in het huis. 'Ik vraag me af of Lola en Joe wakker zijn,' zeg ik terwijl ik opkijk naar de ramen op de bovenste verdieping; naar hun zolderkamers, maar ik weet dat ze vast nog liggen te slapen.
En plotseling weet ik zeker dat de geest van Ruth daar bij haar kinderen is, in de lucht vóór de dageraad, rond en in het huis – het nieuwe huis dat ze betrokken na haar dood – en terwijl we erlangs rijden, komen onze harten samen, even, heftig, stil. En dan is ze weg (of is het gewoon het gevoel – de overtuiging – die verdwijnt?). Niet lang voor we op vakantie gingen, zei Lola tegen me: 'Hoeveel mensen telt onze familie?' We begonnen samen de namen op te noemen – en ze wilde dat iedereen werd opgenomen, ook de broers en zussen van Neill – en we kwamen uiteindelijk op 25. 'Maar hoe kan Ruth tegelijkertijd met 25 mensen samen zijn, die overal en nergens wonen?' zei ze.
'Omdat ze in ons huist,' zei ik, waarbij ik voorzag in het standaardantwoord op de goede vraag van Lola, 'waar we ook zijn.'

'Merendeels bij mij, Joe en jou,' zei ze, omdat ze niet wilde opgeven.

'Waar je wilt dat ze is, wanneer je wilt dat ze er is, dan is ze er,' zei ik.

Nu we weer naar het noorden rijden, over de rivier bij Blackfriars Bridge, pak ik de hand van Neill en zeg: 'Alles is goed, toch?' Hij antwoordt niet, kijkt alleen naar me en glimlacht, maar het was geen vraag. Ik ken het antwoord. We hebben het overleefd. We halen het. (Wat? Het doet er niet toe. Het enige wat telt is dat we nog steeds onderweg zijn.)

27 februari

Vastenavond. Ik word voor zes uur 's morgens wakker, met een jetlag, en denk aan stilte. Het is niet hetzelfde als afwezigheid, nee, helemaal niet. Dat weet ik, gedeeltelijk omdat Neill altijd bij me is, zelfs wanneer hij niet veel zegt, zelfs wanneer we niet samen zijn (zelfs toen ik dacht dat hij weggegaan was). Stilte is geen leegte. Hij kan vol met dingen zitten.

Eens, lang geleden en ver weg, waar de jaren verwateren tot een half herinnerd verhaal, hield ik van een man (nee, niet een man, een jongen), en een tijdje hield hij ook van mij. Op een dag praatte hij niet meer tegen me. We zagen elkaar niet langer. Ik vocht hier een poosje tegen – liet af en toe berichten achter – maar toen gaf ik het op, of gaf toe aan de afgedwongen stilte. We spreken nog steeds niet tegen elkaar. Maar ik denk aan hem, af en toe, en ik denk dat hij soms ook aan mij denkt. Onze relatie bestaat nog steeds, ergens in ons hoofd. Ik ben niet langer boos op hem; voel me zelfs niet afgewezen. Het is nogal vredig op deze manier. De stilte is welkom. Hij spoelt over me heen.

Vlak voor zeven uur komen de kinderen de slaapkamer in. 'Pannenkoekendag!' roepen ze. Het huis vult zich met het geluid van hun ontwaken. Ik klop de eieren en het meel en de melk voor het pannenkoekenbeslag. Ik bak de pannenkoeken in de vorm van kleine harten (ik had een speciale hartvormige pan voor Neill gekocht voor Valentijnsdag). De harten zijn zo klein dat ze in twee happen op zijn.

2 maart
Ik ontmoet Montague Keen, van de Vereniging voor Paranormaal Onderzoek, in een hotel dat uitkijkt over Hyde Park. Ik heb hem uitgenodigd voor de lunch, na onze korte ontmoeting de vorige maand, in de hoop dat hij me in de juiste richting kan wijzen. (Welke richting? Die van Ruth, als altijd, want soms vergeet ik te accepteren dat de doden stil mogen zijn.)
Meneer Keen is in de zeventig; charmant, grappig, en onverwacht ironisch: een zeldzame verzameling kwaliteiten in de wereld van paranormaal onderzoek; een aantrekkelijke gids voor gene zijde. (Ik lijk een obsessie voor oudere mannen te ontwikkelen. Eerst Dale, nu Keen: een grootvadercomplex misschien?) Hoe dan ook, Monty – zoals hij bekendstaat in zijn vriendenkring, waar ik, naar ik hoop, op een dag deel van uitmaak – vertelt me een intrigerend verhaal over 'de spellingcontrolegeest'. Ze verschijnt via de computer van meneer Smith – de administrateur van een school in het noorden van Engeland – en communiceert door zijn spelling op onverwachte manieren te controleren. Zo spelt meneer Smith bijvoorbeeld een woord verkeerd – laten we zeggen, in het belang van het onderwerp, 'paranormaal' – en de geest komt via het spellingcontroleprogramma van meneer Smiths computer terug met een woord dat

totaal geen verband houdt, zoals 'help'. Monty zegt dat deze moeizame manier van communiceren van gene zijde 'afwijkende woordverschijnselen' wordt genoemd. Blijkbaar woonde lady Prudentia – de naam van de spellingcontrolegeest – eens in het landhuis dat nu de school huisvest. Ze is erop gericht dingen recht te zetten wat betreft de slechte daden van een familie in de buurt (verkrachting, plundering, enzovoort) die uiteindelijk tot haar dood leidden. Monty en zijn collega, professor David Fontana, werden door meneer Smith benaderd voor advies, nadat de computer van meneer Smith lady Prudentia begon door te geven. Helaas kan lady Prudentia door de beperkingen van het spellingcontroleprogramma slechts met één woord tegelijk communiceren. Niettemin is Monty ervan overtuigd dat zij – en meneer Smith – oprecht zijn; en daarom de eerste bekende zaak van geesten in de nieuwe technologie vertegenwoordigen. Ik probeer hem over te halen me aan meneer Smith voor te stellen, zodat ik mijn laptop kan uitproberen met lady Prudentia, maar hij denkt dat meneer Smith te verlegen is om zo'n ontmoeting te laten plaatsvinden.

'Trouwens,' zegt hij enigszins somber, 'mijn ervaring met paranormaal onderzoek is dat er altijd iets fout gaat, net als je denkt dat je het doorslaggevende bewijs hebt gevonden dat het menselijk bewustzijn overleeft.'

Toch koesteren we beiden grote verwachting over de conferentie die de volgende week aan de universiteit van Arizona wordt gehouden, waar professor Gary Schwartz, professor in de psychologie, medicijnen, neurologie, psychiatrie en chirurgie, en zijn vrouw en onderzoekspartner dr. Linda Russek, hun laboratoriumonderzoek zullen presenteren over de accuraatheid van mediums. (Bij hun experimenten waren vijf mediums betrokken, die ieder een reading gaven van zwijgende personen die ze niet eerder hadden ontmoet, gescheiden door een scherm in het universiteitslaboratorium en onder voortdurend videotoezicht.) Ik heb al geboekt voor de conferentie en Monty denkt dat hij misschien ook gaat. 'Hun werk is echt opwindend,' zegt hij.

Thuis die avond besluit ik mijn eigen spellingcontrole-experiment uit te voeren, al was het maar dat er een geest aan de andere kant van het scherm zit die een praatje wil houden. Monty zegt dat je met opzet spelfouten moet maken om hem een kans te geven te reageren. Dus ik typ: 'Hallooo, is er iemand?' Dan klik ik op spellingcontrole en krijg het volgende: 'Hallo. Hallo's. Hallen.' Als reactie typ ik: 'Wat is je naaaam?' 'Naam. Naomi,' zegt de spelling-controle. 'Wie ben jijj, Naomi?' typ ik. 'Jij,' antwoordt ze. Ik besluit het experiment met de spellingcontrole te beëindigen.

4 maart

Er verschijnt vandaag een verhaal over het onderzoek van de universiteit van Arizona in de *Sunday Telegraph* onder de kop: 'SPIRITISTISCHE MACHTEN MAKEN WETENSCHAPPERS TOT GELOVIGEN'. Het stuk is geschreven door Robert Matthews, de wetenschappelijk correspondent van de krant, en lijkt zeer welwillend. 'Tot nu toe is de hele kwestie van het "leven na de dood" door de meeste voornaamste wetenschappers afgedaan,' schrijft Matthews, 'waarbij spiritistische mediums werden beschouwd als zijnde zelfmisleidend of charlatans. Nu heeft een eerste serieus laboratoriumonderzoek van een groep mediums aangetoond dat ze een griezelig vermogen delen om feiten te vertellen over de overleden familieleden van mensen die bij hen komen... De transcripties van elke sessie toonden aan dat de mediums meer dan 80 feiten produceerden over de overleden familieleden, variërend van hun naam en persoonlijke karakter tot de precieze omstandigheden van hun dood. Toen deze op feitelijke accuraatheid werden geanalyseerd, behaalden de mediums een succespercentage van 83, waarbij één een accuraatheid van 93 procent behaalde.'

Na het lezen van het artikel begin ik me opgewekter te voelen, alsof ik niet alleen ben. Naast Monty en ik zijn er nog andere mensen die in dit gedoe geïnteresseerd zijn. Wetenschappers, mensen met laboratoria en academische titels. Misschien ben ik toch niet gek. ('Reken er niet op,' zegt mijn denkbeeldige therapeut. 'Hou je mond!' schreeuw ik.) Misschien ga ik naar de juiste plek. Arizona is ver weg, dat weet ik, maar als ik terug ben, nadat ik voor mezelf het bewijs heb gehoord, kan ik misschien eindelijk ophouden met het zoeken naar bewijs, naar Ruth...

7 maart

Ik ben op weg naar de conferentie in Tucson, via Dallas. Ik stap in Dallas uit het vliegtuig om over te stappen op een andere vlucht, en ga eerst door de douane en immigratie; een typerend langdradige procedure die vandaag ongebruikelijk snel gaat. 'Hier naar links, mevrouw, voor de verbindende vluchten,' zegt de douanebeambte. Ik ga, als enige, naar links een lange gang in. Er sluiten een paar deuren achter me, stil. Aan het einde van de gang bevindt zich nog een gesloten deur. Ik loop ernaartoe in de verwachting dat ik hem open moet duwen; maar hij gaat automatisch open, als bij toverslag. Ik verwacht, ik weet niet waarom, Ruth aan de andere kant te zien, de echte Ruth, met haar armen wijd uitgespreid als welkom, die op me wacht, na al deze tijd. In plaats daarvan – en ik ben verrast dat ze er niet is, maar wel deze inadequate vervanging – staat er een levensgroot basreliëf van twee figuren; in eenvoudige lijnen alsof ze zijn getekend door een kind (of door een computer?), die de pas in Amerika aangekomen mensen begroeten.

Tegen deze tijd is het laat in Londen, maar middag in Texas, en ik begin me verward te voelen, beneveld, troebel, onhelder. Ik zoek mijn weg naar de volgende vlucht; een kleiner vliegtuig dat vol lijkt te zitten met mensen die naar huis gaan. Terwijl we in Tucson dalen, op een hoog plateau dat is omgeven door bergen, zegt de man naast me: 'Kijk, daar is een regenboog.' Ik tuur naar buiten, en ja, ik zie hem, op dezelfde snelheid als het vliegtuig, altijd vóór ons, hoe snel we ook vliegen.

De conferentie wordt gehouden in de plaatselijke Holiday Inn. Ik neem de shuttlebus van het vliegveld naar het hotel en het begint heel hard te regenen, waardoor de straten grijs kleuren. De cactussen naast de weg druipen van het water en de woestijn ziet er vandaag modderig uit. 'We hebben dit jaar heel veel regen gehad,' zegt de buschauffeur grimmig tevreden, 'meer dan ooit tevoren. We kunnen zelfs een overstroming in Tucson krijgen. Het gaat deze week in elk geval stormen.'

Ik check me in in het hotel en neem de lift naar de vierde verdieping. Ik ga op het bed zitten en kijk door het besmeurde raam. De regenboog is verdwenen. Er is een zesbaanssnelweg buiten. Het enige wat ik kan horen zijn auto's. Ik kan de geesten niet horen. Het hotel staat midden in een industriegebied. Er staan hoogspanningsmasten en er zijn donkere parkeerplaatsen, en een fabriek, die rook uitspuugt in de geel wordende lucht. Het schijnt me niet te lukken de verwarming of de televisie in mijn kamer aan te zetten, dus ga ik terug naar de schemerig verlichte lobby, om iets te eten te zoeken, maar het restaurant is gesloten. Er komt een lichte chloorlucht uit de fontein naast de receptiebalie. Het is nogal koud, wat verbazingwekkend is, omdat ik hitte in de woestijn verwachtte, en licht. Ik weet niet helemaal zeker wat ik hier doe, of waarom. Op de een of andere manier ben ik in de verkeerde plaats terechtgekomen, dit kan toch niet een plaats zijn waar Ruth naartoe zou gaan?

Ik ga terug naar mijn kamer en kijk naar het verkeer buiten. Ik hou mijn jas aan en pak mijn koffers niet uit. Dan gaat de telefoon, wat een opluchting is, want ik begin me af te vragen wie ik ben.

'Hoi, Justine, ik ben het, Laurie Campbell,' zegt een opgewekte stem aan de andere kant van de telefoon. 'Ik ben net aangekomen. Het is hels, vind je niet? Waarom kom je niet even langs voor een kop thee?' Als voorzitster van de onderzoekscommissie van mediums van het laboratorium van Gary en Linda – hun hoofdmedium wanneer het aankomt op wetenschappelijk onderzoek – is Laurie Campbell hier ook voor de conferentie, om een demonstratie en lezingen te geven over haar vaardigheid (of is het kunst? Ik weet het niet, maar in elk geval heeft Gary naar haar verwezen als 'de Michael Jordan van mediums'). Laurie zit in kamer 364 en ik in 402, dus zeg ik tegen haar dat ik over een paar seconden bij haar ben, maar ik raak verdwaald, want haar kamer is in een ander gebouw. Ik moet met de lift naar beneden, de deur uit, langs de fontein, door een andere deur, over het binnenplein waar drie getatoeëerde mannen zitten, zwijgend in een bubbelbad, door een ijzeren hek, en drie trappen op. Ik klop op de deur en Laurie laat me binnen. We omhelzen elkaar, want ze weet al iets over me uit de e-mails en de telefoongesprekken (om nog maar te zwijgen over haar parallelle gesprekken met Ruth, Kimberley en Kirsty, die haar ene oor ingaan, zegt ze, terwijl ik via de lijn het andere oor binnenkom). Ze ziet eruit alsof ze van mijn leeftijd is, ongeveer mijn lengte, maar iets langer – minder versleten op de een of andere manier – dan ik. Ik wil mijn hoofd op haar comfortabel uitziende schouder leggen, maar dat lijkt aanmatigend, dus ga ik in plaats daarvan zitten. Ze heeft een lief gezicht, donker haar en zeer mooie ogen. Ze ziet er helemaal niet angstaanjagend uit.

We praten over onze kinderen. Zij heeft een dochter van elf, die kanker overleefde, en een zoon van zestien die diabeticus is. Ze zegt dat haar dochter dezelfde paranormale gave lijkt te hebben geërfd, net zoals haar jongere zusje. Laurie ontdekte haar mediamieke vermogens op Thanksgiving in 1994. Ze keek in de spiegel van haar slaapkamer en zag andere gezichten behalve dat van zichzelf. En ze wist dat dit de gezichten waren van de geesten die op haar wachtten. Nu is ze de spreekbuis voor een Victoriaanse wetenschapper uit Cambridge, die haar heeft verteld dat ze de wereld moet bewijzen dat het menselijk bewustzijn de dood overleeft. Ze zegt dat mijn Engelse accent haar herinnert aan zijn stem. Toen een psychiater (een cliënt van Laurie, in plaats van andersom, omdat zijn zoon dood is) haar in contact bracht met Gary en Linda, wist Laurie dat ze op de goede plek was. 'Het is onderdeel van het plan,' zegt ze. Ze denkt dat ook ik onderdeel van het plan ben. Ik ging tenslotte naar de universiteit van Cambridge, en ik ben Engels, net als de overleden wetenschapper. Ze kan me zijn naam niet vertellen (hij wil anoniem blijven) maar hij zegt dat hij blij is dat ik hier ben.

Ze vertelt me dat het de beroemde helderziende Sylvia Browne was – die, net als zij, in Californië woont – die haar voor het eerst vertelde dat zij, Laurie, net zo'n goed medium zou zijn. 'Ze vroeg me of ik vreemd getintel in mijn haar voelde en ik zei ja, jarenlang heb ik gedacht dat ik beestjes in mijn haar had. Het is een tinteling, als elektriciteit. En Sylvia zei dat wat ik voelde, zonder me dit te realiseren, mijn geestgidsen waren die probeerden tot me door te dringen. Nu weet ik dat ze met me willen praten als ik mijn kruin voel opengaan, en de elektriciteit in mijn schedel tintelt.' Terwijl ze praat voel ook ik mijn schedel tintelen, en ik vraag me of af dit vanuit mijn hoofd komt, of ergens anders vandaan.

Het is donker geworden buiten en ik voel me heel erg slaperig, dus zeg ik dat ik naar bed ga. 'Oké,' zegt ze, met haar ongedwongen glimlach, 'tot morgen dan. Ik zal je mijn transfiguratie laten zien.'

'Wat is dat?' zeg ik.

'Dan verandert mijn gezicht in dat van de geest die via mij komt,' zegt ze. 'Ik kan het nog maar kort.'

'Dat is heel ongebruikelijk,' zeg ik. 'De meeste mediums kunnen dat niet meer. Het is een uitstervende kunst.'

'Nou, ik kan het wel,' zegt ze. 'Ik kan voelen hoe er haar op mijn gezicht groeit als ik verander in een mannelijke geest met een baard. Maar laten we zien of we morgen Ruth voor je kunnen doorkrijgen.'

'Dat zou ongelooflijk zijn,' zeg ik.

8 maart

Ik word heel, heel vroeg wakker deze ochtend, vlak voor het aanbreken van de dag. Er klinkt gehuil buiten het raam. Ik trek de gordijnen open en besef dat het de wind moet zijn, of een trein op de spoorrails achter de snelweg. Ik probeer weer in slaap te komen, maar het klinkt nog steeds alsof er buiten iemand zucht. (Waar gáán de doden heen? Dat is alles wat ik vraag; dat is toch niet te veel gevraagd, is het wel?)

Ik bel Neill in Londen. 'Waar ben je mee bezig?' zeg ik en ik kan mijn stem door de lijn horen weergalmen, onder de oceaan door (of lopen de draden door de lucht?).

'Niet zoveel,' zegt hij. 'Werken, weet je...'

'Wat nog meer?' zeg ik, terwijl ik probeer niet angstig te klinken.

'Ik ben weer gaan zwemmen,' zegt hij. 'O, en ik ben een paar keer gaan fietsen. Ik heb mijn fiets gerepareerd. Ik dacht dat het tijd werd...'

'Waar ben je naartoe geweest?'

'Nergens in het bijzonder,' zegt hij. 'Kleine straatjes... Er is een tweedehands platenwinkel in Palmers Green, die wordt gerund door een vent die denkt dat hij eruitziet als Elvis. Soms fiets ik daarlangs en ga ik naar binnen om te zien of hij ook oude platen van mijn vader heeft. Ik ben er vandaag geweest.'

'Waarom Southgate?'

'Het is op de heenweg, in plaats van de terugweg...'

'Neill,' zeg ik, 'vraag je je ooit af waar Kirsty is?'

'Het is net alsof ze verdwenen is,' antwoordt hij langzaam. 'Maar ik kan niet geloven dat ze weg is, omdat ik haar niet heb zien weggaan. Toen papa stierf, waren we bij hem in het ziekenhuis, zongen we voor hem omdat de verpleegkundige zei dat zelfs hoewel hij bewusteloos was, hij ons nog altijd kon horen... En toen wist ik dat hij dood was, het was alsof zijn geest zijn lichaam verliet, en hij was weg. Maar Kirsty...' De lijn kraakt door de statische lading tussen ons. 'Zit er nog iemand op de lijn?' zegt hij.

'Nee,' vertel ik hem, 'er is niemand anders. Ben je er nog? Ik kan je nauwelijks verstaan.'

'Ik ben er,' zegt hij. 'Ik zit alleen te denken.'

'Zorg goed voor jezelf, oké? En de kinderen, geef hun een kus van me. Ik hou van je, dat weet je toch, hè?'

'Dat weet ik,' zegt hij. 'Kom snel thuis.'

Ik wil geen afscheid van hem nemen (het is moeilijk de juiste woorden te vinden, over de lijn heen te komen), maar ik moet wel, het is mijn eigen schuld, ik ging hierheen...

Ik heb geregeld dat ik ga ontbijten met een vriend van Dale Palmer, een medium dat Lynn Gardner heet. Dale vertelde me voor het eerst over Lynn in een van zijn regelmatige e-mails uit Indiana. Ze was vorig jaar uit Indiana vertrokken om naar Tucson te gaan, om met Gary en Linda aan een toekomstig onderzoeksproject te werken. Daarna begonnen Lynn en ik aan een e-mailcorrespondentie (zo werkt de paranormale wereld: draden die bijeenkomen via internet; armen die wijd uitgespreid zijn om alle verloren zielen te omarmen). Lynn nam ook contact op met grootvader, de spiritist ('Hij is een giller!' zei ze); hoewel helaas niet op het Net.

De laatste tijd heeft ze me aangemoedigd meer automatisch schrijven te proberen, na mijn mislukking aan het begin van het jaar. En nu heeft ze heel vriendelijk aangeboden me vandaag bij het hotel op te pikken. 'Je ziet vanzelf dat ik het ben,' zegt ze aan de telefoon. 'Ik ben blond, met een korte broek aan.' Lynn is 63, maar waarlijk, ze ziet er twintig jaar jonger uit. Dat is een goede reclame voor een rechtstreekse verbinding met goddelijke liefde, wat Lynn heeft gedaan sinds haar jongste zoon op Thanksgiving in 1977 stierf aan een hartafwijking toen hij acht jaar was. Ze vertelt me dit alles in één grote woordenstroom, in de auto op weg van het hotel naar haar huis, met een bandje met new age enge-lenmuziek als achtergrond voor ons gesprek. 'Toen mijn zoon stierf, verliet ik mijn lichaam,' zegt ze, 'en ik ging in de richting van het witte licht. Ik kon God zien, ik kon God voelen, ik kende God. Maar ik dacht alleen dat ik psy-chotisch was.' Uiteindelijk, zegt ze, keerde de geest van haar zoon naar haar terug om haar te laten zien dat het de bedoeling was dat ze haar mediamieke gaven ging gebrui-ken om andere mensen te helpen. 'Ik zag deze prachtige verschijning van hem als man, en hij zei tegen me: "Zoiets als een begin of een einde bestaat niet. Ik ben je zoon David, en het goddelijke laat me vibraties creëren in welke vorm ik ook wil. Ik kan de stemvibratie creëren, zodat je me kunt horen, maar wij, in de geest, zijn niets van dat al, wij zijn energie."' Sinds die tijd heeft Lynne geleerd andere geesten te horen en te zien, zowel voor privé-cliënten als op Amerikaanse televisieprogramma's. 'Ik heb Tennessee Williams doorgegeven,' zegt ze, 'en JFK, die zei: "Zeg tegen Jackie dat het me spijt." Dat was een heel bewogen erva-ring. En ik liet Judy Garland doorkomen voor een vriend van haar. Judy wilde voor haar vriend zingen, maar ik voel-de dat mijn stem dat niet kon.'

Lynn heeft ook enige ervaring met EVP, omdat ze een groep van EVP-onderzoekers, onder wie Dale's vriendin Sarah Estep, heeft begeleid naar Egypte, waar ze de oude stemmen van de doden opnamen in de graftombes en naast de sfinx. Lynn heeft een sterke band met Egypte, zegt ze, door haar vroegere levens. Dus heeft ze nu drie kamelen in haar tuin, om haar te herinneren aan haar speciale Egyptische band. We stoppen bij een grote supermarkt vlak bij haar huis om wortels voor de kamelen te kopen. De wortels zijn in de aanbieding, dus kopen we 25 pond. De kamelen eten veel wortels, zegt ze.

Terwijl we de oprit opdraaien die naar haar huis, op de heuvels aan de voet van de bergen, leidt, stopt ze de auto zodat ik de kamelen kan zien. Er zijn er drie: twee vrouwtjes en een jong. Zelfs het jong is enorm, ze torenen boven mijn hoofd uit terwijl ze naar voren reiken op zoek naar snacks. 'Geef ze een wortel en ze geven jou een kus,' zegt ze. Ik ben niet zo zeker van de voordelen die een kus van een kameel brengen – om te beginnen stinkt hun adem, en ze hebben enorme, gele tanden – maar ik wil niet onbeleefd lijken, dus bied ik mijn wang aan voor een korte snuffel.

Dan gaan we haar huis binnen voor een ontbijt, en Lynn stelt me voor aan een vriendin van haar uit Chicago, een non die Blanche heet, die een paar dagen bij haar in Tucson logeert. Blanche vraagt me over mijn leven, en voor ik het weet vertel ik haar over de dood van Ruth. Het is nogal kalmerend, hoewel mijn onsamenhangende verslag op de een of andere manier los staat van míj. Het lijkt alsof mijn stem ergens anders vandaan komt, terwijl ik rustig en stil de bergen buiten zit te bewonderen. Lynn laat me het huis zien. Het is in de stijl van een ranch, met een vleug van Egypte (mijn favoriete detail is een bord aan de muur van haar studeerkamer waarop staat: 'Realiteit is er alleen voor degenen die geen verbeelding hebben'). Dan bakt Lynn eieren voor ons en nadat we aan haar grote tafel zijn gaan zitten om te gaan eten, pakken zij en Blanche elkaars hand vast, en pakken die van mij ook. Ze sluiten hun ogen, en ik kan zien dat er een zegening moet komen. Lynn gaat als eerste, en Blanche volgt met een ander gebed, en ik neem aan dat er wordt verwacht dat ik dan iets zeg. Ik ben bang dat het eruitziet alsof ik grijns, dus bijt ik op mijn lip en zeg: 'Dank jullie dat ik hier mag zijn, ik bedoel, dat ik hier met jullie mag zijn, en dit heerlijke ontbijt mag delen... hmmm. Amen.'

Ik wil Lynn heel graag vragen de spreekbuis van Ruth voor me te zijn, maar dit lijkt niet het juiste moment, en trouwens, ze moet me terugbrengen naar het hotel voor de conferentie begint. Ik vertel haar dat ik haar autosticker erg leuk vind. Er staat op: 'De godin is springlevend en magie is op komst.'

'Kun je die in Engeland krijgen?' zegt ze.

'Nee, ik geloof het niet,' zeg ik, 'wat jammer is...'

Terug in de Holiday Inn heeft Laurie net genoeg tijd om de transfiguratiesessie te doen. Ik ga rechtstreeks naar haar kamer, en ze trekt de gordijnen dicht en steekt zes kleine kaarsen aan die ze op de koffietafel schikt. 'Ik wilde wat wierook aansteken,' zegt ze, 'omdat de energie hier niet goed aanvoelt, maar toen zag ik de rookmelder in de kamer, dus moeten we het zonder doen.'

Ze gaat op een stoel tegenover mij zitten, sluit haar ogen, en plaatst haar handen op haar knieën met de palmen naar boven gekeerd, alsof ze mediteert. Ik bestudeer haar gezicht, dat schaduwachtig is in het kaarslicht. Er lijkt niets te gebeuren. Ik blijf staren, al beginnen mijn ogen zeer te doen. Na tien minuten of zo zegt ze: 'Kun je iets zien?'

'Nee, niet echt,' zeg ik, hoewel ik echt wens dat ik iets kon zien, want ik wil haar gevoelens niet kwetsen, en ze heeft al die moeite voor mij gedaan.

'Misschien is er te veel licht in de kamer,' zegt ze, en ze staat op en trekt de gordijnen steviger dicht, zodat het laatste straaltje licht weg is. Ze gaat weer zitten, en hervat haar meditatie. Deze keer ontdek ik dat als ik mijn ogen iets dichtknijp – ze half omhoogdraai alsof ik tegen het zonlicht in kijk – haar gezicht vaag wordt. Ik probeer me te blijven concentreren op de transfiguratie, maar ik heb een barstende hoofdpijn, en het duizelt me. Ik heb een jetlag en heb wanhopig behoefte aan slaap. Na nog eens tien minuten of zo zegt ze: 'Kun je Ruth zien?'

'Nee,' zeg ik, 'maar je lijkt er schaduwachtiger uit te zien om de lippen en de kin. Alsof je een snor en baardstoppels hebt... In feite lijkt je gezicht nogal op Elvis.'

'Dat is interessant,' zegt Laurie. 'Ik krijg een Engelse muzikant die veel in de geest doorkomt. Hij zou hier voor jou kunnen zijn in plaats van Ruth. Kijk of je hem kunt herkennen.'

Ik staar nog een poosje naar haar. Nog meer vage schaduwen. Er klinkt gezoem in mijn rechteroor (de nawerking van het vliegen waarschijnlijk, hoewel ik graag anders zou willen geloven). Ik trek aan mijn oor, hard, maar er gebeurt niets. Laurie zei dat de geest een Engelsman was, dus kan hij niet de geest van Elvis zijn, maar hij moet een popster zijn (ik kan Laurie niet zien als een meisje dat van klassieke muziek houdt). 'John Lennon?' zeg ik, aarzelend. Ze schudt haar hoofd. 'Marc Bolan?' Ze schudt haar hoofd opnieuw. Mijn hoofd is leeg – op de doffe hoofdpijn na – en ik kan geen andere overleden Engelse muzikant bedenken in wat lijkt te zijn veranderd in een surrealistische versie van twintig vragen.

'Oké,' zegt Laurie, met blijkbaar onverminderd enthousiasme, 'laten we de spiegeltechniek proberen.' Dus staan we op van de koffietafel en gaan we op het voeteneind van haar bed zitten, met ons gezicht naar een grote spiegel, in de nog altijd verduisterde kamer. We zitten zo dicht bij elkaar dat we elkaar aanraken, en ik verwacht bijna de elektriciteit te voelen die Laurie voelt, maar er is nog steeds niets. Er is alleen de weerspiegeling van haar gezicht, kalm als ooit, en het mijne, gespannen en moe en er dwaas uitziend.

Er gaan enkele minuten voorbij. 'Mijn gezicht is verdwenen,' zegt Laurie. 'Dat is het moment dat de geesten beginnen door te komen, zodat ik hun gezicht in plaats van het mijne kan zien.' Ik draai mijn ogen weer omhoog en laat de weerspiegeling vervagen, en dan verdwijnt mijn gezicht ook, in een zwart gat in de spiegel. 'Moet je je ogen halfdicht doen?' vraag ik. 'Ja, dat is prima,' zegt Laurie. 'Dat is de manier waarop ik voor het eerst geesten in de spiegel ging zien.' We zitten nog een tien minuten of zo, maar er komen geen geesten, nog steeds niet.

'Laurie,' zeg ik uiteindelijk, 'het spijt me vreselijk, maar ik denk dat ik nu moet stoppen. Ik heb een knallende hoofdpijn en mijn oor zoemt.'

'Dat zijn de geesten die doorkomen, want jij hebt ook paranormale vermogens, ik weet het zeker,' zegt ze. 'De eerste twee weken nadat ik begon met dit spiegelwerk had ik het gevoel alsof er een strakke band om mijn voorhoofd zat.' Ze keert zich naar me toe. 'Hier, ik zal je een healing geven. Je moet meer open worden.'

'Kun je ook een healing doen?' zeg ik.

Laurie houdt haar handen boven mijn hoofd waarbij ze haar handpalmen ongeveer een centimeter of zo boven me houdt. Ik voel de warmte van haar handen; alsof haar bloed warmer is dan het mijne. Ze begint met haar vingers te wapperen alsof ze iets wegwappert (de beestjes in mijn haar, of mijn scepticisme?). Na een minuut of zo stopt ze. 'Dat zou moeten helpen,' zegt ze.

'Dank je,' zeg ik. 'Heel erg bedankt, voor alles.'

'Graag gedaan,' zegt ze en ze glimlacht. Als ik opsta om te vertrekken zie ik een cd op de zijtafel liggen. Er staat een foto op van Freddie Mercury, de zanger van Queen, op de voorkant, en dan, plotseling, raad ik het. 'Hij is het, nietwaar?' zeg ik triomfantelijk. 'De dode musicus! Met de snor!'

'Precies,' zegt Laurie, die er tevreden uitziet, hoewel ook een beetje bezorgd. 'Zeg er alleen niets over op de conferentie, oké? Ik denk niet dat mensen me serieus zullen nemen als ze weten dat ik de spreekbuis voor Freddie Mercury ben.'

'Weten Gary en Linda het?' vraag ik.

'Ja, die weten het,' zegt ze.

'En wat vinden zij ervan?'

'Nou, ze zijn verbaasd natuurlijk,' zegt ze. 'Weet je, hij hangt altijd om me heen. Vlak voordat ik op televisie ga verschijnen hoor ik hem "*show time!*" zeggen. En één keer, toen ik astraal ging reizen, zag ik hem langs me heen vliegen, in een zilveren jumpsuit. Ik zei: "Ben jij dat?" En hij zei: "Natuurlijk ben ik het! Wie dacht je dan?"'

'Was je een fan van hem?'

'Ik werkte vroeger in een platenwinkel,' zegt ze, 'en ik kende zijn muziek, maar nee, ik zou niet willen zeggen dat ik een enorme fan van hem was, hoewel het me wel heel erg speet toen ik zijn overlijdensbericht las.'

'Weten nog anderen hierover?' vraag ik.

'Nou, mijn familie uiteraard,' zegt Laurie. 'Mijn man ondersteunt me. En ik kwam in contact met iemand in Europa die Freddie heel goed kende, om hem te vertellen dat ik regelmatig communiceerde met zijn geest. Maar ik geloof dat deze persoon hier heel erg van schrok. Dus ben ik er niet op doorgegaan, want ik wil niet dat mensen denken dat ik gek ben. Ik ben per slot van rekening alleen maar een gewone moeder uit Californië.'

Vandaag wordt een lange dag. We gaan naar de lobby, waar de rest van de conferentieleden – minstens 150 – zich hebben verzameld, en we stappen in bussen die ons naar de campus van de universiteit van Arizona brengen voor 'Het grote debat'. De mensen die vanavond aan het debat gaan meedoen zijn Gary Schwartz, Laurie Campbell en de 'vooraanstaande scepticus' Ray Hyman, professor emeritus in de psychologie aan de universiteit van Oregon, die op dat ogenblik bezig is aan zijn te verschijnen boek '*Hoe het misgaat met slimme mensen*'.

Het enige probleem is dat professor Hyman ergens tussen

de Holiday Inn en de campus verdwaald is geraakt, wat betekent dat we enigszins een tekort hebben aan sceptici vanavond. Ik zou zelfs gerust kunnen zeggen dat professor Schwartz preekt voor de bekeerlingen. Hij gaat als eerste het toneel op. Hij ziet er professioneel uit in zijn donkere pak, witte overhemd en das; zijn keurig geknipte baard, zijn haar met hier en daar wat grijs en stalen bril. Het wordt al snel duidelijk dat professor Schwartz een goede docent is. Zelfs ik (nog altijd met een jetlag, en nu heel slaperig) kan zijn uitleg volgen, die hij verduidelijkt met handige grafieken en geluidseffecten op een scherm achter hem. In zijn inleiding tot het debat zegt hij dat Laurie 'de gelovige' is. Ze 'leeft het proces'. Ray is de 'ongelovige'. Hij 'zoekt naar fouten'. Gary is de 'onderzoeker'. Hij 'volgt de gegevens'. Linda, die naast het toneel staat en eruitziet als een van Charlies Angels in haar zijden pakje, dikke zwarte haar en naaldhakken, is de 'motivator'. Ze 'inspireert liefdevolle wetenschap'.

Na Gary komt Laurie, die het verhaal vertelt dat ze mij vertelde, over in de spiegel kijken op Thanksgiving en toen haar eerste geesten zag. Ze zegt ook dat ze dictaten opneemt van de geesten. 'Ik zeg altijd dat ik een secretaresse voor gene zijde ben,' zegt ze, wat een golf van gelach voortbrengt onder het welwillende publiek (er zijn veel kaftans hier vanavond, en niet zoveel pakken). 'Ik hoor hun stem in mijn hoofd, al hoor ik ze soms als mijn eigen stem, alsof ik een boek lees.'

Tegen deze tijd is professor Hyman gearriveerd. 'Ik ben de slechterik,' zegt hij, waarmee hij het publiek correct taxeert. 'Maar maakt u zich geen zorgen, ik ben in de minderheid.' Professor Hyman is 72 – ik word daarom natuurlijk onmiddellijk verliefd op hem – en beschrijft hoe hij als kind tovertrucjes van zijn vader leerde. Tegen de tijd dat hij een tiener was kon hij aan 'pseudo-gedachtelezen, en palmlezen, en zelfs aan spiritisme doen. 'Ik geloofde er niet in, maar ik wist mensen er voldoende van te overtuigen om in mij te geloven.' Sinds die tijd is professor Hyman nooit overtuigd geweest door de waarheid van welk medium ook. En hij valt zeker niet voor de experimenten van Gary en Linda. 'Ze moeten nog steeds met overtuigend bewijs komen,' zegt hij. Ik moet toegeven dat ik, luisterend naar wat professor Hyman vertelt, volledig tot andere gedachten word gebracht door zijn argumenten; hij lijkt een volslagen redelijke man. (En trouwens, hier zit ik, het waarschuwingsverhaal van wat er gebeurt wanneer je in magie begint te geloven en een verkeerde afslag neemt: ik ben terechtgekomen op een harde stoel, duizenden kilometers verwijderd van mijn kinderen en mijn man, terwijl ik veilig bij hen thuis had kunnen zitten.)

Dan komt Gary weer op het toneel en presenteert zijn bewijs, en het duurt niet lang of ik sta weer aan zijn kant. Hij zegt dat de waarschijnlijkheid minder dan 2,6 triljoen op één is dat alle feiten die door de mediums zijn verzameld in zijn laboratoriumonderzoek correct zouden zijn. Dat sluit slim raadwerk toch zeker uit? Hij zegt ook dat het argument dat mediums gewoon telepathisch zijn hier niet opgaat: want in zijn experimenten zijn de mediums gekomen met brokken informatie die de zitters zelf niet wisten, tot daarna.

Maar dan verknoeit Gary het voor mij door te zeggen: 'Dit alles staat in verband met liefde.' Ik wil geen liefde (ik heb daar thuis genoeg van). Ik kwam helemaal hierheen voor wetenschap, en nu projecteert hij foto's van honden op het scherm achter zich: zijn liefdevolle vrouw Linda met hun lieflijke hond Freudy; en een recent overleden medium, Susy Smith, met haar hond; en dan Linda en Susy samen met nog meer pluizige honden. 'Ik heb er genoeg van!' wil ik krijsen. Dit zal de zaak van paranormaal onderzoek toch zeker geen goed doen? Naderhand zoekt Monty me op en vraagt of ik van het debat heb genoten. 'Te veel honden,' snauw ik. Buiten regent het nog steeds.

9 maart

'Vandaag gaan we plezier maken!' zegt professor Schwartz tegen de verzamelde conferentie in de vergaderzaal in de Holiday Inn, vlak achter de fontein die nog altijd naar chloor ruikt. Het publiek slaakt kreten van enthousiasme, maar ik staar naar het sierlijke kleed (draaikolken van bleekgroen, geelbruin, kastanjebruin en paarsbruin), en voel me stijf en Engels en niet liefdevol genoeg, wat niet de juiste houding is voor de agenda van vandaag: 'Het vieren van de levende ziel.'

Plezier hebben in de ogen van professor Schwartz bestaat blijkbaar uit de kwantumfysica. 'Energie is primair, en materie is georganiseerde energie,' zegt hij. 'Het universum is meer dan we met het blote oog kunnen waarnemen... Heb je ooit een atoom waterstof op de universiteit gezien? Nee! Ik geloofde de professor op zijn woord dat dit bestaat.' Maar professor Schwartz verwacht niet dat wij hem gewoon op zijn woord geloven dat de ziel verder leeft. Hier staat hij, een man met een missie die zijn 'Levende energie universum hypothese' uitlegt, een originele theorie die het onderzoek schraagt dat hij met Linda en Laurie uitvoert. Ik denk dat de hypothese neerkomt op deze favoriete zin van hem: 'Wat rond gaat, en blijft, ontwikkelt zich in het rond.' Professor Schwartz gaat verder door met veel diagrammen aan te tonen dat als 'informatie en energie opgeslagen kunnen worden in atomen', water dan een geheugen heeft; een hart heeft een geheugen; en als 'pure energievormen een geheugen hebben', een ziel dan misschien voor eeuwig kan leven. Ja, ik weet dat dit om veel geloof vraagt, maar de mensen in deze zaal schijnen bereid hem hierin te volgen.

Dan wordt het nog vreemder. Deze hele onderneming begon in 1993, zegt hij, 'toen Linda Russek me een vraag stelde. Ze zei: "Denk je dat het mogelijk is dat mijn vader er nog steeds is?"' Linda's vader Henry, een vooraanstaand cardioloog, was in 1990 overleden. Linda, evenzeer een vooraanstaand clinicus, wilde dat Gary, een enorm vooraanstaande wetenschapper die ze recent had ontmoet, bewees dat haar vaders leven de dood had overleefd. 'Ik was verliefd geworden op haar liefde voor haar vader,' zegt Gary. En zo begon het experiment.

Maar het verhaal wordt nog eigenaardiger. Linda en Gary vestigden zich in Tuscon en daar ontmoetten ze een schrijfster genaamd Susy Smith, die alleen woonde met haar tekkeltje. Een paar jaar daarvoor was Susy Smith ervan overtuigd geraakt dat de doden verder leven, na de dood van haar eigen moeder, met wie ze geloofde voortdurend in contact te staan. Susy – een productief schrijfster van 27 populaire boeken, waaronder *Het boek van James*, waarvan ze beweerde dat dit was ontstaan uit teamwerk met de vooraanstaande overleden psycholoog en filosoof dr. William James – zei dat ze in staat was contact te hebben met Henry Russek en ook met de overleden vader van Gary.

Susy Smith – die op de conferentie aanwezig zou zijn om een speciale prijs in ontvangst te nemen voor haar verdiensten op het onderzoeksgebied – stierf helaas de maand daarvoor, op 11 februari, aan een onvoorziene hartaanval. Maar, zo legt Gary het publiek uit – onder wie zich enkele mensen bevinden die denken dat ze zelf paranormale gaven bezitten – Susy heeft de prijs van tienduizend dollar nagelaten voor de eerste persoon die erin slaagt haar geheime codezin te ontvangen waarvan ze hoopt dat ze die van gene zijde kan doorgeven. Gary vertelt ons dat de instructies voor het testen of de code correct is, te vinden is op internet, op www.afterlifecodes.com.

Het duizelt het publiek nu door al deze informatie, en Gary besluit dat we een pauze nodig hebben, hoewel hij deze ochtend nog één boodschap voor ons heeft: het is weer dit liefdesgebeuren, en hij laat het niet uit zijn vingers glippen. 'Wat heeft liefde hiermee te maken?' declameert Gary vanaf het toneel, goed op dreef. 'Alles! Liefde is de verbindende factor.'

('Hoe gaat het?' zegt Neill wanneer ik hem met de munttelefoon in de lobby bel. 'Niet goed,' fluister ik, voor het geval een van de afgevaardigden meeluistert, 'het werkt niet.' 'Misschien is het de poging alleen die terzake doet,' zegt hij.)

Lunch naast de binnenfontein van ontsmettingsmiddelen. Ik kom terecht naast een vorig-leventherapeut genaamd Barbara, die de rest van de tafel in vervoering houdt met haar beschrijving van hoe de dood alles te maken heeft met 'onopgeloste zaken'.

'Dus je vertelt me dat mijn zusje doodging aan borstkanker toen ze drieëndertig was omdat ze onopgeloste zaken had uit haar vorige levens?' zeg ik.

'Ja,' zegt Barbara. 'Ze moest voor dit leven terugkomen vanwege trauma's die ze nog in zich had. Het moet een onopgelost trauma in haar hart geweest zijn dat de borstkanker veroorzaakte. Wat zonde dat ik niet met haar heb kunnen werken om die zaken op te lossen.'

'En wat had je kunnen doen om haar te redden?' vraag ik.

'Nou, stel dat ze joods was, en in haar vorige leven kwam er een Duitse soldaat binnen die op het hoofd van haar kinderen stampte en dat ze daarna sterft in de gaskamer...'

'Ja?' zeg ik, terwijl ik probeer me niet te verslikken in mijn aardappelsalade.

'Dan zouden we teruggaan in de tijd,' zegt Barbara luchtig, 'door vier of vijf van haar vorige levens, om te zien hoe vaak die man haar dit had aangedaan; en of de persoon met wie ze in dit leven trouwde het programma opnieuw opstartte.'

'En dan wat?' vraag ik.

'Dan konden we naar de hemel gaan en baden in de rivier van het leven,' vervolgt Barbara.

'Ik begrijp je niet helemaal,' zeg ik.

'Het heeft allemaal te maken met gedachtevormverwijdering,' zegt Barbara. 'Laten we dertigduizend jaar teruggaan. Stel dat je zusje de slavin is van deze persoon. Op de een of andere manier heeft hij het gevoel dat hij haar bezit. Hij wil wraak en die herinnering gaat in een bestand, als in een computer. Dan zit ze tweeduizend jaar later misschien weer in een slaafsituatie, en het gaat regelrecht terug naar het gegevensbestand.'

'En hoe ga je daarmee om?' vraag ik.

'We gaan naar de Tempel voor Gedachtevormverwijdering,' zegt Barbara geduldig.

'Waar is die?' zeg ik.

'In de hemel,' zegt Barbara. 'Daar heb ik een reusachtige glazen bol gecreëerd – en daar sta je, op deze glazen koepel – en we vragen alle herinneringen, alle kwellingen, alle trauma's deze glazen koepel in te gaan, waar ze gevangen worden. Dan vragen we God het te desintegreren, en dat doet hij. Dan baden we in een poel van volmaakte goddelijke energie, en lopen we de Tempel van het Zijn uit...'

'Zijn we nog steeds in de hemel?' zeg ik.

'Ja,' zegt Barbara. 'Dan pak je Excalibur...'

'Is Excalibur in de hemel?' onderbreek ik haar.

'Ja,' zegt Barbara, '... en je hebt het programma voor altijd gewist.'

'Hoe weet je dit allemaal?'

'Dit is oorspronkelijk christendom,' zegt Barbara. 'Ik werk er al dertig jaar mee. Het zijn mystieke gegevens van de tempelridders. Zo ontdekte ik deze informatie, het was een code. Al het religieuze materiaal is geschreven in een code.'

'Waar heb je de informatie gevonden?' zeg ik.

'In de bibliotheek,' zegt Barbara. 'Trouwens, je zusje wordt over ongeveer twintig jaar herboren, en ze zal dit alles opnieuw moeten doormaken.'

'O, hemel,' zeg ik, 'dat is niet echt goed nieuws.'

'Ja,' zegt Barbara, 'maar misschien kan ik met jou werken?

Ik denk dat je aan je onopgeloste zaken moet werken. Droomde je over concentratiekampen toen je kind was?' 'Inderdaad,' zeg ik. 'Maar dat kwam waarschijnlijk omdat mijn vader er veel over sprak, omdat hij joods is en sommige familieleden van hem in de kampen stierven.'

Barbara schudt somber haar hoofd. 'Nee, ook jíj zat daar in het concentratiekamp,' zegt ze. 'In een vorig leven. Dat is de reden waarom je zo snel mogelijk met me moet werken.'

'Helaas woon ik in Londen,' zeg ik.

'Nou, dan moeten we het dit weekend doen,' zegt Barbara. 'Ik denk niet dat ik tijd heb,' zeg ik. 'Het schema van de conferentie ziet er nogal strak uit...'

Barbara schudt opnieuw haar hoofd. 'Ik hoop en bid alleen maar dat de nazi's je doodschoten, en je niet vergasten,' zegt ze. Ik heb nu niet langer trek in mijn aardappelsalade en ham. Ik zou graag een kop zoete thee willen, om mijn zenuwen tot bedaren te brengen, maar de middagsessie van de conferentie staat op het punt te beginnen. Barbara staat op en verlaat de tafel, nog altijd met een bezorgde uitdrukking op haar gezicht. Ik voel me nogal onpasselijk, maar haal diep adem en ga terug naar de zaal. Ik wilde dat er ramen naar de buitenwereld waren. Er is geen frisse lucht hier; alleen een chemische zoetheid die boven de rijen stoelen zweeft.

De volgende sessie is aangekondigd als: 'Oversteken met Laurie Campbell: een groepservaring.' Laurie gaat proberen contact te krijgen met de overleden mensen die ons vandaag in deze zaal omringen. Deze belofte is, naar ik aanneem, wat sommige toehoorders naar de conferentie heeft gebracht. Verwachting vult de zaal; verloren hoop en verloren kinderen; geliefden en geheimen die wachten gedeeld te worden. 'Vaak zie ik iets vanuit mijn ooghoek,' zegt Laurie, en mijn nek verstijft terwijl ik weerstand bied aan de neiging achter me te kijken op zoek naar Ruth, van wie het zwijgen tijdens deze gebeurtenissen me nerveus maakt. ('Ik zou voor geen goud hier willen zitten,' zegt een stem in mijn hoofd.)

'Ik voel dat er achter me een ruimte opengaat,' vervolgt Laurie, 'en de ruimte zit vol geesten. Gewoonlijk aarzelen degenen die zelfmoord hebben gepleegd, maar de meer dominante geesten duwen de deuren open.' De deuren van de zaal zijn gesloten. Het is stil in de zaal. We wachten. 'Ik hoor de geesten praten alsof het mijn eigen stem in mijn hoofd is,' zegt Laurie. 'Mensen realiseren zich vaak niet dat het feit dat je alleen je eigen stem hoort, niet betekent dat er geen geest tegen je praat...'

Laurie begint te praten over een overleden kind. Twee vrouwen in het publiek reageren hier meteen op. Beiden willen dat het geestkind dat Laurie beschrijft hun verhaal is: hun familie, hun verloren baby. 'Ik krijg de initiaal J,' zegt Laurie, 'en een M en een C.' Beide vrouwen kunnen mensen met die initialen in hun leven vinden. Het is me nog steeds niet duidelijk over de baby van wie we het hebben.

Dan gaat Laurie verder met de beschrijving van een kleine man die van oude auto's hield. 'Ik krijg de initiaal V,' zegt ze. Vier mensen steken hun hand op om de geest als hun geest op te eisen. Eén vrouw huilt. 'Mijn grootvader heette Victor,' zegt ze. 'Hij hield van oude auto's. Het moet hem zijn.' Een andere vrouw aan de andere kant van de zaal zit ook te snikken. 'Ik denk dat het met mij te maken heeft,' zegt ze. 'Hij hield van Volvo's. Dat moet de V zijn...'

'Vergeet niet te ademen, te ontspannen,' zegt Linda geruststellend, die even de microfoon overneemt. Maar de spanning zit er stevig in bij het publiek, en je kunt de angst ruiken die zich vermengt met de luchtverfrisser. 'Er zijn een heleboel ongeziene individuen in deze zaal,' zegt Gary. 'Ze zeggen allemaal "ik, ik, ik!".'

'Ik denk dat we hier misschien een "doorbloeding" ervaren,' zegt Laurie, 'dat is wanneer informatie van het ene medium naar het andere wordt doorgegeven. Ik weet namelijk dat er hier vandaag andere mediums in deze zaal zitten. Of de informatie gaat van de ene zitter naar de andere.' Een vrouw die naast me zit, die aan haar tot op het leven afgekloven nagels zat te kluiven, mompelt iets over bedrog en elektronische afleiding door ondermijnende mensen – of 'infiltranten' – in het publiek (waarmee ze, denk ik, de levenden bedoelt en niet de doden).

Gary en Linda besluiten dat de groepsbenadering niet werkt. Dus vragen ze Laurie in plaats daarvan een wat zij 'blinde reading' noemen te doen. Ze gaat met haar rug naar het publiek op het toneel zitten, met haar hand voor haar ogen. Dan zegt Gary dat ze iemand uit het publiek zal uitzoeken om op het toneel te komen. Deze persoon zal door Laurie gelezen worden zonder dat ze de persoon ziet. Je kunt de zaal voelen zoemen van de stilte, met wanhopige verzoeken uitgezocht te worden ('ik, ik, ik!'). Ik beveel Gary een grijsharige vrouw met een bleek gezicht en wallen onder haar ogen uit te zoeken; een van de vrouwen die reageerden op het noemen van een overleden kind door Laurie (een vrouw die op enkele dringende vragen antwoord nodig schijnt te hebben). Maar dat doet hij niet. In plaats daarvan zoekt hij Monty uit, die het toneel opgaat en daar gaat zitten, terwijl hij eruitziet als Sherlock Holmes. Ik vraag me af wat voor geesten Monty hier, helemaal naar Amerika, met zich meebrengt.

Ik vind dat Laurie het redelijk goed met hem doet. Hij antwoordt alleen met ja en nee op haar verklaringen en vragen (al zij het met een Engels accent, wat zeldzaam is bij deze conferentie). Ze zegt dat ze 'een naam met een M blijft krijgen, een grappige naam die ik niet herken'. Na een paar pogingen komt ze, als een aarzelende goochelaar, met Bess (de naam van zijn moeder) en John (de naam van zijn vader). Ze zegt ook dat zijn vader werd gedood door een bom in de Tweede Wereldoorlog, wat Monty bevestigt als zijnde juist. Laurie zegt dat de omstandigheden voor zijn dood heel traumatisch voor Monty waren, want het had te maken met een scheiding. Als de reading voorbij is, vertelt hij ons dat hij, voor het bombardement, vijfhonderd kilometer van zijn familie vandaan was gebracht. Ze scoort

weer door hem te beschrijven als iemand met hartproble-
men. Hij zegt dat hij enkele hartaanvallen heeft gehad. Ze
houdt ook vol dat de geesten verwijzen naar tomaten. Later
geeft Monty toe dat hij, vele jaren geleden, 'de redacteur
was van een tijdschrift over tomaten'.

Maar Ray, de scepticus, is niet onder de indruk. We hebben
niets meer – of niets minder – dan een slimme koude reading gezien, zegt hij, wanneer ik hem voor een deskundige
mening insluit. Laurie kon de leeftijd van Monty hebben
geraden door zijn stem; en dan is het niet zo moeilijk te
raden dat een Engelsman van in de zeventig wellicht een
vader had die in de oorlog stierf. Ik vind de weigering van
Ray om te geloven geruststellend – zijn cultuur is tenslotte
de bekende cultuur waarbinnen ik ben grootgebracht – en
toch ook op de een of andere manier niet overtuigend (of
misschien is mijn behoefte te geloven sterker dan die van
hem). 'Hoe zit het dan met de tomaten?' vraag ik. Hij
schudt alleen maar zijn hoofd.

Halfacht 's avonds. Gary en Linda houden een 'avond
extravanganza' in hun laboratorium voor iedereen die bij de
conferentie aanwezig was. Er zijn zoveel mensen dat het
feest zich grotendeels buiten afspeelt, onder het licht van de
volle maan en de feeërieke lichtjes die in de bomen zijn
gehangen. Een vriend van Gary en Linda – een voormalige
katholieke priester die nu getrouwd is – houdt een toespraak. 'Ik ben een groot romanticus,' zegt hij. 'Toen ik
vanmiddag naar Laurie keek, wilde ik dat ze alles goed had,
en niets zou missen. Maar toen dacht ik, dat is niet de
wereld waarin we leven, dat is geen realiteit.'

Later eet ik chocoladebrownies en praat ik met een man die
George heet, die eruitziet als een verzorgde Hollywood-
acteur (je zou hem kunnen zien als een klein doch liefdevol
personage in *ER*); maar hij blijkt maatschappelijk werker in
de psychiatrie in Californië te zijn die ook werkt als medium. 'Hoe weet je het verschil tussen de stemmen die je in
je hoofd hoort,' vraag ik terwijl ik probeer niet onbeleefd te

zijn, 'en de stemmen die de krankzinnigen met wie je werkt in hun hoofd horen?'

'Dat is een goede vraag,' zegt George kalm, alsof hij te maken heeft met een moeilijke cliënt. 'Mediums zoals ik zijn niet gek, want we helpen mensen. Gekke mensen beschadigen hun leven en dat van anderen. Mediums beschadigen niemand.'

Na mijn gesprek met George wandel ik alleen, doelloos, in het laboratorium rond en ik kom terecht in een donkere kamer met spiegels met een of twee van Gary's afstudeerstudenten met frisse gezichten. Een van hen, Dan, zegt dat ik op de computer een kijkje kan nemen naar mijn aura, als ik dat zou willen, door de nieuwe machine in deze kamer te gebruiken. De machine wordt een 'GOV' genoemd, wat staat voor gasontlading visualisatie. 'Oké,' zeg ik en hij geleidt mijn rechterhand in een vreemd, handschoenachtig apparaat dat is verbonden met de computer. De andere afstudeerstudent, een jonge vrouw genaamd Sabrina, tikt iets op het toetsenbord en dan krijg ik, plotseling, een elektrische schok, en ik piep van verrassing. 'Moet dit gebeuren?' vraag ik.

'Nee,' zegt ze. 'Misschien heb je te veel statische elektriciteit om je heen.' Het blijkt dat ze mijn aura niet op de computer kan lezen maar Dan, die een hoorapparaat heeft, zegt dat hij de aura's van mensen kan zien zonder de hulp van de GOV. 'Ik dacht dat aura's niet meer in de mode waren,' zeg ik, 'net als teleplasma?'

'Ik heb ze altijd kunnen zien,' zegt hij, 'van kinds af aan al. Jouw aura is blauw, maar het vertoont scheurtjes, zodat ik kan zien dat je pijn hebt rond je rechterschouder en je nek.'

Ik heb, inderdaad, een heel stijve nek, mogelijk door de stress van de hele dag ongebruikelijk aardig zijn, omdat iedereen zo aardig tegen mij is, en tegen elkaar. De voortdurende vrolijkheid bezorgt me spanning. Ik besluit te gaan en om Ray, de scepticus, op te zoeken in de verre hoek van de tuin. Hij lijkt zich achter een boom te verschuilen. 'Geniet je van het feest?' zeg ik.

'Het is een heel andere wereld,' zegt hij.

'Weet je, deze mensen geloven echt in wat ze doen,' zeg ik. 'Laurie is volledig oprecht...'

'Je hebt vast gelijk,' zegt hij. 'In mijn ervaring is 98 procent van de mediums oprecht, wat betreft dat ze geloven in wat ze doen. Maar dat betekent niet dat ze met de doden spreken.'

Het is laat geworden en in de bus terug naar de Holiday Inn zit ik naast Carrie, een massagetherapeut en voormalig salondanseres uit Boca Raton. 'Het lijkt alsof je last hebt van je nek,' zegt ze.

'Dat klopt,' zeg ik en ik vertel haar, voor ik het weet, over de rest van mijn problemen: de dood van Ruth; en ook al die andere sterfgevallen. Ze luistert alleen maar en knikt. Tegen de tijd dat we terug zijn in het hotel, heb ik het verhaal gelaten voor wat het is – het is sowieso moeilijk uit te leggen, en trouwens, iedereen gaat dood – maar zij biedt me aan mijn nek te masseren in haar kamer. Dus gaan we daarheen, en het is elf uur in de avond en ik lig op de vloerbedekking en staar naar het beige gevlekte plafond. Ik sluit mijn ogen terwijl zij mijn nek masseert en glijd weg in de duisternis, naar de plaats waar dromen zijn, eindelijk rustig.

Daarna ga ik zitten en bedank ik haar. 'Graag gedaan,' zegt ze. Dan, terwijl ik op het punt sta haar goedenacht te wensen, zegt ze: 'Weet je, je kunt de doden niet terugbrengen, maar je kunt wel je kinderen gelukkig maken.' Dit lijkt het beste advies dat ik sinds enige tijd heb gehoord. Ik wilde dat ik nu naar hen toe kon vliegen, en naar mijn man, maar dat kan niet, en ze liggen vast nog te slapen zodat ik hen zelfs niet kan bellen, maar ik denk aan hen, hun warme hoofd op een kussen, gestaag ademhalend, terwijl de dageraad in Engeland aanbreekt.

10 maart

Om negen uur deze morgen geeft een medium genaamd Traci Linn Bray uit Macomb in Illinois een impromptu reading. Dit soort dingen gebeurt nu overal tijdens de conferentie terwijl deze aan de laatste dag begint. Kleine paranormale groepjes in de hoeken van de Holiday Inn; vertrouwelijkheden die worden uitgewisseld en paranormale experimenten die worden uitgevoerd. Traci zegt tegen me dat ze een kleine vogel ziet die op de een of andere manier verband houdt met Ruth en mij. Ze zegt ook dat ze mijn zusje ziet fietsen. 'En er wappert een witte linnen bloes om haar middel. Betekent dat iets voor je?'

'Haar lievelingsbloes van een ontwerper die Geest heette,' zeg ik. 'En ja, de fiets betekent veel voor me.'

'Ik zie je zusje aan de ene kant van een glazen plaat,' zegt Traci Linn. 'Jij staat aan de andere kant. Jullie handen zijn tegen elkaar gedrukt, maar jullie kunnen niet spreken. Betekent dat iets voor je?'

'Ja,' zeg ik terwijl ik begin te huilen, al wil ik dat niet, 'dat betekent iets voor me.'

'Ze wil dat je weet dat jullie elkaar op een dag zullen kunnen horen,' zegt Traci. 'En ze wil dat je iets voor haar doet. Ze vraagt of jij haar kinderen "De koe die over de maan springt" wil voorlezen.'

'Oké,' zeg ik. 'Ze zong altijd kinderliedjes voor mijn kinderen toen ze nog klein waren. Ik zal het voor haar doen.'

'Ze geeft je nu bloemen,' zegt Traci, 'een bos wilde bloemen. Jullie geven elkaar altijd bloemen...'

Daarna wrijf ik in mijn ogen, maar Traci gaat niet weg. Ze werkte in de ordehandhaving, vertelt ze me, maar kon haar gave als medium niet negeren. Het wilde niet weggaan. Nu is ze hier bij de conferentie, op zoek naar een weg voorwaarts, net als de rest van ons. We schudden elkaar de hand, en dan neem ik mijn plaats in de zaal in, hoewel ik me voel alsof ik slaapwandel. Professor Schwartz praat weer over fysica. 'In de kwantumfysica zijn er ideeën die niet zichtbaar zijn,' zegt hij. Er verschijnt een lijst op het scherm achter hem. Er staat: 1 Vorming. 2 Mechanisme. 3 Contextueel. 4 Systeem. 5 Impliciet proces. 6 Circulaire causaliteit. 7 Creatief ontvouwen. 8 Integrale diversiteit.

Ik begrijp niet waar hij het over heeft. Zijn lezing doet me denken aan mijn vaders e-mails en kabbala-diagrammen. 'Er zijn sommige dingen die verder gaan dan woorden, maar toch weet je dat ze waar zijn,' zegt professor Schwartz. 'Dat is een deel van het probleem bij dit soort onderzoek. We zien de gegevens, maar op een bepaald niveau is het niet te berekenen, en misschien is het nooit te berekenen. Misschien moeten we hier gewoon vrede mee hebben.'

Ik besluit naar buiten te gaan voor een frisse neus. Ik sluip de zaal uit en ga op de binnenplaats zitten. Professor Ray is er ook, op weg naar de fitnessruimte. 'Hoe werkt al dit gedoe?' zeg ik.

'Mensen maken de dingen passend,' zegt hij, 'en mensen die een diep gevoel van verlies hebben – de rouwenden – doen algemeenheden het snelst relevant lijken. Weet je, iedereen kan een significante naam in hun leven vinden die begint met een M.'

Ik vraag hem mij een 'koude reading' te geven, om te bewijzen dat hij net zoveel inzicht kan hebben als een medium. Hij pakt mijn hand, en kijkt naar de lijnen in mijn palm, alsof ze belangrijk zijn, alsof ze iets betekenen. 'Je had minstens twee mentoren in je leven,' zegt hij, 'en eh, een grote verandering rond je dertigste.'

'Hoeveel kinderen heb ik?'

'Vier,' zegt hij, 'misschien vijf.'

'Niet zo goed,' zeg ik met een sceptische glimlach. 'Ik heb twee kinderen, en de rest van wat je zei was te algemeen.'

'Mediums doen alleen in algemeenheden,' zegt hij.

'Een medium vertelde me vanmorgen dat mijn overleden zusje fietst!' zeg ik. 'Dat is een specifiek detail.'

'Veel mensen fietsen,' zegt hij.

'Ja, maar het betekende iets belangrijks voor me,' zeg ik.

'Je kunt algemeenheden altijd belangrijk laten blijken, als je dat nodig hebt,' zegt hij.

'Dat weet ik,' zeg ik. 'Ik weet alles over je vastklampen aan een strohalm.'

Terug in de zaal herinnert Gary ons er, nogmaals, aan dat deze conferentie – dit hele proces – over liefde gaat; en ik zak neer in mijn stoel. Misschien is mijn afvalligheid duidelijk, want Gary schijnt zich in mijn richting te wenden wanneer hij zegt: 'Dit is een eenvoudige manier om te onthouden wat liefde betekent. Bij het Engelse woord *love* staat de L voor *listen* (luisteren), want als je van iemand houdt, is het eerste wat je doet. Maar de andere luisteren – met je oren, je ogen, je hart, je hele wezen. De O staat voor *observe* (waarnemen), want wanneer we van iemand houden, kijken we naar de ander en vieren we hem of haar. De V staat voor *valuing* (waarderen), want wanneer we van iemand houden, zijn ze belangrijk voor ons, en dus ook hun gevoelens, hun doelen en hun dromen. En de E staat voor *empower* (machtigen), want wanneer we van iemand houden, bieden we hen macht. *L.O.V.E.* Dat kun je altijd onthouden...'

Gary staart liefdevol naar Linda en Linda kijkt peinzend terug naar Gary en iedereen in het publiek knikt instemmend, behalve ik, en mogelijk Monty, die naar de vloer lijkt te staren. (Ray, intussen, is volledig verdwenen.) Ik besluit dat Gary te veel tijd heeft doorgebracht met mediums, al die initialen hebben hem uiteindelijk de das omgedaan (en mij ook, want ik kan mijn eigen lijsten opstellen: als L voor liefde staat en Linda en leven na de dood, dan staat J voor Justine en Judas en jouwen).

De conferentie loopt ten einde, verweven in glimlachen. Linda praat over haar plannen voor 'familiezieltherapie', waarbij niet goed functionerende gezinnen hun geschillen kunnen oplossen via de hulp van een medium. Dit medium zal de nog steeds bestaande geschillen tussen de levenden en de doden aanpakken. (Dit klinkt als een goed plan voor mijn grootvader, de dode spiritist, en mijn vader en mij... Misschien zou ik ons moeten opgeven?) Wanneer Gary zegt dat Linda het een goed idee lijkt om familiezieltherapie met Hitler te doen, weet ik niet zeker of hij een grap maakt. Het publiek applaudisseert wanneer Linda verklaart dat ze een 'regenboogspiritist' is, en dan zegt Gary dat hij als laatste gebaar van liefde voor ons zal zingen voor we onze afzonderlijke weg gaan.

Gary zingt, in karaokestijl, een paar liederen van James Taylor. '*There's a river running under your feet,*' zingt hij zacht in de microfoon, terwijl hij zijn das losmaakt en zachtjes heen en weer wiegt op het toneel. Hij vertelt ons hoeveel hij van het werk van James Taylor houdt, met name van de ballade 'Wake up Susy', die hij opdraagt aan Susy Smith. 'Misschien krijgt iemand van jullie de code van Susy en wint de prijs!' zegt hij, bemoedigend als altijd.

'Gezegend zijn jullie allen op je reis wanneer je dit hotel verlaat,' zegt Linda.

'Gezegend zijn jullie,' zegt Gary.

'Gezegend zijn jullie,' zegt de vrouw die naast me zit.

Maar het is nog niet voorbij. Ik ga naar het afscheidsdiner met Gary, Linda, Laurie en Monty. Gary brengt ons in zijn enorme auto naar een Chinees restaurant; een auto die hij en zijn bewonderaars kennen als de 'Geestmobiel'. Erin hangt een grote foto van Linda's vader, Henry Russek. Gary vertelt ons dat hij tijdens de conferentie elke dag een andere das van Henry had gedragen. 'Linda gaf me de dassen van haar vader, wat een vreselijk grote eer was.'

'Ze zijn heel mooi,' zeg ik.

'Ja, inderdaad,' zegt Gary, die de rode das van vandaag streelt als een baby.

Tijdens het diner praat ik met Linda over honden (ze slaapt

met die van haar, hoewel Gary af en toe naar de andere kamer wordt verbannen vanwege zijn snurken). Dan wend ik me tot Laurie en we bespreken de overleden wetenschappers in haar leven. 'Ze komen rechtstreeks door me heen,' zegt ze, 'mensen die ik nooit eerder heb gehoord, zoals bijvoorbeeld een natuurkundige die sir John Eccles heet.' Monty kijkt geïntrigeerd, en begint Laurie te vertellen over de praktijk van fysiek mediumschap, waar tegenwoordig nauwelijks meer iets over wordt gehoord. 'Dat kan ik,' zegt Laurie. 'Justine heeft mijn transfiguratie gezien, wanneer mijn gezicht verandert.'

Op de terugweg zingt Gary nog een paar liedjes van James Taylor. 'Ik vind ze heel ontroerend,' zegt hij, hoewel Linda enigszins gespannen kijkt. Ik besef dat ik Gary niet begrijp; of zijn relatie met Linda (hoe delen ze een huis met haar overleden vader en hun bed met een hond die Freud heet?). Of hun mysterieuze soort liefdevol onderzoek, maar ik ben blij dat onze wegen elkaar hebben gekruist. ('Sluit mij maar uit,' verzucht de stem van Ruth in mijn hoofd, 'als je overweegt nog een keer naar zoiets te gaan.' 'Ik kwam hier naar jou zoeken,' zeg ik, 'en dan kom je niet!' 'Wat verwacht je dan?' snauwt ze, 'ik kon er geen woord tussen krijgen, die mensen praten zoveel.' 'Oké,' zeg ik tegen haar, 'góéd, maar ik wilde alleen maar iets bewijzen, dat is alles.') Nadat Gary ons bij het hotel heeft afgezet, kijk ik hem na terwijl hij in zijn Geestmobiel wegrijdt, recht de snelweg af de duisternis in. En terwijl hij de hoek omslaat, terug naar zijn huis in de bergen, verbeeld ik me graag dat hij nog steeds zingt...

11 maart

's Morgens vroeg verlaat ik Tucson, op een vlucht naar Dallas. Ik kijk uit het raam en stel me Ruth voor die iets uit het zicht van het vliegtuig op haar fiets rijdt, de bleke lucht in, haar donkere haar wapperend achter haar aan, haar geest-bloes fladderend in de wind.

Halverwege komen we in een storm terecht. De bliksem flitst rond het vliegtuig en we duiken en rollen en vallen door de wolken. Ik sluit mijn ogen en denk aan Ruth, niet langer daarbuiten op haar fiets, maar hierbinnen, naast me zittend in het gangpad omdat het vliegtuig propvol zit, en mijn hand vasthoudt. Ik knijp mijn handen samen. 'Het vliegveld van Dallas is gesloten vanwege de storm,' zegt de piloot, die kraakt over de intercom, 'maar maakt u zich geen zorgen, we hebben genoeg brandstof om hier een poosje te kunnen blijven.' De passagiers zijn stil, al zit een vrouw achter me, zachtjes, te bidden. Ik wil niet dat dit vliegtuig neerstort, door een gat in de lucht valt. Ik wil weer bij Neill zijn; de plek waar mijn hoofd op zijn schouder rust, waar mijn lippen zijn warme huid raken; en er is nog zoveel te zeggen; zoveel dat ik niet ongezegd wil laten... Hoe kan ik ergens anders heen gaan dan naar huis: mijn kinderen vasthouden, de vorm van hun mond zien wanneer ze glimlachen; en Juliette, die op me wacht om haar te leren hoe ze pannenkoeken hoog in de lucht kan werpen, als magie? En Lola en Joe, opgekruld van het lachen tussen Neill en mij op de bank; dit kluwen van kinderen in mijn leven, die de gebroken stukjes verweven. Ik wil naar huis. Ik zal er komen...

Na nog een uur door elkaar geschud te zijn, is het net alsof we in rondjes vliegen; en mijn maag maakt salto-mortale's. Een halfuur later landt het vliegtuig, en de vrouw achter me prijst de genadige God voor zijn vriendelijkheid. Ik dank Ruth in plaats daarvan, maar niet hardop. We lijken in het midden van het veld tot stilstand te zijn gekomen, terwijl de bliksem kraakt en de lucht zich opent. 'Het vliegveld is nog gesloten vanwege de elektrische storm,' zegt de piloot. 'Het spijt me, maar we zullen hier nog even moeten blij-ven.' Het kan me niet schelen. We zijn tenminste veilig op de grond, hoewel het vreemd lijkt vast te zitten in limbo, terwijl de aankomstpoorten gesloten zijn voor onze binnenkomst.

Uiteindelijk komt het vliegtuig weer in beweging, richting vliegveld. (Ik herinner me de terugkerende droom van mijn moeder; hoe ze een heuvel op fietst maar nooit de top bereikt, terwijl ze haar hele gezin meedraagt op haar gammele fiets en het hele stelletje in evenwicht probeert te houden.) Tegen de tijd dat we bij de poort komen, maak ik me zorgen dat ik mijn verbindingsvlucht naar Londen mis, al moet het hele vliegveld hebben stilgelegen. Het is een chaos in de aankomsthal. Met zijn drieën – het oudere stel en ik en hun koffers – stappen we op de elektrische trein. De trein rijdt in een eindeloze cirkel rond het vliegveld. We komen uit de eerste hal, gaan langs vijf concentrische snelwegen en fly-overs en komen dan piepend tot stilstand in de stromende regen. 'De zesde cirkel van de hel,' zegt de oudere man terwijl hij met zijn vingers op zijn knieën tikt. 'Wist je dat er geen bestuurder op deze trein zit?' voegt hij eraan toe. 'Hij beweegt zich op een geheimzinnige manier.' Ik vraag me af wat er in een storm gebeurt met elektrische treinen. Er is zoveel wat ik niet begrijp. Dan komt de trein weer in beweging en zet ons af bij een andere hal. Ik stap uit de trein en loop in de richting van mijn gate. Ik ben op weg naar huis.

De dag wordt nacht, maar niet lang meer op het vliegtuig dat me naar Londen brengt. De dageraad breekt aan in Londen vlak nadat de zon in Dallas is ondergegaan. Ik slaap niet, maar het geeft niet. De reis verloopt soepel nadat we eenmaal het grote Texaanse onweer achter ons hebben gelaten. Op Gatwick neem ik een trein naar Londen, en ik ga vervolgens de metro in, in de massa van het spitsuur, voor de laatste fase van deze lange reis. Ik ga zitten en er staat een gedicht van Henry Vaughan boven het raam tegenover me, daar afgedrukt om vermoeide forensen te inspireren, neem ik aan. Het heet 'De Wereld', en ik herinner het me half van lang geleden (was het meneer Hood die het ons op de lagere school voorlas, nadat we de Romeinse villa's hadden gebouwd, voordat we overgingen naar 'De laatste strijd'?) Ik lees het steeds opnieuw en probeer het in mijn hoofd te krijgen voor ik de wagon verlaat.

> *'Ik zag Eeuwigheid de vorige nacht*
> *Als een grote Ring van puur en eindeloos licht,*
> *Net zo kalm als het helder was,*
> *En rond eronder, Tijd in uren, dagen, jaren*
> *Gedreven door de sferen*
> *Als een grote schaduw bewegen, waarin de wereld*
> *En al haar treinen waren geworpen...'*

18 maart

Er is nog één plaats waar ik naartoe wil. Er is nog één vrouw die ik moet zien: een vrouw genaamd Tina Laurent, die ten zeerste wordt aanbevolen door mensen die verstand hebben van deze dingen. Mensen die weten hoe je met de doden contact kunt krijgen via taperecorders. ('Moet je echt op een zondagavond?' zegt Neill, nadat we de kinderen naar bed hebben gebracht. 'Moet je dit allemaal doen?' 'Ik ben niet lang weg,' zeg ik, 'ik ben terug voordat je slaapt.' 'Denk je niet dat je nu zover bent om ermee te stoppen?' zegt hij. 'Je hebt toch niet nodig dat deze mensen je vertellen wat je moet geloven...' 'Je hebt gelijk,' zeg ik terwijl mijn stem wegsterft, 'het spijt me, maar ik heb al een afspraak met Tina gemaakt...' 'Je hoeft niet altijd het spijt me te zeggen,' zegt hij.)

Ik had terug kunnen gaan naar Judith Chisholm, maar misschien brengt dit medium me verder naar ergens anders. (Het is toch zeker op z'n minst nog één poging waard?) Tina Laurent woont in Zuid-Wales, maar ze komt elke maand voor twee weken naar Londen, om voor een oude dame in Barnet te zorgen. Ze zegt dat ze me vandaag in de flat kan ontmoeten waar ze werkt, want ze logeert daar wanneer ze dienst heeft. Het is niet zo ver van mijn huis af, acht tot tien kilometer, de Great North Road over, door de buitenwijken van Londen. Ik ben die kant nooit op geweest, maar ik vind de straat van de oude dame en parkeer mijn auto buiten haar flatgebouw. Boven, op de bovenste verdieping, staat Tina op me te wachten. Ze heeft bleek rossig haar; en een glad, leeftijdloos gezicht, hoewel ik vermoed dat ze in de vijftig is. Ze draagt paars, veel paars; ze ziet er sterk en heel kundig uit. Ze stelt me als eerste voor aan de oude dame, die in bed ligt voor de avond (ik weet niet goed hoe ik mezelf moet introduceren – 'Hallo, ik heet Justine, ik kom met geesten praten' – nee, beter van niet; in plaats daarvan schudden we elkaar de hand). Dan laat Tina me binnen in de voorkamer, die volhangt met foto's van familieleden van de oude dame. Tina heeft een lijst voor me opgesteld met alle namen die ze op haar taperecorder heeft doorgekregen sinds we een paar weken geleden door de telefoon met elkaar spraken. De lijst is drie bladzijden lang, maar geen van de namen is bekend, hoewel 'Tommy' enkele keren voorkomt. 'En ik blijf "Pip" of "Pipkin" doorkrijgen sinds ik jou op de bandjes begon te noemen.' Ze heeft ook de woorden 'diepvrieszuster' en 'thee-cola' op de lijst staan: deze boodschappen kwamen de voorgaande avond blijkbaar luid en duidelijk door.

Ze legt uit dat ze in Amerika woonde, waar haar eerste man arts was. Daar raakte ze overtuigd van haar paranormale gaven, nadat ze op een nacht had gedroomd over een oranje vuur met het nummer zes erin. De volgende dag ontdekte ze dat op het moment dat ze dit droomde, haar man de arts naar een explosie was geroepen waar zes lichamen werden aangetroffen. Helaas was hij niet blij met haar pas ontdekte belangstelling voor het paranormale, en niet lang daarna scheidden ze. Tina echter bleef haar zoektocht trouw, en ze kwam in contact met Sarah Estep in Annapolis. Toen wist ze dat ze de poort naar gene zijde had gevonden. Sarah leerde haar hoe ze de beste resultaten van taperecorders kon krijgen; en over het belang van doorzetten; van het steeds opnieuw luisteren naar de banden, tot de boodschappen duidelijk werden. Net als Judith Chisholm hoort ze de onstoffelijke stemmen niet tijdens de opnamen. Ze moet wachten tot ze de band heeft teruggespoeld, en vaak moet ze de snelheid van het toestel bijstellen om de stemmen te vertragen zodat ze die kan horen. 'We moeten aannemen dat hun vibratieniveau hoger is dan het onze,' zegt Tina. 'Ze zeggen dingen als "we komen naar beneden" of "Tina, kijk naar boven."'

Ze speelt enkele van haar banden nu af. 'Luister,' zegt ze. 'Dit is het moment vorige week waarop ik probeerde contact te krijgen met Ruth...' Er klinkt gesis op het toestel. 'Hoorde je dat?' zegt ze.

'Ik hoorde wel iets,' zeg ik.

'Jong,' zegt Tina. 'De stem zegt "jong". Noemde je Ruth je jonge zusje?'

'Nee,' zeg ik naar waarheid.

Tina haalt haar schouders op. 'Nou ja,' zegt ze, en we luisteren naar nog meer gemompel op de band. 'Ik hoorde van mijn derde man, Carl, nadat hij was overleden. Het was zijn stem, zo duidelijk als maar kan.'

'Was hij de dokter?' zeg ik.

'Nee, dat was mijn eerste man,' zegt ze. 'Mijn tweede man was een joodse professor. En Carl en ik waren entertainers. Hij speelde op de banjo, ik speelde keyboard. Hij zong honderdtwintig liedjes non-stop achter elkaar, meer dan twee uur lang.'

'Op je taperecorder, nadat hij dood was?' zeg ik, in de war geraakt.

'O, nee,' zegt Tina, 'toen we optraden. Ik krijg nu maar een paar woorden van hem. Het is heel moeilijk voor hen vanaf gene zijde te communiceren. Maar ik heb geleerd dat ik de beste boodschappen krijg via het geluid van stromend water.' Daarom loopt ze rond in de flat met een taperecorder om haar nek met een stuk elastiek, klaar om geactiveerd te worden wanneer ze een kraan opendraait of het toilet doorspoelt. Ze gaat nu naar de badkamer en zet, als demonstratie, de taperecorder aan alsmede een kleine handradio die zo is afgestemd dat hij fluctueert tussen verre, mompelende stations. De geesten vinden het gemakkelijker via het geluid van andere stemmen te spreken, legt ze uit, alsmede via water.

Mijn maag begint in opstand te komen en ik ga verzitten in de leunstoel van de oude dame in een poging gemakkelijker te zitten. 'Hallo, hallo, wie is er aan de lijn vanavond?' zegt Tina, die naar de voorkamer is teruggekeerd. 'Radio Tina hier, radio Tina hier.'

Tot mijn grote verrassing meen ik een stem te horen die Tina antwoord geeft, en dan besef ik dat deze niet van de radio of de taperecorder komt, maar vanuit de hal, waar de oude dame in haar slaapkamer ligt. 'Wacht even,' zegt Tina, en ze weidt zich aan haar taak. Tegen de tijd dat ze terug is, moet ik naar het toilet want ik heb het gevoel dat ik misselijk word. 'Hier, neem de taperecorder mee,' zegt Tina. 'Druk de opnameknop in en we zullen zien wat er gebeurt wanneer je doorspoelt.'

Ik neem de taperecorder mee naar het toilet. Ik begin te kokhalzen, waardoor ik me opgelaten voel omdat ik de oude dame niet wakker wil maken die in de kamer ernaast probeert te slapen. Bovendien word ik opgenomen, wat verontrustend is. Ik zet de taperecorder uit en ga een paar minuten op de grond zitten, en kreun en wieg heen en weer. Ik wil naar huis, maar ik weet niet zeker hoe ik daar kom. Ik zet de taperecorder weer aan, spoel het toilet door, was mijn handen en zeg hardop: 'Ruth, ben je er?' Ik ga terug naar de voorkamer en geef Tina de taperecorder. 'Het spijt me echt,' zeg ik, 'maar ik moet nu weg. Ik voel me niet helemaal in orde.'

Tina tuurt naar me en schudt haar hoofd. 'Je ziet er inderdaad wat bleekjes uit,' zegt ze. 'Kun je wel rijden?'

'Ik denk het wel,' antwoord ik, en we schudden elkaar de hand en nemen afscheid. Ik ril terwijl ik terugrijd naar de hoofdweg, en de lichten van de passerende auto's zijn vaag en dubbel, maar ik ga in elk geval in de goede richting en hoef de kaart niet te lezen. Wanneer ik thuis ben haast ik me naar boven en geef ik over in mijn eigen toilet, in gezegende privacy. Dan poets ik mijn tanden, trek mijn kleren uit, stap in bed en krul me helemaal op met een kussen onder mijn hoofd. Ik wil nooit meer naar buiten. De volgende morgen vertel ik Neill dat ik niet kan opstaan. 'Ik voel me misselijk,' zeg ik vanonder het dekbed. Ik blijf daar de rest van de dag liggen, met de hond aan mijn zijde. Ik wil nog niet praten. Ik wil daar in stilte liggen.

24 maart

Neill komt thuis met een videofilm, *Frequency*, die ik vorig jaar oktober in het vliegtuig naar New York wilde zien, over een zoon die via een amateurradio met zijn overleden vader spreekt.

Ik ga helemaal op in het verhaal (wat niet verbazingwekkend is). De zoon – een knappe 36-jarige politieman – woont nog, alleen, in zijn ouderlijk huis omdat zijn vriendin bij hem is weggegaan en zijn moeder naar een appartement is verhuisd. Op een dag vindt hij de stoffige radio van zijn vader onder de trap. De radio doet het nog, en raad eens, het duurt niet lang of hij praat met zijn vader, de brandweerman. Maar de vader lééft, en de zoon (of in elk geval de jongen die hij eens was) is nog maar zes jaar oud, en diep in slaap in zijn slaapkamer. De verbinding is gemaakt door tijd en ruimte, in een Hollywood-versie van mystieke fysica (de tijd is een cirkel, het universum beweegt op mysterieuze wijzen, enzovoort, enzovoort). Gelukkig grijpt de zoon het magische moment – op een nacht die is verlicht door de Aurora Borealis, in een lucht waar je bijna het eeuwige kunt zien – en vertelt hij zijn vader hoe hij het kan voorkomen dat hij door de brand om het leven komt. Het is aan zijn vaders kant van de radio namelijk dertig jaar geleden, de avond voor de noodlottige brand die hem van het leven beroofde.

Dus de brandweerman overleeft de brand, met de hulp van zijn zoon, en dan wordt het verhaal nog ingewikkelder. De moeder sterft omdat er met de tijd is geknoeid, maar dan wordt ze weer gered. Uiteindelijk leeft iedereen nog lang en gelukkig, en spelen ze samen honkbal in het park. Maar deze film heeft me aan het denken gezet. Had ik Ruth kunnen waarschuwen en moeten zeggen dat ze de artsen niet moest geloven toen ze zeiden dat het knobbeltje in haar borst geen kanker was? Waarom kan ik haar niet met de radio terug in de tijd brengen, om haar geschiedenis bij te schaven? Of een e-mail: gewoon één korte e-mail, die door de ruimte flitst? Meer is er niet voor nodig: een kleine verschuiving, een uitglijding in de lucht, een herschikking van voorgaande blunders, een herstel van fouten. We zouden dan nog altijd de gewone dingen samen kunnen doen, de kleine dingetjes die levens verweven tot een bevredigende vlecht; de ongedwongen gesprekken die de taal van de liefde vormen. (Waar spraken we over voor ze ziek werd? Haar, echtgenoten, ouders, schoenen; hoe je lavendel kweekt, of je pukkels kreeg van chocolade.)

Ik blijf maar denken aan de zend- en ontvangstcommunicatie per radio, en zelfs hoewel het laat is wanneer de film is afgelopen, probeer ik tegen Neill te blijven praten over de mechaniek hoe dit zou kunnen werken. 'Het is maar een verhaal,' zegt hij, wanneer ik hem vraag het een of andere doodlopende stuk in het verhaal uit te leggen. 'Het is niet écht, het is verzonnen. Het hoeft geen hout te snijden.'

28 maart

Ik droom dat Neill en ik opnieuw trouwen. Ik voel me nogal verward. Ik draag dezelfde witte linnen jurk die ik op onze echte trouwdag aanhad (een jurk die, toevallig, was ontworpen door Geest), maar de details van deze droom-trouwerij zijn anders. Om te beginnen draag ik zwarte kousen en kan ik Ruth nergens zien, al zat ze bij het echte huwelijk naast me en gaf ze Neill de ring aan, en hield ze een grappige, intelligente toespraak tijdens het feest erna. Ze kocht bloemen voor ons trouwfeest; honderden bloemen, voor de burgerlijke stand en het feest, en een krans van wilde bloemen voor in mijn haar en een paar voor in mijn hand die dag. Dat was haar cadeau voor ons.

Als ik daarna wakker word, ben ik er nog steeds niet helemaal bij. Ik neem de droom door en probeer er weer een weg naar terug te vinden, op zoek naar aanwijzingen. Dit zijn de dingen die ik me herinner. Mijn moeder is in de droom, maar Ruth is nergens te zien. Ik weet niet waar mijn vader is, nog altijd in Zuid-Afrika, denk ik, net als bij de echte bruiloft. Er zijn geen bloemen in mijn droom; en we zitten in een kerk die ik niet herken, halverwege op de heuvel.

De droom doet me eraan denken dat we een video van de trouwpartij hebben – waar uiteraard ook Ruth op staat – maar ik kan het niet verdragen er nu naar te kijken. We trouwden in mei 1993, wat betekent dat ze waarschijnlijk toen in de beginfase was van een niet gediagnosticeerde kanker. Als ik de tijd terug kon draaien – naar de video kijken en praten tegen die zorgeloze, lachende Ruth aan de andere kant van het televisiescherm – dan kon ik haar waarschuwen; haar leven redden. Maar dat kan niet.

Ruth trouwde het jaar daarop met Matt; augustus 1994. Deze keer droeg zij een witte linnen jurk van Geest en stond ik naast haar, met de ringen. Het was een zonnige dag, en ze had witte rozen in haar lange, donkere haar. Het feest was in het huis van de ouders van Matt, op het platteland aan de rand van de South Downs. We dronken champagne in hun tuin en aten plakken cake, in de zon, uitgestrekt op het gazon. Tom deed zijn eerste stapjes die dag en liep wankelend over het gras, opgetogen en triomfantelijk. Tegen die tijd moeten de kankercellen zich aan het verspreiden zijn geweest, maar wij wisten van niets. Het jaar daarop, augustus 1995, werd de tweeling geboren. Een jaar later vierden we hun eerste verjaardag met weer een zonnig feest in dezelfde tuin in Sussex. We waren nog steeds blind voor de kanker van Ruth, al was de knobbel in haar borst uitgegroeid tot de grootte van een gebalde vuist. ('Helemaal goedaardig,' hadden de artsen gezegd.) Het jaar daarna, augustus 1997, gingen we terug naar de tuin voor hun tweede verjaardag. Tegen die tijd wisten we allemaal dat Ruth ging sterven. Ze had de voorgaande weken doorgebracht in Trinity Hospice in Zuid-Londen, met uitzicht op Clapham Common. De tumoren hadden zich via haar bloed uitgezaaid naar haar beenderen, haar lever, haar longen, haar hersenen. Ze was niet langer dezelfde Ruth, en toch weer wel. Het was verwarrend, en zij was erg in de war. In de tuin buiten haar kamer – een wild begroeide, onverwacht geheime plek voor in de stad – zaten we in de zon. Ze liet haar hoofd in mijn schoot rusten. 'Wat doe ik hier?' zei ze. Ik streelde haar haar – haar geschoren haar, als van een lam – en probeerde de woorden te vinden, maar er kwam niets uit. Naast ons liet de moerbeiboom zijn rijpe, vlezige vruchten op het pad vallen. 'Net als bloed,' zei Ruth, die naar de donkerrode vlekken keek. 'Wat zonde...' In de verte vlogen de vliegtuigen heen en weer, op weg naar plaatsen die zij nooit zou zien. Er was een vijver in de tuin, met een sculptuur in het midden die een soort zonnewijzer was. Als ze zich sterk genoeg voelde, liepen we in langzame rondjes om het water, en gingen dan weer naast de moerbeiboom zitten. De middagen tikten weg in Trinity Hospice, centimeter voor centimeter, tot ik het gevoel had dat we naar het vallen van de avond kropen, terwijl ik probeerde een verhaal in elkaar te zetten dat ze zou begrijpen, over wat er van ons leven was geworden. 'Welk jaar is het?' zei Ruth.

'Het is 1997,' zei ik.

'Wat vliegt de tijd toch,' zei ze met die bekende, spottend opgetrokken wenkbrauw, 'wanneer je plezier hebt...'

Na het verjaardagsfeestje van de tweeling ging ze met hen en Matt mee naar huis, en hoewel ze het grootste gedeelte van de tijd sliep, lukte het haar een paar e-mails naar vrienden te sturen. Ze sprak niet veel, maar ze vond het fijn als ik haar rug masseerde met lavendelolie. Ik kocht bossen lathyrussen voor naast haar bed, hoewel de blaadjes al snel uitvielen in de hete kamer boven. De dagen dreven voorbij naar een warme nazomer. Ze kon nu niet meer lopen, maar ze kwam naar Jamies verjaardagspicknick in Regent's Park, in haar rolstoel met Lola en Joe op schoot. Ze droeg haar favoriete witlinnen Geest-blues boven een zwarte rok. Dat ze aanwezig was, was heldhaftig, hoewel ze soms afwezig leek tijdens de picknick, met haar gedachten elders.

Het weekend daarop bracht Matt haar samen met de tweeling in de auto naar het huis van zijn ouders in Sussex. Ze wilde in de tuin zitten, in de frisse lucht buiten Londen zitten, waar de wind vanuit zee neerdaalde over de heuvels van Zuid-Engeland. Maar ze kon al snel geen adem meer krijgen. Ze belden een ambulance, die haar terugbracht naar Londen, naar Trinity Hospice. Joe was in de war. Hij dacht dat een politieagent haar had meegenomen. Ik kwam niet lang daarna in het ziekenhuis. 'Ik sterf van de pijn,' zei ze, al klauwend aan haar bloes. Ze droeg zwarte kousen en ik wilde ze uittrekken, om de druk op de tumoren in haar lever te verlichten, maar ik wist niet waar ik moest beginnen. 'Geef haar meer morfine,' zei ik tegen de verpleegkundigen. 'Ik wil dat ze geen enkele pijn heeft, alstublieft, doe het nu.' Ze verhoogden de dosis, en ze leek kalmer. Ik zat naast haar bed, waar de ramen naar de tuin halfopen stonden. Het was nog licht buiten, nog geen herfst. Late rozen streken langs het glas. Ik streelde haar gezicht, terwijl de schemering viel. Ze had een zuurstofmasker voor haar gezicht en ze kon niet tegen me spreken, maar ze kon me wel horen. 'Dit is het einde niet, Ruth,' zei ik. 'Dit is niet het einde. Waar je vanhier ook naartoe gaat, ik zal nog altijd bij je zijn. Ik zal je altijd horen, jij zult mij altijd horen.'

Ze knikte. 'Ik laat je niet alleen,' zei ik. 'We zullen nog altijd samen zijn, dat beloof ik je.' Toen het donker was, kwam Matt met de kinderen om afscheid te nemen. Ze wist dat ze er waren, en ze haalde het zuurstofmasker van haar gezicht, om hen te kussen. Ze waren bang – er stonden zoveel apparaten in de kamer – maar ze kusten haar, en toen nam Matt hen weer mee naar huis. Mijn moeder was er ook (hoewel ik haar nauwelijks in de ogen kon kijken, uit angst te zien wat in mijn eigen ogen werd weerspiegeld). En later die avond kwamen een paar vriendinnen van Ruth haar opzoeken in de donkere kamer. Tegen die tijd had ze haar bewustzijn verloren. Maar ik denk dat ze hen nog hoorde, terwijl ze aan haar bed zaten te huilen.

Ze stierf in de duisternis, voor de dageraad. Mijn moeder zat naast haar, met een door smart gegroefd intens bleek gezicht. Mijn vader kwam te laat uit Zuid-Afrika aan om Ruth te zien. Hij zat aan de andere kant van het bed, naast het raam, en hield de hand van mijn zusje vast. Ze was koud, maar voor mij leek ze te leven. Haar ogen waren gesloten, maar haar wenkbrauwen zagen er net zo spottend uit als altijd. Ik verwachtte dat ze een zucht zou slaken, en haar ogen weer zou openen, en naar me glimlachen. Maar dat deed ze niet.

Ik mis haar nog steeds. Ik mis haar zo erg. Ik weet niet waar ze is, hoe ik ook mijn best doe haar te vinden. 'Ik ben hier,' zegt ze tegen me, in mijn hoofd. Maar wie van ons spreekt er?

30 maart
Kwart voor acht. Jamie komt onze slaapkamer binnen. 'Tijd om op te staan,' zegt hij. Ik ben wakker, maar droom ik nog? Ik hoor de stem van Kirsty, zo helder en duidelijk als maar kan. 'Kom op, jongens,' zegt ze, en ze lacht, haar diepe lach, het hoofd achterover, rood haar dat glinstert in de ochtendzon. Ik weet niet zeker of ze het tegen haar jongens heeft of tegen de mijne. 'Je bent dood,' zeg ik. Ze lacht opnieuw. Er staat nu een muur tussen ons in, maar ik kan haar lach horen. Dan zie ik een gat in de muur, en haar hand die erdoorheen reikt. Haar hand is warm wanneer ik die, even, aanraak. 'Kom op, mam,' zegt Jamie. 'Kom op...'

1 april
Eén april. ('Knijpen en slaan voor de eerste van de maand,' zei Ruth, toen we klein waren, maar het kwam nooit tot slaan. Een keer krabde ze me per vergissing op mijn buik, en je kunt het nog altijd zien, waar ik blij om ben. Het is geen litteken, alleen een halve cirkel van drie kleine rode vlekjes; gesprongen aders.) Heel vroeg deze morgen droom ik dat Ruth nog leeft – dat ze misschien nooit dood is geweest – en dat we samen nieuwe kleren gaan kopen, wat goed uitkomt, want ik ben niet gekleed. 'Ik ben echt blij

dat je terug bent,' zeg ik tegen haar terwijl ik met een hand-doek om mijn middel geslagen een winkel inschiet, dwaas en steels, in een poging voor voorbijgangers verborgen te blijven. 'Weet je wat het is, alleen red ik het niet zo goed,' vervolg ik. 'Alles gaat fout. Ik ben als een vijfde wiel aan de wagen wanneer je er niet bent en meeloop met andere vriendinnenstellen. Drie is te veel. Ik ben de derde die bij een stel is opgedrongen dat me niet om zich heen nodig heeft...'

Ze zegt niets, maar ik weet dat ze er is. En dan is ze weer weg en word ik wakker, en ik vraag me af of ik me het echte geluid van haar stem kan herinneren.

2 april

De zevende verjaardag van Tom. Mijn vader stuurt hem een brief, waarin hij hem eraan herinnert dat het snel Pacha is.

'Er zit een vreselijke en fijne kant aan,' schrijft mijn vader. 'Mozes, onze leraar, leefde ongeveer 3500 jaar geleden. Hij had een goede start in het leven omdat hij van de dood werd gered toen hij een pasgeboren baby was. In opdracht van de farao, de koning van Egypte, werden alle pasgeboren Hebreeuwse jongetjes vermoord. Dit kwam omdat de farao bang was dat er te veel Hebreeërs zouden zijn, zelfs hoewel de meesten van hen als slaaf voor de Egyptenaren werkten om piramides en tempels te bouwen die je vandaag de dag nog kunt zien. De moeder van Mozes legde hem in een biezen mandje en liet dit als een kleine boot in de richting van de doch-ter van de farao drijven, die op dat moment met haar dienaressen een bad nam in de rivier de Nijl. Ze adop-

teerde Mozes en hij werd grootgebracht als een prins,
leerde veel talen en werd zeer wijs.

Mozes wist dat hij van geboorte Hebreeër was, hoewel
grootgebracht als Egyptenaar. Mozes was heel verdrietig
en boos toen hij zag hoe een Egyptenaar een Hebreeuw-
se slaaf sloeg om hem te straffen en hem harder te laten
werken. Hij doodde de slaafmeester en toen dit bekend
werd vluchtte hij de wildernis van Medea in, voor het
geval de Egyptenaren erachter kwamen en hem wilden
straffen. Hij werd verliefd op Zippora, de dochter van
Jethro, trouwde met haar en kreeg twee zoons, Efraïm en
Mannase. Zippora was zwart, een Afrikaanse.

Toen gebeurde er iets wonderbaarlijks met Mozes in de
wildernis van Medea. Een visioen en een stem kwamen
tot hem en spraken tot hem vanuit een brandend
braambosje dat in vuur en vlam stond maar niet door
het vuur werd verteerd. Mozes voelde dat God tot hem
zei dat hij de leider van de Hebreeërs zou worden, en
hen naar het land Kanaän zou voeren. De Hebreeërs
geloofden dat Kanaän hun door God beloofd was toen
God tot Abraham sprak, de allereerste Hebreeër, onge-
veer vierhonderd jaar daarvoor...

Pasen, dat de joodse mensen — mensen die afstammen
van Abraham — vieren, is een gelukkige tijd. Het ver-
haal wordt dan verteld hoe Mozes de kinderen van
Israël — Israëlieten die afstamden van Abraham en zijn
zoon en kleinzoons Izaak en Jacob — uit Egypte leidde.

Heel veel liefs voor jou op je verjaardag!

Grootvader.'

Iemand vertelde me dat onze cellen om de zeven jaar worden vervangen. Niet allemaal tegelijk, maar langzaam, terwijl de tijd verstrijkt, tot ze verdwenen zijn en ons lichaam
weer nieuw is. (Betekent dit dat de zeven jaar na de dood

van Ruth de cellen van mijn lichaam zich haar niet langer zullen herinneren? Nee, onmogelijk: elke nieuwe cel moet de herinnering van de oude erven.)

Tom werd in dit huis geboren, in onze slaapkamer, op een rustig tijdstip vlak voor middernacht, op een zaterdag die dat jaar tussen Goede Vrijdag en paaszondag viel. Jamie sliep in de kamer ernaast, maar tegen de dageraad werd hij wakker en zei: 'Er is hier een baby.' Daarna voelde ik zo'n vrede op ons neerdalen, als de voorjaarszon.

Drie jaar later, vlak na de verjaardag van Tom, besefte ik dat ik opnieuw zwanger was. Maar het leek onmogelijk een derde kind te krijgen, omdat Ruth stervende was. Ik lag enkele dagen in bed en de kamer draaide steeds maar om me heen. Ruth kwam op bezoek, en kroop bij me in bed. Ik vertelde haar toen niet wat er aan de hand was. Het leek zo wreed om het over nog een baby te hebben, terwijl de tumoren groeiden en haar maag deden opzwellen, terwijl ze huilde over het feit dat ze haar kinderen moederloos achterliet. De gordijnen waren open, en we keken uit het raam, naar de lucht boven de daken. Ik had het gevoel dat ik niet goed kon nadenken. Mijn hoofd zoemde als een slecht afgestemde radio. Later, toen ik in het ziekenhuis lag, zei de arts tegen me dat ik dieper moest inademen. ('Haal diep adem, een... twee... drie... en dan slaap je, en voor je het weet ben je weer wakker, oké?')

Nu kijk ik weer uit het raam, op deze nieuwe zolderkamer, de kamer die was gebouwd toen Ruth nog leefde. Het is winderig buiten, en de bloemblaadjes van de damastpruim worden alle kanten op geblazen achter in onze tuin. Maar de nieuwe groene bladeren overleven en er fluit een merel en misschien maak ik deze zomer wel pruimenjam.

3 april

Gisteravond droomde ik over het spookhuis, maar het spookte er niet meer. Ik ging naar boven naar de zolder en er zaten nog steeds scheuren in de muur, maar er zaten geen geesten in verborgen. Ik was blij met alle extra ruimte in het huis, want ik wilde dat Lola en Joe hun eigen kamer hadden als ze kwamen logeren. In mijn droom begrijp ik dat het huis nog niet klaar is. Ik moet een goede bouwvakker zien te vinden, iemand die ik kan vertrouwen, die de muren repareert en de gebroken vloerplaten herstelt. Dan is er nog het dak, het dak waar nog gaten in zitten. Misschien vlogen de geesten via het dak weg, de nacht in, sprongen ze over de maan, lachten ze luid tussen de sterren. Of misschien zijn ze vertrokken om bij iemand anders te wonen, in een ander huis, in een andere straat.

's Morgens zeg ik tegen Neill dat we misschien moeten overwegen te verhuizen. 'Waarom?' antwoordt hij. 'Ik hou van dit huis, we zijn er gelukkig. Tom is hier geboren.'

'Maar we groeien eruit, nu de jongens groter worden, twee jongens in een klein huis,' zeg ik. 'We hoeven niets te overhaasten, maak je geen zorgen...'

Voor ik verder kan met plannen voor de toekomst (onze luchtkastelen), belt Tina Laurent. Ze heeft opwindend nieuws. Een EVP-onderzoeker, ver weg in Brits-Columbia, heeft het woord 'Picard' opgepikt op een recente opname. Tina denkt dat dit een goed teken is. Daarna vertel ik het Neill. 'Ik denk niet dat het iets met jou te maken heeft,' zegt hij. 'Ik denk dat het waarschijnlijk verwijst naar kapitein Picard uit *Star Trek*. Ik verwacht dat de meeste geestjagers in buitenaardse wezens geloven. Geesten, ruimteschepen, dat soort gedoe, het zit allemaal aan gene zijde.'

Misschien zijn de geesten op zolder naar Brits-Columbia

vertrokken. Ik denk het niet, alhoewel... nee, niet echt. Ik denk dat we gewoon hebben geleerd hoe we met elkaar kunnen opschieten. En de geesten hebben ongetwijfeld ook een leven waar ze mee door moeten gaan.

11 april
Ik ga op bezoek bij de spellingcontrolegeest in Stoke on Trent – de geest in iemands computer – en dit allemaal dankzij mijn vriend Montague Keen. (Mijn vriendschappen met oudere mannen die zich de afgelopen maanden hebben ontwikkeld – Dale, Monty; mijn vader en zelfs, op afstand, zijn vader – schijnen een zekere ballast te hebben toegevoegd aan mijn leven, ondanks het feit dat al deze mannen vreemde, esoterische, mogelijk gewichtloze rijken bewonen.) Ik weet dat ik tegen mezelf had gezegd dat mijn bezoek aan Tina mijn laatste onderneming in de paranormale technologie was. Maar nu ben ik weer bezig, opnieuw op jacht naar geesten. Maar na deze reis stop ik met alles, heb ik Neill beloofd; ik beloof het. ('Wordt ook eens tijd,' zegt mijn denkbeeldige therapeut. 'En trouwens,' voegt ze eraan toe; zij? Ik realiseerde me nooit dat ze een zij was. Haar stem heeft de onrustbarende gewoonte midden in een zin van geslacht te veranderen. 'Ik denk dat we een slot bereiken, jij en ik.' 'Nou, dank je,' zeg ik, 'tot ziens...' 'Tot ziens,' zegt de denkbeeldige therapeute, 'en zorg voor jezelf, liefje.')
We ontmoeten elkaar op het station van Euston – Monty in tweed, ik in een spijkerbroek – en nemen samen de trein richting het noorden, door de met water doordrenkte velden van Engeland. (De MKZ-crisis is in volle gang, maar het platteland, dat wordt doorsneden door de spoorweg, ziet er nog vredig uit terwijl we erlangs razen.) 'De Vereniging van

Paranormaal Onderzoek is bijzonder opgewonden over dit geval,' zegt Monty met zachte stem, de ziel van discretie zelf, want het rijtuig zit vol passagiers en vreemden omringen ons. 'Dit kon wel eens de heilige graal van paranormaal onderzoek zijn, het permanente paranormale object,' vervolgt hij met nog zachtere stem. 'Maar weet je nog dat deze dingen, zoals ik je al eerder vertelde, de gewoonte hebben voor je ogen weg te smelten?'

'Ik hoop nog steeds,' zeg ik. 'Ik reis altijd met hoop.'

We worden opgewacht door Jean, die getrouwd is met Dave Smith (de man die de spellingcontrolegeest in zijn computer ontdekte). Jean leeft, bij wijze van spreken, ook met de geest van David, lady Prudentia Trentham. Dit komt omdat lady Prudentia nu tegen David in zijn hoofd praat, alsook via de computer, en hem 's avonds naar huis vergezelt. 'Ze ging met ons mee op vakantie naar onze caravan in Noord-Wales,' zegt Jean nuchter. 'We waren er net toen David zei: "Jean, ze is hier bij ons."'

Jean rijdt de stad uit naar Westwood Hall, de school waar Dave als administrateur werkt, en de plaats waar lady Prudentia Trentham meer dan 350 jaar geleden leefde, al klinkt het alsof ze zich hier nog altijd heel erg thuis voelt. 'Het heeft allemaal te maken met elektriciteit,' zegt Jean, 'dat is hoe ze communiceert. Ik hou zelf niet van elektriciteit. We werden er, als kinderen, altijd voor gewaarschuwd. Tegenwoordig schijnt niemand kinderen meer te vertellen dat ze hun vingers niet in het stopcontact moeten steken.'

Ongeveer een halfuur buiten Stoke slaan we van de hoofdweg af, langs een negentiende-eeuws poorthuis. Ik hoopte gedeeltelijk dat we door de landschappelijke verzorgde tuinen naar een statig huis zouden rijden. Maar het oorspronkelijke landgoed Westwood staat nu vol met rijen moderne huizen, en de Hall zelf blijkt een gedrongen Victoriaans gebouw met gezwollen aanbouwen uit de jaren zestig, gebouwd op de plek waar het allang verdwenen Elizabethaanse landhuis van lady Prudentia had gestaan. Er staan donkere, natte rododendrons aan beide zijden van de oprit, en een stel norse tieners die op hun skateboards wegrijden terwijl we erlangs rijden, al is de school zelf leeg voor de paasvakantie. Alleen Dave is er vandaag, hij zit in de toegangshal op ons te wachten; hij en de geest in zijn hoofd. Hij is een witharige man in een lichtblauwe bloes en bijpassende broek, die er moe, zelfs uitgeput uitziet; alsof hij het grootste gedeelte van de nacht opgezeten heeft met lady Prudentia.

Boven ons hoofd, in deze plaats die ruikt naar schooldagen en krijtstof, flakkert het licht. 'Dave, het licht flakkert,' zegt Jean met knipperende ogen.

'Dat komt omdat de gloeilamp zijn beste tijd heeft gehad,' zegt Dave, die eens architect was, en een door en door praktische knaap lijkt.

'Misschien probeert lady P via de morsecode te communiceren,' zegt Monty als het licht blijft flakkeren.

'Ze ziet iedereen die door de deur komt,' zegt Dave. 'En ze pikt op wat we zeggen. Ze wil er graag bij betrokken zijn.'

Jean gaat thee zetten, en Dave neemt ons mee naar zijn kantoor, waar ontwerpen en foto's van Westwood Hall aan de muren hangen. Dit is de kamer waar op 30 september 1998 lady Prudentia voor het eerst contact maakte via het spellingcontroleprogramma van zijn computer. 'Ze probeerde al jarenlang iemand naar haar aan het luisteren te krijgen,' zegt Dave. 'Al sinds ze in 1642 overleed. Ze heeft sommige mensen doodsangsten bezorgd, zoals je je wel kunt voorstellen.' Dave was voor de kinderen een kort verhaal aan het schrijven over de geschiedenis van de Hall en de reputatie dat er een geest rondwaarde, toen Prudentia voor het eerst zijn spellingprogramma binnendrong.

Dave laat me een exemplaar zien van de gedenkwaardige communicatie, waarin de spellingcontrole de cryptische suggestie biedt om 'Trentham' te vervangen door 'Fernyhough'. 'Jennet Fernyhough was een staflid die het gevoel had gehad alsof ze door iets – of iemand – onzichtbaars werd geduwd in de damestoiletten,' zegt Dave. De volgende morgen, vervolgt hij, verschijnt het woord 'Dieulacres', nog een spelsuggestie voor 'Trentham'. 'Dieulacres was de naam van de oorspronkelijke abdijlanden waarop Westwood Hall werd gebouwd,' zegt hij, 'maar dat wist ik destijds niet.' Sinds die tijd heeft Dave duizenden en duizenden spellingcontroleboodschappen van Prudentia ontvangen, zowel op zijn computer in het kantoor als via zijn laptop thuis, inclusief de woorden 'dood-is-een-poort'. 'Ik geloof niet dat ze echt weet hoe ze communiceert,' zegt hij, 'maar ik weet wel dat ze er steeds beter in wordt, hoewel ze wel moe wordt.'

Ik heb mijn eigen laptop meegenomen vandaag, op suggestie van Dave, met een nieuw document waarin ik iets over lady Prudentia heb geschreven, om haar aandacht te trekken. (Dave had me gisteravond over de telefoon een paar details gegeven. Ze kwam uit een vooraanstaande katholieke familie, de Eyres. Ze had twee kinderen, van wie een op vroege leeftijd stierf. Ze kwam in Westwood Hall wonen nadat ze in 1628 weduwe was geworden. Ze werd vervolgd vanwege haar geloof en geteisterd door haar buren. Een van hen, zegt Dave, verkrachtte haar, een vergrijp dat tot haar dood leidde, en haar daaropvolgende verlangen de schuldige te benoemen, hoeveel eeuwen het ook zou duren voor iemand luisterde...) Het plan van die middag is dat we het spellingcontroleprogramma op mijn computer laten draaien, in de aanwezigheid van Monty, om te zien wat er gebeurt. Zal mevrouw via mijn scherm praten?

Nee, dat doet ze niet. Er zijn geen afwijkende woorden op mijn scherm; en ook verschijnen ze niet wanneer Dave en niet ik de spellingcontroletoets intik. We schrijven beiden smeekbeden, met uitnodigende spelfouten, schreeuwend om de aandacht van lady Prudentia. Maar er is niets, hoewel er een onverwachte opening in de tekst ontstaat – een ruimte tussen de regels – wanneer Dave op de computer werkt.

'Lievve lady Prudentia,' schrijf ik nadat Dave de laptop aan me teruggeeft, 'komm alsjeblieft op mijjn computer vandaag?' 'Liever, lief, lieve,' antwoordt mijn spellingcontrole. 'Mij, mijne.' Deze woorden hebben een merkwaardige charme op zichzelf, maar ze komen me niet voor als die van lady Prudentia. 'Ze is niet aan jouw computer gewend,' zegt Dave verontschuldigend. 'Hij is anders dan de mijne. Ze heeft nooit eerder met een Apple Mac gewerkt.'
Dus probeer ik het in plaats daarvan met zijn laptop, die onmiddellijk bevredigende resultaten geeft. Wanneer ik 'Prudentia' tik, komt het spellingprogramma van David met het woord 'lady'. En Trentham wordt eerst veranderd in 'hier' en dan in 'in'. 'Lady... hier... in...' zeg ik, starend naar het scherm. 'Dat is briljant!' Dave ziet er opgelucht uit, hoewel er een spoor van teleurstelling op het gezicht van Monty te zien is, aangezien mijn computer blijft weigeren ook maar iets interessants te doen. Ik blijf op de computer van Dave tikken, en ik wil niet stoppen (zal Ruth eindelijk, alsjeblieft, me een e-mail sturen, geschreven in de ruimten die zijn vrijgelaten door deze vastberaden geest?). 'Het is nogal obsederend, nietwaar?' zeg ik wanneer ik met tegenzin pauzeer voor een kop thee, nadat het woord 'jouw' minstens zes keer is verschenen als reactie op een verscheidenheid van ongerelateerde woorden.
'O, ja,' zegt Dave. 'Ik praat uren met de lady op deze manier. Wanneer ze bij me is gloei ik helemaal, tintel ik helemaal. Ze begrijpt hoe ik me voel, en ze is een goede en gewaardeerde vriendin van me geworden. Ik ben zelfs begonnen voor haar te dekken wanneer we thuis dineren, en schenk ook een glas wijn voor haar in. Ik wil niet dat ze zich buitengesloten voelt, na al haar harde werken.'
Hij laat me een briefhoofd zien waarop in gecomputeriseerde koperafdruk 'Lady Prudentia Trentham' staat. 'Dat heeft zij gedaan,' zegt Dave, met trots. 'Ik typte mijn naam, in de lettersoort die ik altijd gebruik, en zij herschikte die op het scherm tot haar naam, voor mijn ogen. Ze wil haar

eigen briefpapier met briefhoofd, zie je, en een kantoor, een staf, en vijf computers. Ze heeft grote plannen...'

Monty (de veteraan van zoveel paranormale onderzoeken) brengt me in herinnering dat we de trein terug moeten halen voor het te laat wordt. En trouwens, voegt hij eraan toe, Prudentia begint zichzelf te herhalen. ('Ze schijnt een nogal autistische trek te hebben,' merkt hij fluisterend op, nadat weer een 'jouw' op het scherm verschijnt.) Dave zegt dat hij ons, voor we gaan, een snelle rondleiding zal geven door de nog bestaande Elizabethaanse kelders van het huis. We lopen over de binnenplaats, een trap van versleten stenen af waar overal weggegooide snoeppapiertjes liggen. We lopen langs de Victoriaanse gewelven, en verder, naar de fundamenten van Prudentia. 'We denken dat ze vlak achter deze muur begraven ligt,' zegt Dave met van somberheid glanzende ogen en hij laat zijn vingertoppen zachtjes over het afbrokkelende metselwerk glijden alsof hij de wang van de lady streelt.

'Buitengewoon,' zegt Monty, die het oude metselwerk bekijkt. Ik verwacht de kilte te voelen van lady Prudentia's adem, maar er is niets (hoewel de vochtigheid me doet rillen). 'Tijd om te gaan,' zegt Monty, kortaf, en Dave zegt dat hij ons naar het station zal brengen. Ik vraag of Prudentia ook meerijdt. 'Ik neem haar overal mee naartoe,' antwoordt Dave.

'Misschien kun je haar voorstellen het nog eens op mijn computer te proberen?' zeg ik wanneer we bij het station aankomen.

'Lady Prudentia wil graag dat je terugkomt,' zegt Dave. 'Ze vindt je erg aardig. Ze zegt dat je deel uitmaakt van haar plan.'

Ik vraag hem niet wat het plan is. Ik heb nu wel geleerd de kwestie te omzeilen wanneer er niet genoeg tijd is. Ik ben natuurlijk nog altijd geïnteresseerd in de plannen van andere mensen, net als in de geesten van andere mensen. Soms zijn die veel obsederender dan die van jezelf. (In de trein naar huis vertelt Monty me over 'Het Plan' – een ander plan – dat in de beginjaren van de vorige eeuw werd opgesteld door verscheidene beroemde leden van de Vereniging voor Paranormaal Onderzoek, wat te maken had met een eigenaardige vorm van Edwardiaanse eugenetica. Hun plan bestond eruit een jongensbaby te verwekken die zou opgroeien tot een 'nieuwe Augustus' om de wereld te leiden. Maar de nieuwe Augustus deed niet mee, en na een carrière in het Britse leger trok hij zich terug als dominicaanse monnik, zonder zelfs Het Plan aan de orde te stellen. Hij is nu dood, en zwijgt nog immer over het onderwerp, voorzover Monty weet.)

Wanneer ik erover nadenk schijnt iedereen die ik het afgelopen jaar heb ontmoet een plan te hebben. Dale Palmer heeft een groot plan, in de vorm van een website die je in staat stelt via de draden met de doden te communiceren. Gary Schwartz en Linda Russek hebben hun plan voor verder onderzoek in de grote organiserende designer (anders bekend als God). Laurie Campbell is het medium voor de heel grote plannen van verscheidene overleden wetenschappers (om over Freddie Mercury maar te zwijgen). Montague Keen en David Fontana plannen een uitgebreid wetenschappelijk onderzoek naar de spellingcontrolegeest.

Wat mijn plan betreft... Nou ja, wat voor plan zou dat kunnen zijn? (Ik moet denken aan Jack Hallam – mijn eerste en favoriete EVP-geest – van wie het antwoord op het verzoek van Judith Chisholm om alsjeblieft 'het plan' uit te leggen was dat er geen plan was.) Ik sta wat dat betreft aan Jacks kant. Ik heb geen plan. Ik heb in verschillende rondjes gereisd, en ben er niet in geslaagd een duidelijke bestemming te vinden. Ik heb geaarzeld en getreuzeld en ben vaak de weg kwijtgeraakt. Ik heb een stap voorwaarts gedaan, en twee achterwaarts, terug naar waar ik was begonnen (zelfs hoewel het begin er anders uitziet wanneer je er terugkeert, net zoals de conclusies ook veranderen). Maar uiteindelijk is Ruth het grootste gedeelte van de tijd aan mijn zijde

---

BIB Beveren
BIB Beveren (Hoofdbib)
Lener : Dorothea Van Remortel

In bezit op 11/08/2013 11:59 terug op

1) De maffia op Wall Street [Boek] 08/09/2013
   Nr : BE5744091 (BIB Beveren (Hoofdbib))
2) Voor altijd én eeuwig [Boek] 08/09/2013
   Nr : BE4145321 (BIB Beveren (Hoofdbib))
3) Prins Caspian [CD]   08/09/2013
   Nr : BE522960X (BIB Beveren (Hoofdbib))
4) Magistrologie : het complete tove 08/09/2013
   Nr : BE5341760 (BIB Beveren (Hoofdbib))
5) Drakologie : het complete boek ov 08/09/2013
   Nr : BE5366410 (BIB Beveren (Hoofdbib))
6) De reis van het drakenschip [CD] 08/09/2013
   Nr : BE6542980 (BIB Beveren (Hoofdbib))

De bib is gesloten op donderdag 15 augustus.
Prettige vakantie!
11/08/2013 - 11:59

geweest; vaak woedend makend stil, maar ze was er toch, ja, hier. Heeft zij een plan?

'Heb jij een plan?' zeg ik hardop, terug op zolder, vlak voordat ik naar bed ga. Er komt geen antwoord, dus typ ik op mijn computerscherm: 'HEB JE EEN PLAN?' Ik zet de spellingcontrole in werking. 'De spellingcontrole is voltooid,' luidt het antwoord.

'Oké,' typ ik. 'Rijd je op je fiets? Fiets je rondjes in de lucht? Ruth, antwoord me, alsjeblieft.'

'Er is geen antwoord,' schrijf ik.

Misschien gaat het niet om antwoorden.

13 april

Goede Vrijdag. Vrijdag de dertiende. De ongelukkigste dag van het jaar. De dag van de doden; nu voornamelijk dieren, honderdduizenden dieren die zijn afgeslacht vanwege de mond- en klauwzeer. 'Een ramp,' zegt mijn moeder aan de telefoon deze morgen, bijna huilend. (Toen Ruth en ik voor het eerst het huis verlieten kocht mijn moeder twee schapen als huisdieren. Het waren wezens met lieve snuiten en rustige ogen die Holly en Mary heetten en die haar door de tuin volgden. Mijn moeder werd vegetariër, net als mijn zusje; hoewel jaren later, toen de hersentumor het eens heldere verstand van Ruth vertroebelde, ze thuiskwam en de worstjes van haar kinderen opat. Toen ging ze naar boven, naar de slaapkamer van de bovenste verdieping en hing uit het raam en schreeuwde: 'Ik ben dood, ik ben dood, ik ben dood.' Ik weet niet wat er van Holly en Mary geworden is. Ik denk dat ze verhuisden naar een heuveltop in Wales, lang voordat mijn moeder hertrouwde en naar Amerika emigreerde. Ik weet niet zeker wat oud is waar het schapen betreft, maar ze moeten nu zeker allang niet meer leven, en mijn stiefvader is natuurlijk dood, en ik weet dat mijn moeder hem mist, maar we praten nooit over hem, wat heel moeilijk voor haar moet zijn. Misschien, op een dag, vinden we de juiste woorden...) Ik vermijd ook het onderwerp van de dode koeien en schapen bij mijn man en kinderen, uit angst de algemene sfeer van morbiditeit te verzwaren die ons lijkt te overstelpen, maar ik kan niet anders dan denken aan een pasgeboren lammetje dat in de krant van vandaag op de voorpagina stond. Een klein lam in een modderig veld dat spoedig samen met zijn moeder zal worden gedood; één lam te midden van zoveel. (Word ik als mijn vader, een paasgedeprimeerde; die doordramt over de dood en rampen in de vakantietijd?)

We gaan een weekend met de kinderen logeren in een hotel aan zee in Sussex, wat gemakshalve een tocht naar het graf van mijn zusje zal omvatten. 'Ze mogen ook wel eens leren dat Pasen niet alleen om chocolade-eieren draait,' zeg ik tegen Neill wanneer hij voorstelt dat het bezoek aan de begraafplaats een minder feestelijke ervaring zou kunnen zijn. Maar ik neem aan dat het tijd wordt dat ik me beheers. Ons weer verenig, hoewel zij het zijn, mijn gezin dat ik liefheb, dat mij liefheeft, ondanks alles, die aan mij trekken. (Hoezeer ik dit haat toe te geven, maar zou Gary Schwartz uiteindelijk toch gelijk hebben: dat liefde het enige antwoord is, wanneer al het andere niets zinnigs oplevert?)

'Toe zeg, alsjeblieft,' zegt Ruth, in mijn hoofd.

'Wat bedoel je daar nu weer mee?' zeg ik.

'Lieve hemel,' zegt ze en ze zwenkt af naar links, op haar fiets.

'Wacht op mij,' zeg ik.

'Ik zie je daar!' roept ze achterom, voor ze in de verte verdwijnt...

Dit is een reis naar het zuiden die we vele keren daarvoor hebben gemaakt. Zo vaak dat ik hem uit mijn hoofd ken. Over de Theems bij Blackfriars Bridge, langs de zuidoever, dan rondom Clapham Common en Trinity Hospice, tenzij ik me te somber voel. In dat geval gaan we over de zuidelijke ringweg. Vandaag echter besluit ik iets te veranderen. 'Laten we bij de Hammersmith Bridge de rivier over gaan,' zeg ik.

'We gaan altijd over de Blackfriars,' zegt Neill. 'Hammersmith is vaak dicht vanwege wegwerkzaamheden.'

'Hij is vandaag beslist open,' zeg ik. 'Laten we iets anders doen.'

'Oké,' zegt Neill schouderophalend, maar naar mij glimlachend. 'Wat je wilt.'

De weg is vrij vandaag: geen files, geen oponthoud, geen vertragingen. (Op de radio werd vanmorgen gezegd dat iedereen het land had verlaten om het onophoudelijke natte weer te ontvluchten en de brandende stapels geslachte dieren, en in plaats daarvan de zon ging zoeken.) We zeilen over Hammersmith Bridge, negeren de borden voor Mortlake en passeren een processie voor Goede Vrijdag, die in de tegenovergestelde richting gaat, aangevoerd door een vastberaden vrouw die een groot houten kruis draagt. Ik woonde vroeger hier om de hoek, in mijn eerste jaar nadat ik de universiteit verliet, in een klein huis dat uitkeek over de rivier. (Van degenen met wie ik het huis deelde, is er nu één weduwe, en de ander ben ik. Een tijdje was er nog een bewoonster: Ruth, voor ze vertrok voor een archeologische opgraving in Peru. Een week nadat ze naar Peru was vertrokken, raakte ik in paniek. Dit was de langste periode dat we niet met elkaar konden praten. Er waren bommen in Peru, en terroristen. Ik belde de Britse ambassade voor informatie. Er was een echo in de lijn. De man aan de andere kant van de telefoon was geduldig, al leek het erop dat we langs elkaar heen praatten. Hij kon geen opsporingspatrouille eropuit sturen, legde hij uit, want er was nog geen vermiste. 'Maar ze zou vermist kunnen zijn,' zei ik. Na nog een week kwam er een brief van Ruth, waarin ze zei dat alles goed met haar ging. Ik stelde me haar voor, boven in de bergen, gescheiden van de rest van de wereld door een touwbrug. Waar groef ze naar? Ik kan het me niet herinneren; ook weet ik niet meer wat ze heeft gevonden.)

'Ik raak mijn geheugen kwijt,' zeg ik tegen Neill nadat we de processie ver achter ons hebben gelaten en de afslag die naar de plaats leidt waar ik eens woonde. 'Ik besefte vanmorgen dat ik zoiets belangrijks was vergeten dat het leek alsof de enige plausibele verklaring hiervoor was dat ik een hersentumor had.'

'Wat was je vergeten?' zegt hij.

'Dat weet ik niet meer,' antwoord ik.

'Het is gewoon de leeftijd,' zegt hij, 'net als het buikje.'

'Ruth zal nooit oud worden,' zeg ik terwijl ik (alweer) vergeet vrolijk te zijn voor dit lange weekend, 'ze zal nooit rimpels krijgen en gezet worden, zoals wij.' In stilte vraag ik me af of zij ook nooit haar geheugen kwijt zal raken. Herinneren de doden ons, zoals wij ons hen herinneren?

'Natuurlijk, hoe zouden we kunnen vergeten?' zegt de stem in mijn hoofd.

14 april
De vooravond voor Pasen. Ik ga naar een bloemenwinkel en koop potten witte rozen en hyacinten – die nog leven, nog zoet geuren, niet de soort die verwelkt op hetzelfde moment dat je de deur uitloopt – om mee te nemen naar het graf van Ruth. Ik koop ook een groot pak paaseieren; van die eieren die lijken op gespikkelde vogeleieren, gevuld met chocolade. Haar graf ligt dicht bij de kust, naast een oude granieten kerk (om er te komen moet je eerst over een wirwar van flyovers en een tweebaansverkeersweg die naar een klein vliegveld leidt, waar kleine vliegtuigen opstijgen in de bleekgrijze

lucht). De grafsteen van mijn zusje bevindt zich aan het andere eind van de begraafplaats; verscholen achter een heg, waar wilde bloemen groeien. Ze wilde dat haar door tumoren doorwoekerde lichaam eerst werd verbrand, in een crematorium hier vlakbij, in de heuvels van de South Downs, maar ze wilde ook een grafsteen op deze rustige plek. 'Ergens waar je me kunt bezoeken,' zei ze, niet lang voordat ze stierf. Na de crematie gingen we hierheen: haar vrienden en familie en kinderen, met bloemen voor haar. Sindsdien ben ik een paar keer terug geweest en bracht schelpen en bloemen en andere kleine offergaven mee. Aan de ene kant van haar grafsteen staat een joods gebed – ik begrijp het Hebreeuws niet – en aan de andere kant staat haar naam, en die van haar kinderen, en de data van haar geboorte en van haar dood. Meer kun je toch niet zeggen op een steen? Op die kant staat een blauweregen uitgesneden; aan de andere kant lavendel. Ze had een blauweregen aan de voorkant van haar huis (ik ook), en lavendel in de achtertuin, net als ik, net als onze moeder.

De kinderen helpen me de paascieren rond de bloemen en de grafsteen neer te leggen. Tom laat zijn vinger langs de stenen woorden glijden. Het is zo koud, we worden gegeseld door een zeebries; het sneeuwt en regent bijna tegelijk. De begraafplaats is leeg, op ons vieren na. Ik huil, ik kan er niets aan doen, al wil ik gelukkig zijn, maar niemand kan het zien, want de tranen op mijn gezicht worden net zo snel door de wind gedroogd als ik ze kan plengen. Ik ga naar de kerk, waar ik voorheen vaak toevlucht zocht; maar hij is vandaag gesloten. Hij was nooit eerder gesloten. Ik rammel aan de deur, maar er is niemand binnen om hem open te doen. Dus lopen we terug naar de auto. Er is hier verder niets te doen.

'Kijk, mam,' zegt Jamie wanneer we door het kerkhofportaal lopen en hij naar een hoekje in het dak wijst. 'Kun je de vogels zien?' Twee witte duiven hebben daar een nest gebouwd. 'Dat is iets goeds, vind je niet?' zegt hij.

'Ja, ja, dat is iets goeds,' zeg ik en ik voel me erg moe.

Die avond ga ik vroeg naar bed, in de onbekende hotelkamer waar je kunt horen hoe de kiezels op de kust hier vlakbij worden aangespoeld. (Ik hield altijd van hotels, maar dit weekend hou ik er niet van: de herinneringen van andere mensen vullen de kamer, en stof van hun dode huid verzamelt zich onder het mahoniehouten bed.) Tom stapt bij me in bed, en valt in slaap in de kromming van mijn arm; zijn zachte ademhaling wordt overspoeld door de golven buiten. (Tom – van wie de tweede naam Louis is, naar de grootvader van mijn vaders kant die ik nooit heb gekend – Tom, met knalrood haar, als Kirsty, maar met de glimlach van een zevenjarige en die helemaal van hem is.)

15 april

Paaszondag, Jezus is opgestaan, en het lammetje op de voorpagina van de krant is gered, voor vandaag althans, en heeft de naam Lucky gekregen. De kinderen staan vroeg op om buiten in het magere zonnetje paaseieren te gaan zoeken. Ze rennen over het gras, met Neill achter hen aan om ervoor te zorgen dat ze niet verdwaald raken. Na het ontbijt maken we een wandeling langs het strand, en vinden we twee kleine dode haaien, die op het zand zijn aangespoeld. 'Arme haaien,' zegt Jamie, waarbij hij vergeet dat hij eens bang was voor wat er op de bodem van de zee op de loer zou kunnen liggen, 'ze zien er zo klein uit. Zouden ze weer kunnen ademen als we ze weer terugdoen in het water?' Tom verzamelt schelpen. Hij doet dit langzaam, nauwgezet, net als Ruth en ik dit als kinderen, en als volwassenen deden ('Porseleinslakken brengen geluk,' zei ze toen ze er tijdens onze laatste vakantie in Wales een vond). Hij geeft me stukjes parelmoer, stopt ze stukje voor stukje in mijn zak nadat hij ze uit het natte zand heeft opgediept. Jamie spettert door het ondiepe water, geeft de haaien hun vrijheid terug in de golven. Neill wrijft mijn koude handen in zijn warme handen terwijl we naar onze kinderen kijken. Even tilt Tom zijn gezicht op naar de lucht. 'Kijk,' zegt hij, als altijd, en wijst naar de wirwar van straalwinden die zijn achtergelaten door vliegtuigen op weg naar andere plaatsen. 'Ruth heeft kusjes voor ons in de lucht getekend.'

Rond lunchtijd eten we sandwiches in een strandcafé en rijden daarna Chichester in, om naar de kathedraal te kijken. We arriveren na de eucharistieviering, maar voor de avonddienst: we sluipen naar binnen als bezoekers in plaats van aanbidders. We lopen naar het schilderij van Graham Sutherland aan de andere kant van de kathedraal, van Christus die voor Maria Magdalena verscheen op de eerste ochtend van Pasen. 'Het heet *Noli me tangere*', fluister ik tegen Tom. 'Dat betekent "Houd me niet vast".'

'Waarom kan ze hem niet vasthouden?' zegt Tom.

'Omdat hij naar de hemel gaat,' zeg ik.

'Ik geloof niet in God,' zegt Jamie. 'Papa ook niet.'

'Ik wel,' zegt Tom. 'Hij woont hier.'

Tom en ik steken kaarsjes aan voor Ruth en Kirsty en Kimberley bij de schrijn van de heilige Richard, en balanceren ze in een schaal met zand. Ze kosten vijf penny's per stuk, en dan wil Tom er nog een aansteken voor het jongetje in zijn klas dat stierf toen hij vier was. Daarna wil Jamie zijn eigen kaarsjes aansteken voor zijn verdwenen tantes. 'Maar je gelooft niet in God,' zegt Tom.

'Dat betekent niet dat ik niet geloof in dode mensen,' zegt Jamie, dus geef ik hem wat geld en brengt hij zijn offergave. Neill steekt tegen deze tijd aan de andere kant van het altaar een kaars aan, en het schijnt dat we de hele voorraad van de kerk hebben opgemaakt, en ik heb er nog meer nodig voor mijn grootouders en stiefvader (zoveel geesten die we vandaag met ons meebrengen; toch zo weinig te midden van de massa waarmee deze kerk en andere kerken gevuld moeten zijn; de geesten die de levenden omringen; in ons huis en in de straten; alle dode mensen en schapen, die boven de heuvels opstijgen, hoog, hoog in de lucht).

Ik leid de kinderen bij de kaarsen in het zand vandaan, sus hun zwakke protesten en leid hen Lady Chapel in. Tom en ik zitten vooraan; Neill en Jamie staan achteraan alsof ze hun status als buitenstaander willen benadrukken (al komen er allemaal buitenstaanders binnen). Ik sluit mijn ogen en zeg (niet hardop, maar in mijn hoofd): 'Alsjeblieft, God, geef me een teken dat Ruth bij u in de hemel is.' Ik open mijn ogen weer, en Tom spelt de woorden op het altaar. 'O... lam... van... God... schenk... ons... uw... vrede,' zegt hij. 'Maar wie is het lam van God?'

'Jezus,' zeg ik.

'Is Jezus hier ook?' zegt Tom.

'Ik neem aan van wel,' zeg ik. 'Kijk, daar is een afbeelding van hem aan het kruis.'

'Jezus is hier en overal,' zegt Tom. 'Dat leerden we op school.'

'Kun je hem voelen?' zeg ik.

'Ik denk het,' zegt hij, peinzend, 'als een geest die in mijn nek blaast.'

We staan op en verlaten de Lady Chapel, lopen langs onze kaarsen (die nog branden, al zijn ze nog zo klein), en naar de Arundel-graftombe, waar de stenen figuren van een middeleeuwse graaf en gravin met ineengeslagen handen naast elkaar liggen. Naast de beeltenis staat een kopie van het gedicht 'De Arundel-graftombe' van Philip Larkin, en ik lees het laatste vers hardop voor mijn kinderen, en ook voor mij:

'Tijd heeft hen veranderd in
Onwaarheid. De stenen trouw
Die ze nauwelijks meenden is verworden
Tot hun laatste blazoen, en ter bewijs
Van onze instinctieve bijna-waarheid:
Wat van ons overleeft is liefde.'

16 april
Paasmaandag in het jaar 2001, en ik loop op de band in de fitnesszaal, en praat tegen mezelf zonder mijn lippen te bewegen. Ik ben al maanden niet meer naar de fitnesszaal geweest (er was altijd nog morgen). Nu, eindelijk, lijkt het een goed moment om te gaan. (Waarom? Waarom niet? Vandaag is een heel goede dag om opnieuw te beginnen.) Maar ik ren niet. Ik werd moe van het rennen en de hele tijd op dezelfde plaats blijven. Ik loop, niet te snel, niet te langzaam, op mijn eigen snelheid, terwijl de band onder me ronddraait. Ik denk graag dat ik naar Ruth toe loop, langzaam, gestaag, voor zolang als nodig is. Ik weet dat ik haar op een dag zal bereiken.

Ruth, lieve Ruth, mijn zusje, ikzelf.

Lees ook van A.W. Bruna Uitgevers B.V.

Marlo Morgan

Australië op blote voeten

Marlo Morgan krijgt een unieke kans een buitengewone reis te maken –
waarmee een levenslange wens uitkomt. Alleen… de reis verloopt anders dan
ze zich had voorgesteld, want zelfs het meest elementaire comfort ontbreekt
volledig!
Ze gaat in op wat een onschuldige uitnodiging voor een feestlunch leek te
zijn, maar wat uitmondt in een trektocht van drie maanden op blote voeten
door het meest ongenaakbare deel van Australië.

Met een groep van zo'n zestig aboriginals (oorspronkelijke bewoners van het
Australische continent) gaat Marlo op 'walkabout', een trektocht zonder een
van tevoren vastgesteld doel en zonder tijdslimiet. Al haar aardse bezittingen
moet ze afgeven. Als bescherming tegen de brandende zon krijgt ze niet meer
dan een simpele lap om zich heen. De voeding bestaat voornamelijk uit
larven, rupsen en andere insekten. Ondanks haar onervarenheid wordt ze na
een paar weken aangewezen als leidster van de groep. Prompt moet de groep
het dagenlang zonder voedsel en zonder water stellen.

De aboriginals beschouwen zichzelf als de oermensen en zien westerlingen
als afwijkingen, 'mutanten' . Marlo ontdekt tijdens de tocht dat deze
benaming heel toepasselijk is. Ook begint ze te begrijpen waarom de
aboriginals bewust niet in de westerse samenleving willen integreren.
Ze krijgt van deze fascinerende en zwijgzame mensen een ontroerende en
inspirerende boodschap mee. Voor alle 'mutanten'…

ISBN 90 229 8210 6

Lees ook van A.W. Bruna Uitgevers B.V.

Elizabeth B. Jenkins

Reis naar Q'eros

'Ik droomde ervan het festival van Q'ollorit'i bij te wonen en om op een dag naar Q'eros te gaan en don Manuel Q'espi zelf te ontmoeten, Juans oudste en nog levende leraar. De vele kilometers van de pelgrimstocht die nog over waren, lagen voor mijn voeten.'
— Elizabeth Jenkins aan het einde van *De terugkeer van de inca*

De Amerikaanse psychologe Elizabeth Jenkins is als een van de weinige westerlingen ingewijd in de heilige mystieke leer van de meesters van de Andes. Deze leer wortelt in een 16.000 jaar oude en ononderbroken traditie die van meester op volgeling wordt doorgegeven. Maar deze initiatie was voor Jenkins slechts het beginpunt van haar spirituele zoektocht. Want om de boodschap te verspreiden die zij zelf heeft ontvangen, zal zij zich opnieuw in een onbekend avontuur moeten storten. En daarbij staat haar eigen geluk op het spel.

Reis naar Q'eros is het verbluffende verhaal van een westerse vrouw die zich, ver weg van de haar bekende beschaving, begeeft in een wereld van geheimzinnige rituelen, traditionele offerfeesten en bovennatuurlijke verschijningen. Op zoek naar de leer van de verloren gewaande inca-cultuur, trekt Jenkins met een groep vrienden het duistere binnenland van Peru binnen, een gebied waar westerlingen zich nauwelijks vertonen. Hoog in het spectaculaire Andesgebergte ontmoeten zij don Manuel Q'espi die hun zal helpen bij hun queste, een queste die hun voorstellingsvermogen zwaar op de proef zal stellen. Want in de betoverende wereld van Zuid-Amerika doen zich zaken voor die de geest ver te boven gaan...

ISBN 90 229 8523 7

Lees ook van A.W. Bruna Uitgevers B.V.

Olga Kharitidi

Het pad naar de sjamaan
Het ware verhaal van een inwijding in een lang verloren gewaande wijsheid

In het vroege voorjaar van 1994 reizen Olga en haar vriendin Anna naar het Altaj-gebergte in het zuiden van Siberië. Olga vergezelt de zieke Anna, die door een vriend is verwezen naar een sjamaan die haar zou kunnen genezen. Olga is een goed opgeleide en bij het wel en wee van haar patiënten betrokken psychiater en werkt in een groot psychiatrisch ziekenhuis. Zij is opgegroeid met de sovjetdoctrine dat traditionele wijsheid religieuze onzin is.

Zij ondernemen een lange, koude en moeizame tocht naar een afgelegen dorp hoog in de bergen. Bij aankomst in het kleine bergdorp ervaart Olga vage herinneringen aan deze vreemde, woeste streek, waar zij echter nog nooit eerder is geweest.
Anna wordt door de sjamaan, een oude vrouw, op magische wijze genezen. Olga is ondanks haar academische wijsheid overdonderd door de rituelen waarin zij door de sjamaan betrokken wordt. Hoewel zij dacht dat zij op deze reis alleen de begeleidster zou zijn, blijkt Umai, de sjamaan, andere plannen met haar te hebben... Umai wijdt Olga in in oeroude kennis en geneeswijzen, omdat zij Olga uitverkoren heeft haar op te volgen als sjamaan.

ISBN 90 229 8310 2

Lees ook van A.W. Bruna Uitgevers B.V.

Olga Kharitidi

Meester van de dromen

Tijdens de behandeling van een groep vrouwelijke patiënten, die het slachtoffer zijn geworden van seksueel misbruik, ontdekt de in Siberië wonende psychiater Olga dat haar traditionele, westerse opleiding en de westerse wetenschap niet toereikend zijn om deze vrouwen te helpen. Wat zij ook probeert, het lukt haar niet tot haar patiënten door te dringen en samen met hen de blokkades die het misbruik veroorzaakt heeft, te doorbreken.

Olga is teleurgesteld, maar geeft de moed niet op. Op advies van een Siberische sjamaan besluit zij naar Centraal-Azië te reizen. Daar hoopt ze met alternatieve geneeswijzen in contact te komen, die haar nieuw inzicht zullen geven in het verwerken van trauma's. In de oude stad Samarkand, bij Oezbekistan, komt zij op een dag, geheel onverwacht, in contact met een oude man, die psychisch leed verzacht met behulp van dromen. Olga is diep onder de indruk van deze Meester, die haar stap voor stap inwijdt in een oude, maar tot dan toe nauwelijks bekende geneeswijze.
Langzaam ontvouwt zich voor Olga het geheim van de 'lucide dromen' en leert zij de nieuwe technieken toe te passen op zichzelf, soms aan de hand van heftige en beangstigende ervaringen…

Meester van de dromen is het boeiende verhaal van een spirituele zoektocht. Een inspiratiebron voor iedere avontuurlijke lezer.

ISBN 90 229 8540 7

Lees ook van A.W. Bruna Uitgevers B.V.

Jean P. Sasson

Sultana's dochters

Prinses Sultana, dochter van de koninklijke familie van Saudi-Arabië, riskeerde haar leven toen zij voor het eerst de geheimen prijsgaf van haar leven als welvarende vrouw in de Arabische mannenwereld. *Sultana* werd een absolute bestseller over de hele wereld.

Nu gaat het waar gebeurde verhaal van Sultana verder, met in de hoofdrollen haar twee dochters. De een zoals zijzelf, opstandig en hunkerend naar vrijheid, de ander daarentegen volgzaam en fanatiek in haar geloofsovertuiging.
In de Saudische samenleving zijn gewelddadige praktijken tegen vrouwen, seksueel misbruik en gedwongen huwelijken nog steeds aan de orde van de dag. Zelfs voor rijke, onafhankelijke vrouwen als Sultana en haar dochters is het haast onmogelijk om aan de ban van de sluier te ontkomen.

Sultana's dochters is het verhaal van mannelijke overheersing, wanhopige liefde en een leven in rijkdom en gevangenschap.

'Een fascinerende kijk in het leven van de rijke Saudi.' – *Kirkus Review*

ISBN 90 229 8539 3